МИРЗАКАРИМ НОРБЕКОВ

ГДЕ ЗИМУЕТ КУЗЬКИНА МАТЬ,

ИЛИ

КАК ДОСТАТЬ

ХАЛЯВНЫЙ

МИЛЛИОН

РЕШЕНИЙ

Москва
АСТ · Астрель
2004

УДК 159.9
ББК 88.37
Н82

*Оформление обложки —
дизайн-студия «Дикобраз»*

*Художник
В.П. Храмов*

Норбеков М.С.

Н82   Где зимует кузькина мать, или Как достать халявный миллион решений. / М.С. Норбеков. — М.: ООО «Издательство АСТ»: ООО «Издательство Астрель», 2004. — 344, [2] с.

ISBN 5-17-018513-8 (ООО «Издательство АСТ»)
ISBN 5-271-06743-2 (ООО «Издательство Астрель»)

Вы держите в руках очередной подарок от автора мирового бестселлера «Опыт дурака, или Ключ к прозрению. Как избавиться от очков» Мирзакарима Норбекова.

УДК 159.9
ББК 88.37

Подписано в печать 30.10.2003. Формат 84x108 ¹/₃₂ Гарнитура Ньютон
Усл. печ. л. 18,5. Тираж 30 000 экз. Заказ № 4891

Общероссийский классификатор продукции
ОК-005-93, том 2; 953005 — литература учебная
Санитарно-эпидемиологическое заключение
№ 77.99.02.953.Д.008286.12.02 от 09.12.2002

ISBN 5-17-018513-8 (ООО «Издательство АСТ»)
ISBN 5-271-06743-2 (ООО «Издательство Астрель»)

Зарисовка об авторе

Уважаемые читатели!

Приходилось ли вам встречать людей, рядом с которыми ваша жизнь начинает обретать смысл, вдруг сами собой приходят ответы на вопросы, легко решаются проблемы? Людей, которые притягивают к себе безграничным светом и теплом своей души, которые излучают силу, знания, мудрость, щедрость, доброту, любовь и вместе с тем скромность и простоту.

Рядом с ними всегда чувствуешь надежность и защищенность, пробуждается желание жить, идти вперед и обязательно побеждать!

Разрешите вам представить одного из таких людей — Мирзакарима Норбекова.

Возможно, вы уже слышали это имя. Для кого-то оно связано с восстановлением здоровья, для кого-то — с открытием своего бизнеса, для кого-то — с духовным ростом и становлением себя как Личности, а для кого-то со всем этим одновременно.

Он притягивает к себе людей, как светящаяся точка в ночной пустыне, и каждый, кто соприкасается с ним через его книги, учебные занятия и тренировки, начинает удивительное путешествие в мир самого себя со всеми приключениями и открытиями, трудностями и победами на этом пути.

Этот неординарный человек заражает желанием быть таким же жизнелюбивым, безгранично талантливым, любознательным, как ребенок, мужественным, сильным, устремленным вперед, как воин, разносторонним, знающим, мудрым, терпеливым, спокойным, как Учитель.

На сегодняшний день у Мирзакарима есть ученики по двадцати четырем специальностям. Они сами уже стали звеном в цепочке по передаче знаний и опыта другим поколениям.

Трудно поверить, что за спиной одного человека может быть целая армия последователей в самых разных направлениях и сферах жизни. В спорте, бизнесе, преподавании, психологии, медицине, настенной орнаментальной росписи, музыке, кино, на эстраде, в писательской деятельности и т. д., и т. п.

Он действительно во всех этих областях является специалистом и достиг немалых высот. Занимаясь бизнесом, Мирзакарим смог стать мультимиллионером, пережил все радости и печали этого положения и нашел в себе силу остановиться в погоне за материальными ценностями, сознательно отказаться от денег ради духовного поиска.

Благодаря этому человеку за много лет работы миллионы людей восстановили свое здоровье, поверили в себя. Как тренер он воспитал несколько десятков чемпионов мира по разным видам спорта, сотням открыл дорогу в бизнес, и они создали свой клуб супербогатых людей, ряды которого стремительно расширяются. Мирзакарим открыл ряд институтов и академий, многие из которых успешно развиваются. В довершение всего он является советником особ мирового значения.

Секрет этого человека прост — он специалист по **искусству побеждать**. Главный его талант — это знание природы человека и умение Любить.

В этой книге он рассказывает о том, где находится ключ от двери, открывающей путь к Победе во всем.

ЗАЯВЛЕНИЕ_____

Уважаемые представители

различных учреждений, объединений, организаций, компаний, обществ, ассоциаций, федераций, коалиций, блоков, слияний, союзов, единений, спаек, смычек, группировок, институтов!

Для начала предлагаем вам маленькую притчу!

В раю проходит экскурсия для обычных людей и бизнесменов.

Гид проводит инструктаж:

— А сейчас мы как можно тише пройдем и заглянем во многие двери.

— Почему тихо?

— За каждой дверью сидят представители разных конфессий, и каждый из них думает, что он в мире один.

Надеюсь, вы все уже поняли!

Вот уже на протяжении **восьми тысяч лет** философия нашей школы — школы Мастеров пути — распространяется на сугубо жизненные вопросы. Они касаются традиций самопознания и самосовершенствования человека и не имеют никакого, абсолютно никакого(!) отношения к религиям!

Однако вам может показаться, что мы залезли в ваш огород. Возможно, у вас даже возникнет агрессия в наш адрес, и вы потратите на это много сил и времени!

Но наша школа не берет на себя право проповедовать какую бы то ни было истину, тем более Божью.

Божья истина у вас! И прекрасно, что вы есть!

Поэтому, чтобы вас немного успокоить, сэкономить ваше время и поделиться своим мнением, предлагаем вам наилучший способ быстрой оценки!

Если вы считаете, что мы не правы, — мы ответим: «Да, вы правы. Это воистину так!».

Если вы посчитаете, что правы мы, — мы и в этом случае согласимся с вами: «Это тоже воистину так!».

Если вы все же решили гневаться, пожалуйста, помните — зло, совершенное во имя добра, не является добром! Надеюсь, вы тоже так думаете!

С любовью к вам,
автор и гид по совместительству

От редакторов

Дорогие читатели!

Примите искренние поздравления!

Вы держите в руках новую книгу Мирзакарима Норбекова, книгу-тренажер, способную помочь вам справиться с нежелательными проявлениями своего характера, возможно, даже выбрать собственный путь в жизни, найти ответы на многие вопросы.

Не секрет, что предыдущая книга М.С. Норбекова «Опыт дурака, или Ключ к прозрению...» установила рекорд. Она постоянно занимает первые места в книжном рейтинге и по праву считается бестселлером.

Но у популярности, как и у всего прочего, есть оборотная сторона. Издательская братия принялась штамповать книги от имени, но без поручения Норбекова, зарабатывая себе на жизнь обманом.

За последний год, даже по весьма приблизительным подсчетам, выброшены на прилавки больше десяти наименований книг.

Сердечное вам спасибо, «коллеги»!

Ваша плагиаторская активность послужила хорошим стимулом и направила творческий процесс в нужное русло. Мирзакарим Норбеков написал новую книгу!

Эта и следующая книги позволят вам, уважаемые читатели, развить свои способности, чтобы в дальнейшем вы могли без труда отличать авторскую работу от подделок.

А теперь кое-что по секрету.

Возможно, вы уже знаете Мирзакарима Санакуловича как человека неординарного. В его жизни происходит немало, на первый взгляд, мистических случаев, в действительности вполне реальных для таких людей, как он. Но подавляющему большинству такие вещи представляются сказочными, невероятными, неправдоподобными.

И хотя все эти явления имеют под собой четкое, если не сказать научное, обоснование, автор категорически возражал против их опубликования, ссылаясь на то, что люди могут его не понять.

Непонимание часто возникает от узости восприятия мира, от неразвитых способностей ощущать глубинную суть вещей, привычки все внимание уделять фантику, в то время как на саму конфету его уже просто не остается. К сожалению, большинство людей воспринимает мир поверхностно.

Нам захотелось дополнить тренировочную часть книги фрагментами жизни Мирзакарима Санакуловича, которые дадут вам возможность погрузиться в «сказку», отдохнуть и переосмыслить полученные уроки.

Мы все-таки рискнули включить сюда некоторые подобные эпизоды. Как вы их воспримете — это будет ваш выбор.

Так что, когда вы в тексте встретите буквы **P.S.** (постскриптум — в переводе с латинского «после написанного») — это будет паролем.

В конце концов Мирзакариму Санакуловичу пришлось смириться с тем, что мы сделали, потому что переделывать что-либо было уже поздно.

Так что не поминайте нас лихом.

Редакторы

Прелюдия от автора

ВНИМАНИЕ

***Учебник написан по системе ускоренного обучения!
Осторожно! Не оскробляться!***

Дорогой читатель!

Вот вам сюрпризик на вашу голову.

Я долго кормил вас обещаниями, как-никак кем бы я ни был, я все-таки мужчина, а мужчинам, сами знаете, верить нельзя!

Мужики! Я здесь вру, не верьте! Это я просто лапшу на уши вешаю!

Но, в конце концов, совершенно случайно, когда однажды сидел за микроскопом, вдруг вижу: что-то ма-а-ленькое знакомое мелькнуло и исчезло. Когда максимально увеличил изображение, только тогда еле-еле смог распознать: «Ба-а-а! Это ж моя совесть!!!».

Оказывается, у меня есть совесть, вот ведь тяжелая ноша! И сразу вспомнил свои обещания, и мне стало сначала стыдно, а потом очень стыдно! Понял — тянуть больше нельзя!

Вот за каждое «стыдно» и «очень стыдно» с помощью моих близких по одной книге написал.

Значит, первая книга, которую вы в руках держите, рассчитана на тех, у кого есть совесть по отношению к своей жизни. А вторая книга, в которой я повторил почти то же, что говорил здесь, рассчитана на тех, у кого совесть распространяется не только на себя и своих близких, но и на весь мир, на тех, кто хочет реально помогать людям во всем добром и светлом.

Условно она называется «Секреты кузькиной бабушки, или Азбука к тайным знаниям».

Книга, которую вы взяли в руки, может показаться вам неожиданной по форме и стилю изложения, даже если вы читали

«Опыт дурака...» или занимались на курсах и знаете о методе ускоренного обучения достаточно много.

Ко всем приемам шокирования читателей здесь добавлена вуаль, то есть иносказание. Почему? А потому...

Считаю, что имею право выбора: кому давать, условно говоря, миллион или миллиард... решений, в том числе и финансовых проблем, а кому нет. Поэтому сначала решил поинтересоваться, кто этот человек?

Вы не подумайте, что в книге речь пойдет о деньгах, Боже упаси, нет! Есть то, что выше и дороже любых денег!

Со всех частей Земного шара к моим Наставникам приезжают люди, чтобы овладеть знаниями, соприкоснуться с мудростью и могуществом, отдавая немало усилий и тем более средств.

И мне неприятно думать, что кто-то, покупая книгу за три копейки, будет, сонно позевывая, лениво почесывая пузо, листать ее через несколько страниц и откроет легкий доступ к своим сверхвозможностям.

Уверяю вас, такие не только не получат пользу, они просто даже не смогут оценить эти знания по достоинству.

Чтобы не разменивать труд и знания Наставников, накопленные тысячелетиями, пришлось в книге поставить барьер, то есть установить ограничение диапазона восприятия.

Именно поэтому книга «Где зимует кузькина мать...» написана намеренно жестко, местами откровенно грубо. Нарушена логика изложения, есть повторения, использованы плохо сочетаемые по смыслу слова.

Темы специально разбросаны по всей книге так, чтобы вы заблудились. Поверьте, было нелегко создать из цельного знания мозаику, каждый элемент которой будто бы логически незавершен.

Если ваша интуиция имеет необходимый минимум для поступления в «академию», вы поймете, о чем речь, и тогда с глубоким поклоном на подносе обнаружите пока еще маленькую часть вашего Божественного наследства, которое находится внутри вас.

И если вы тот, за кого я вас принимаю, вы легко найдете спрятанные в тексте ключи и самостоятельно устраните недосказанности.

Если вы в жизни по своему характеру, доброте, излучаемому свету заслуживаете во всем большего, лучшего, то это не потребует от вас особой внутренней готовности, концентрации и мобилизации лучших сторон вашей личности — все это у вас есть. Барьер вы даже не заметите. За это примите подарок в виде расширения своих возможностей, способностей, потенциала.

Ну что, испугались?..

Но, родимый мой! Мы же вместе пройдем этот путь, даже дважды! А дорогу осилит идущий.

Нам с вами нужно оторваться от привычного восприятия мира, основанного на чужих знаниях и опыте, кем-то пережеванной интеллектуальной пищи. И сегодня вы для себя возьмете то, к чему готовы на этом этапе, в зависимости от широты вашего восприятия.

Книга, которая выйдет следом, освещает те же вопросы. Она написана на основе тех же примеров и материалов, но по-другому. Насколько по-другому вы воспримете знакомый материал, настолько расширилось ваше сознание. Не навестив «...кузькину мать...», не приступайте к «Секретам кузькиной бабушки...».

Задача настоящей книги — подготовить вас, дорогой читатель, к более глубокому и тонкому восприятию окружающего мира так, чтобы в будущем ни одна наиважнейшая деталь не была вами упущена.

К тому моменту, когда придете к «...кузькиной бабушке...», вы уже будете готовы воспринимать информацию более объемно, более масштабно, более целостно. И конечно, при условии, что вы хорошо потренировались, раскроете в себе заложенное Природой и глубоко-глубоко спрятанное внутри ваше тайное могущество.

Вы уже знаете, что самая чистая вода бывает в тех источниках, в которые она пробивается сквозь препятствия, преодолевая трудности пути.

Именно такое очищение от примесей пустой породы ваших чувств, вашего характера, вашей личности и было умышленно заложено в этой книге.

Мне нужно, чтобы вы, родные мои, как можно быстрее выросли из детской песочницы, освободились от ненужного груза обид и неприязни, от мелочных проявлений характера, присущих обычному человеку, и приступили к выполнению своего истинного предназначения в жизни.

Нас ждут великие дела во имя любви, гармонии, совершенства!

Ну что ж, тогда приступаем?..

Искренне ваш,
Мирзакарим Норбеков

Здрасьте!

Еще раз от автора

Вот сейчас — в который раз — сижу, хожу, иногда бегаю вокруг стола, думаю, думаю, думаю...

Как рассказать, что не где-нибудь, когда-нибудь, а прямо здесь и сейчас реально существуют люди, раскрывшие в себе великое тайное Божественное могущество?

Как сказать, чтобы не навредить, чтобы не обидеть вас, не вызвать чувства неполноценности? Как изложить так, чтобы каждый читающий, при всех различиях в восприятии, получил максимальную для себя пользу?

Как уберечь вас сегодняшнего от непонимания, неприятия моих ошибок прошлого?

На все эти «как» есть ответ моего главного советчика и наставника — моей интуиции. Но объевропеизированные маски, которые вынужденно ношу по совету Наставников, наперебой бубнят мне в уши: они могут тебя не понять! И т. д., и т. п.

Сначала у меня тоже были очень большие сомнения и недоверие, что это есть, особенно когда приходилось сравнивать слова моих Наставников с действительностью окружающего мира. Но когда я увидел их **возможности**, у меня вырвался вопль возмущения, непонимания, обиды за их несправедливость:

— Эгоисты! Вы думаете только о себе. Имея Великую силу, не хотите поделиться ею с людьми.

В мире столько грязи, войн, несчастий, которые вы можете устранить одним движением, одним желанием! А вы заняты только высокими материями, самосовершенствованием.

Лучше бы подумали о людях, которых можете вылечить, накормить, сделать счастливыми. А вместо помощи вы сочувственно киваете головой.

Много раз с недоумением спрашивал и возмущался:

— Почему, почему, почему?..

Они смотрели на меня с презрением и снисходительной улыбкой:

— Когда начнешь постигать и раскрывать в себе истинную силу, сам решишь, помогать или нет.

С тех пор прошло... О, Господи! Тридцать лет прошло!

Теперь только, кажется, начинаю хоть как-то их понимать, да и то не уверен... Но одно знаю точно: в их глазах не было и не могло быть презрения. Была доброта и грусть Влюбленных, говорящих с малышом-почемучкой о любви.

Эта книга — очередная, жалкая попытка наладить связь между миром обычных людей и миром людей со сверхвозможностями, миром Влюбленных.

Между этими двумя мирами лежит громадная бездонная пропасть. Который раз пытаюсь построить из подручных материалов мостик, перебросить его от одного края к другому с надеждой, что кто-то из возможных собеседников еще ищет переправу.

Влюбленные, достигшие состояния величайшей любви и могущества и свободные от мирского тщеславия, смотрят на обычных людей, как отец и мать на своих больных детей. Глядят на них с жалостью и состраданием, зная, что помочь можно только единицам.

Ну вот, написал, и теперь меня ждут удары с двух сторон одновременно.

С одной стороны — порка за то, что нарушаю некоторые запреты своих Наставников, за примитивность изложения, за возможную профанацию высоких идей и невольное разглашение некоторых тайн.

С другой стороны — снисходительная улыбка обычных высоконаучных умов мира спящих и ушат грязи на мою голову.

Сознательно иду на таран всех мнений, сомнений и самомнений. Надеваю кимоно камикадзе... или как это правильно сказать?

Стоп!

Еще чуть-чуть, хотя бы несколько минут хочу побыть самим собой, без всяких искусственных оболочек! Хочу перенести на бумагу мое истинное состояние.

Когда через несколько страниц мы встретимся, я стану совсем другим. Но запомните: день и ночь, где бы я ни был, чем бы ни занимался, истинное мое состояние — **вот это...**

...Лунная ночь. Пустынный берег. Парусник одиноко покачивается на волнах. Он только что вернулся из путешествий в иные миры. Паруса пронизаны ветрами дальних странствий, пропитаны духом Великой любви, Гармонии, Истины.

Они еще светятся той девственной чистотой облаков, которая встречается только в том измерении. Каждый канат еще хранит яркость, стремительность и мощь молний, таинственность чудес, отблеск чистоты, аромат диковинных растений.

Чувства еще не успели вернуться из волшебных полетов в другом времени, других пространствах, измерениях, мирах.

Чей-то печальный вздох и всхлипывание заставили меня очнуться от ностальгических воспоминаний....

Глупый крошечный бутончик испуганно выглядывал из-под воротника моей штормовки. Две секунды назад, когда я уже собрался возвращаться на работу, малыш тайком спрятался там, наивно надеясь увидеть в чужом мире особенную, ни с чем не сравнимую красоту.

Бедняга! Как он ошибся! Он не мог предположить, что попадет в страшный мир спящих!

Если б я заметил его раньше, то обязательно уберег бы от разочарований. Ведь я-то знал, куда возвращаюсь!

В его огромных глазах-росинках отразился амфитеатр мусорных куч, залитая лунным светом сцена, где уже прогремел торжественный гимн желудку и страстям. Исполнители — хор пикникующих тусовщиков.

И вот уже ласковый теплый ветерок с легким шелестом треплет обрывки памяти об этом славном событии, разметая мусор воспоминаний.

Две капельки-слезинки скатились по тонкому стеблю и безнадежно растворились в пыльной складке одежды.

С тоской в душе прихватываю вещмешок с дежурными анекдотами и шутками, откровенными хамствами, грубостями и омерзительными оскорблениями, с поучительным тоном в голосе, искусственной чванливостью и красками для грима.

Я же должен знать язык, который будет понятен там, куда я иду, манеры и обычаи, которые там приняты! Иначе они меня в лучшем случае не заметят, а в худшем — разорвут на части, как непохожего на них!

Огромным усилием воли впихиваю себя в малюсенький мегаполис — «цирк-шапито». Который раз захожу в это шумное безумное место, чтобы рассказать о вечных путешествиях и приключениях. Но вот услышат ли?

Из моих печалей придумываю клоунские дурачества, чтоб угодить тем, чья жизнь от рождения до смерти надежно замурована в тесном склепе настоящего.

Ради чего я пришел в этот цирк, где все билеты раскуплены выдающимися шутами и клоунами своей жизни?

Знаю! Ради тех редких зрителей, которые не хотят больше оставаться только зеваками, ради тех, кто в самой глубине души смутно подозревает об истинной жизни.

Может быть, это вы?..

Захожу в гримерную цирка, имя которому «мир обычных людей». Здесь пахнет опилками спиленных райских деревьев, мочой очеловеченных до полной цивилизованности львов, медведей и тигров.

Они выдрессированы для развлечения ленивой публики и уже потеряны для бескрайних лесов и саванн.

Как обмолвиться этой публике о настоящей жизни? Как разбудить ее? Как рассказать о бодрствовании?! Рассказать так, чтоб хотя бы дослушали, прежде чем растерзать!

Проорать шепотом так, чтоб не потревожить океан спящих, но помочь пробудиться тому, кто находится в дремотном состоянии.

Как поддержать того, кто уже пару раз приоткрыл глаза, но, напуганный увиденным, тотчас зажмурился и теперь изо всех сил пытается уснуть снова.

Это к нему на помощь приходит «акушер». Это он — мой будущий собеседник. И чтобы ему было легче проснуться и встать на свой Путь, поболтаем для начала о том о сем. А дорогу в дом своей Возлюбленной он найдет сам.

И тогда цель книги будет достигнута.

Но нельзя забывать об остальных, превративших свою жизнь в страшный эксперимент, сами не зная в какой!

Вот потому сажусь теперь перед зеркалом и рисую улыбку идиота во все лицо. Пусть узнают себя.

Нарисую, для большей выразительности, слепые выпученные глаза в очках, такие же умные, как у них. Потренируюсь вычурно выкрикивать их фальшивые истины, еще демонстративнее, чем кричат они друг другу с трибун. Тогда свою точную копию они примут за шедевр клоунады.

Ох, как они будут материться в мой адрес, хохотать над моей глупостью, неуклюжестью, даже не догадываясь, что смеются над собой!

Последние приготовления перед выходом. Пришла пора отодвинуть в сторону те прекрасные и глубокие переживания души, которые я никому не в состоянии передать.

Ах, как бы мне хотелось хоть один раз взять вас с собой в путешествие! Но увы...

Придется мне перевоплотиться.

Где мой шутовской колпак ученого? Где мои медальчики-бубенчики, звездочки-на-погончики? Посчитаем, все ли на месте: доктор педагогики, доктор психологии, доктор медицины, академик там, академик тут, профессор здесь, чего-то там президент...

А теперь разогреем голосовые связки: до-о-о, ре-е-е, ми-и-и-и, фа-а-а... о со-оле... о с-о-о-оле мио... ку-ка-ре-ку-у-у-у, кудах-тах-тах! У, ё-моё! Не получилось!

Попытка номер два... Уже лучше.

Попробуем снова... Кхе-кхе... Уже умнее.

Йехх! Еще раз... Совсем научно получается!

— Здравствуйте, почтеннейшая дырка от публики!

— Уважаемые умники и умницы!

— Дамы-господа и прочая, прочая, прочая...

Сейчас, сейчас скажу... сейчас скажу... что-то умное, ну, очень умное: **«Мать кузькину за ногу!..»**. Вот!

Всё! Клоун готов! Пора на манеж! Нас ждут великие гнилые помидоры!

— А вот и я!

Достаю ВАС в третий раз

От автора, или двадцать четыре параметра вашей временной беременной гениальности

Ну что, родные?

Во-первых, писать книги не только не люблю, но прямо-таки ненавижу. Но вынужден.

Во-вторых, писать приходится в основном ради учеников, чтоб сэкономить голосовые связки. Так что это — трудовая повинность.

В-третьих, если писать абсолютно искренне, придется все и всех назвать своими именами! А к этому ни я, ни вы пока не готовы. Это способны понять только мои ученики.

Вот это меня удерживало. Но, в конце концов, после целого года мучений, после всех маниакальных домогательств учеников и друзей я согласился. Особенно помогли ласковые поглаживания их «пистолетных дул», от которых на моем виске уже образовалась мозоль.

Понял, что они не слышат моих протестующих воплей:

— Ко всем моим профессиям еще и книги писать?! Вы что, из меня писателя сделать хотите?! Делать мне, что ль, нечего?!

А потом решил:

— Да наплевать! Будь, что будет! Напишу, как получится!

Как же я волновался, выпуская книгу «Опыт дурака...» такой, какая она есть! Думал: «Поймут или не поймут?..».

Ко всем моим догадкам и внутренним убеждениям эта книга добавила огромный восклицательный знак! Жизнь доказала верность моей теоретической практики и практической теории на 100%.

Вот сейчас хожу, диктую и вижу: на шкафу стоят всякие статуэтки — награды за мою книгу, которая побила все рекорды по тиражам.

Обычно книга держится на первых местах рейтинга неделю, максимум две. «Опыт дурака...» остается бестселлером с момента выхода.

Почему «Опыт дурака...» держится три года? Почему ее тираж на сегодняшний день превысил пять миллионов и продолжает безостановочно расти? Как я это сделал?

Просто «Опыт дурака...» пропустил всего по трем параметрам техники ускоренного обучения.

В издательстве редакторы с высшим литературным обрЕзованием высокомерно, уничтожающими взглядами смотрели на меня. Одни кричали:

— Что вы вытворяете? Так не пишут! Это не по правилам! Нас же сотрут в порошок!

Другие смотрели с сожалением и грустью, как на самого безнадежно глупого ученого. Так было с первой моей книгой: редакторы убрали самые главные, ключевые моменты.

Но теперь я сказал им:

— Или печатайте, как есть, или... На хрен нужен красивый набор ваших мертвых облитературенных слов?!

Признаюсь, слово «на хрен» тогда не говорил, сейчас добавил. И пришел к этому после того, как один таксист, применяя всего три слова, мгновенно объяснил мне, как ремонтировать карбюратор.

Объясню: одно из этих слов означало мужской половой орган в разных состояниях, другое — женский орган, третье — их совместный бизнес.

Потом он плавно перешел на политику и, меняя только порядок слов, описал мне многовековую историю России. Обрисовал портреты и деятельность многих политиков так, что я сразу узнал, о ком идет речь.

Я сделал вид, что первый раз в столице, и попросил показать город. За час он познакомил меня с центром и главными архитектурными достопримечательностями столицы.

Не применяя других слов, он рассказал, кто в каком доме живет и чем занимается. Вот такой урок русского языка преподал мне простой таксист.

Тогда возникло горькое чувство: столько ученых работают над техникой ускоренного обучения, а вот рядом — непризнанный академик за баранкой зарабатывает на жизнь!

Значит, одна из малюсеньких сторон техники ускоренного обучения — применение в особо ответственные моменты шокирующих, иногда оскорбительных слов в ваш адрес.

Предупреждение голодным литераторам!

Если вы захотите последовать этому примеру, то окажетесь **по уши в своих... мыслях и мечтах**! Потому что нужно знать, что и в какое место вставлять, а ваши оскорбления читателей — это далеко не техника ускоренного обучения.

Теперь каждую страницу новой книги буду пропускать уже не по трем, а по двадцати четырем параметрам техники ускоренного обучения.

И очень прошу вас не обижаться на меня. Или обижаться только на мгновение — и сразу прощать!

Я ненавижу грубые слова и в жизни стараюсь их не употреблять. Если что-нибудь такое и скажу, то потом целый год ищу самую сильно дезинфицирующую зубную пасту, чтобы рот почистить.

Но ради науки, ради достижения ваших же целей иногда, в особо ответственные моменты, буду вынужден обзывать вас недоумком! Но с любовью, гадина вы такая-сякая. Шутка! *(Объяснение для тех, у кого нет чувства юмора).*

Так и быть, завесу одной из сторон техники ускоренного обучения чуточку приоткрою. «Чуточку» не означает «полностью». А то испугаетесь!

Это — целая наука, и к тому же на сегодняшний день закрытая. Если все объяснять, то минимум учебник-двухтомник придется написать, который все равно попадет в сейф кое-каких организаций, как и предыдущие мои разработки.

Когда вы слушаете или читаете такой текст, у вас будет возникать очень-очень специфическое состояние. В этот момент резко обостряется, напрягается и мобилизуется восприятие.

Появляется сосредоточенность, цельность и ясность запоминания.

Моя задача — заострить ваше внимание на главном, которое вы можете принять за совсем-совсем второстепенное. И тогда весь наш совместный труд может пойти насморку или насмарку, сами исправьте!

Как тренер, педагог, которого вы выбрали на свою голову, дуралей вы мой, я должен теперь максимально втемяшить вам, что **вы — гений** во всех отношениях.

Вы можете усомниться в моих словах, исходя из собственного опыта. А мне плевать на ваше мнение, если вам это интересно!

Опыт работы с вами, уважаемый читатель, показывает, что вы — самый великий гений всех времен и народов.

НО!

Спящий и воспринимающий свой сон как реальность. Сон запрограммированный, навязанный извне путем тщательного наставления, зомбирования и усечения — одним словом, воспитания юного, подрастающего, подающего надежды поколения!

Наша с вами задача — поцеловать и разбудить, пробудить и возбудить этого спящего красавчика!

Если поднимусь на кафедру, спрячусь за графин с граненым стаканом и начну нудным голосом гундосить о высоких материях, вы и без пустышки уснете крепким младенческим сном!

Знаете, сколько времени нормальный человек может удерживать свое внимание на одной теме? Спросите у школьных училок. Максимум три — пять минут, а потом — все!

Вы уже отвлеклись, ваши мысли, паразиты такие, пошли гулять, бродить, бодро заплетаясь ногами, сами по себе, куда им вздумалось!

А известно ли вам, что после двадцати четырех лет физический рост человека останавливается и начинается... старость? Да-да! Не согласны? Это мнение у вас от старости!

А знаете ли вы, что после тридцати пяти лет способность учиться начинает пропадать и вы вступаете на путь праведный... к светлому маразму?

Так что, если вам за тридцать, то... Да, да, именно так! Юный вы мой маразматик!

А вот сейчас на следующей странице, прямо посредине жирным шрифтом напишу три слова из заборного лексикона.

Тест!

Угадайте, какие это слова. Вспоминайте слова, которые сами употребляете. Вспоминайте ваши любимые. Из сборника «Избранное» отберите три самых ярких, сочных.

Крепко обеими руками держим в уме то, что отобрали, потом открываем следующую страницу — языком, руки-то у вас заняты — и проверяем.

Не найдя любимых слов, не открывать ни в коем случае!

Внима-а-а-а-ние! Барабанная др-р-р-р-р!

Открываем торжественно!

НЕТ ТАКИХ СЛОВ НА ЭТОЙ СТРАНИЦЕ!
НУ, СЛОВ НЕТ!

Ну и фантазища у вас! Ну вы и представ-а-авили!
Фу! Какая гадость!

От ваших мыслей даже мне стало дурно. Ну и культура у вас! Как таких людей земля держит?!

Вы очень испорченный человек! **Как и я!**

Смотрите, как напряглось ваше внимание! Из праздно читающего бездельника вы мгновенно превратились в заинтересованного участника.

Ваш мозг наконец-то, впервые в жизни, выдал какую-то творческую продукцию. Эту бесценную информацию фиг вы когда забудете! Эта сногсшибающая информация станет тем незыблемым фундаментом, на котором вы будете теперь строить вашу новую жизнь.

Вы знаете, что при частом повторе матерные посулы, обеты и восклицания быстро теряют силу, поэтому вынужден применять более вежливые, но не менее эффективные средства активизации вашего внимания. Как-никак в этом деле я чувствую себя не просто рыбой в воде, а акулой в океане!

Поэтому приготовьтесь, буду вас будоражить всеми средствами, которые есть в нашем арсенале. А их там...

Сейчас посмотрим... Ё-ё-ё-моё!!! Ну, в общем, до хрена, до дыни, до арбуза, до огурца! Теперь заливаем все это соусом, каким вам больше нравится... Приятного вам аппетита!

Зо-о-о-лота до хрена!

В нужный момент буду вызывать в ваших куриных мозгах, еле-еле прикрепленных к черепной коробке, многоразовое короткое замыкание.

По роду своей профессии почти наизусть знаю ваши слабые места и буду на них давить, давить, давить — вежливо, мягко, этично... отбойным молотком.

До тех пор, пока у вас глаза на лоб не вылезут, пока вы, набычившись, не кинетесь на меня, угрожая своими обломанными жизнью рогами.

А самое слабое место у человека какое?

Например, ваш плохо работающий половой «аппарат», ваш молью траченный возраст, ваша национальность, ваше патриотическое чувство. Готовьтесь!

Одна извилина ищет другую, чтобы родить МЫСЛЬ

С реднестатистический умник может удерживать в памяти одновременно максимум две—три темы в течение нескольких минут. Потом его извилины объявляют суверенитет, то есть полную независимость друг от друга.

Буду — а на самом деле, и между прочим, давно уже начал — вести сразу от пяти до двадцати четырех тем.

Начинаю что-то и — раз — перепрыгиваю на другое. Оттуда на третье. Начинаю снова — раз — перепрыгиваю — раз — обратно. Раз — туда. Раз — сюда. Чтоб ваши мысли бегали, прыгали, скакали, как Фигаро-там, Сидоро-тут!

Вы уже заметили? Сколько тем мы уже начали?

Это только одна из специальных форм ускоренной передачи информации. При этом — обязательное условие! — ни одна из тем не должна быть закончена. «Приканчивать» их должны вы в своей головушке.

Опять обращаюсь к литераторам-пиратором, которые штампуют свои книги от моего имени.

Это тоже только один из крохотных способов подготовки внимания читателя к ускоренному обучению. Сами знаете — от одной подготовки дети не рождаются.

Начнем новую тему.

Итак, от пяти до двадцати четырех тем должен вести одновременно, перепрыгивать с одной на другую и...

Вы не понимаете, о чем идет речь? Пока нет, да? Ну, это же просто чудесно! Чмок-чмок! Значит, первое короткое замыкание у вас уже произошло!

Иногда специально, как бы случайно, буду сам себе противоречить. Зачем? Чтобы ваш большо-о-й мусорный бочоночек, извините, черепная коробка, заполненная знаниями высшей школы, постепенно, по восходящей впадала в состояние перестояния! Чтоб ваши мысли, наконец, собрались вместе, как лебедь, рак и кто-то третий.

Потому что у завзятых умников, вроде вас, все должно быть, как у всех, все по правилам, все по полочкам. И чтоб обязательно прилагалась инструкция, руководство, предписание и наставление. Мозгов-то нет...

Одна дама выиграла суд с фирмой, которая не написала в инструкции по применению микроволновой печки, что в ней нельзя сушить кота.

Вы думаете, что это юмор, шутка? Оказалось, реальный случай!

А наука говорит, что женщины умнее мужчин. Что же получается, мужики?!

Истина всегда парадоксальна!

Только истинные дураки догадываются, что истина не там, где все ищут, глядя друг на друга и вытаращив глаза.

По ходу наших с вами занятий доведу вас до такого состояния, что вы время от времени будете раздуваться от возмущения...

В нужный момент установлю вам шило из нержавеющей стали, автоматически срабатывающее в нужное время в нужное место.

Именно в этот момент, момент перехода настроения из одного эмоционального состояния в другое или противоположное — от агрессии к покою, от раздражения к умиротворению, от возмущения к перевозмущению — любая приходящая информация поступает в **долговременную память и сохраняется навечно**.

Ты понял, придурок? То есть, многоуважаемый коллега!

И когда в следующий раз вы почувствуете внутреннее состояние слабости *(с диареей ничего общего не имеет)* — в вас проснется великая Личность, сочетающая в себе железную собранность, яркость сознания, поганую пунктуальность... Дальше можете сами продолжать, и продолжать, и продолжать.

И вырвется на волю как снежная лавина, сметая все ваши ню-ню и сю-сю, и автоматически начнется отторжение негативной информации.

Что за негативная информация?

Это ваши мысли о том, что вы: дохляк, слабак, бедолага, несчастный горемыка, неудачник, безвольный... Продолжайте добавлять свои достижения на этом поприще.

Например, что вы скопили еще не все миллиарды долларов. Ну, в общем, что вы такой-сякой.

Что вы, одним словом, поступаете как коллективный онанист в обществе частных мазохистов, то есть поступаете, как все.

Вот это я должен у вас ампутировать, оттяпать, обрезать, одним словом, кастрировать вас навсегда! И потом еще вставить клизму в то место и промыть у вас недостойное мнение о себе и комплекс неполноценности!

Навсегда! Слышите? Навсегда!

Потому что наша с вами общая цель — заставить вас сделать то, чего вы сами ждете, желаете, жаждете во имя добра, во имя света, во имя счастья ваших близких и если Бог даст, то и других людей.

На этом наконец-то позвольте завершить мой нудный доклад о технике форсированного натаскивания, по ходу которого приходилось то и дело отправлять вас...

Вы уже знаете, куда!

Поехали?

ТЕСТ,
или 100 занудных вопросов
об этом _____
Разрешите вас спросить

1. У вас есть проблемы с самим собой?

2. У вас были мечты, которые давно погребены под надписью «Увы!!!»?

3. Вы беспокоитесь о своем будущем и о будущем близких?

4. Ваши отношения с людьми не складываются?

5. Вам хронически не хватает денег, и вы в постоянной заботе о хлебе насущном?

6. У вас не получается сколотить лишний миллиард для добрых дел?

7. Вы чувствуете себя козлом отпущения, потому что постоянно всё валят на вас, да еще больше всех достается именно вам?

8. Вам кажется, что все кругом плохие, все всё делают неправильно, говорят не так, смотрят не так, дышат не так?

9. Хотите быть, стать, превратиться, перевоплотиться, но...

10. Нет покоя у вас в душе, нет тишины, красоты, цельности, гармонии?

11. Вы не вписываетесь в этот мир и страдаете от одиночества?

Неужели вы собирались прочесть еще 89 вопросов?

Ну, вы даете! Ну, вы и трудя-я-га!

Примите мои поздравления, соболезнования и...

Читать и мечтать мы умеем, а кто работать будет? Я, что ли?

А ведь на самом деле этих вопросов — ваших вопросов к самому себе — еще четырежды по сто. Они не дают покоя и одновременно мешают понять что-то самое главное, самое существенное, жизненно важное.

Они тревожат и одновременно доставляют вам маленькие тайные радости — ну, как же, ведь вы са-а-амый несчастный на этом свете... зззануда.

Вас никакой блин не понимает!

О-о-о-о-о!!!

И зачем все это-о-о?!

На сто бед у вас всегда есть ответ и решение, родные мои.

Понимаю, что вы устали от долговредного чтения поганой болтовни и хотите быстрее приступить к полезным упражнениям, минуя теорию. Мечтаете сразу взяться за кончик практики, чтобы не слишком сильно оттягивать?!

Хотите упражнений? Желаете упражнений? Ну очень хотите от слов перейти к делу?

Хорошо! Тогда вы самостоятельно приступаете. А я побегу вперед. Договорились? Цветы по дороге купить?

Вот тебе, «практик» ты мой дорогой! Мы еще до теории-то не дошли. Это все еще долговязая «вводная часть»

А мы с вами здесь чем до сих пор занимались?!

Сельским хозяйством, что ли?

Урожайность в области хреноводства повышали? Хрено**ввод** вы несчастный!

С радостью жду вас на следующей странице.

А вот представьте, что вы УМНЫЙ...

Представьте! Вы утром встали, усилием воли оторвались от утки у постели и полетели! Расправили свои ангельские крылья в области ягодиц, и...

Или проснулись, вылезли из дырявого спального мешка, а вы — миллиардер!

Или вдруг — баммс! — открылся дар волшебства. И вы стали чудотворцем. Вы творите множество чудес... в перьях. Вы читаете мысли других, видите будущее, управляете событиями.

Здорово?

Дела ваши начинают складываться, как по мановению волшебной палочки.

И главное — жизнь с подхалимской улыбкой протягивает вам на ладошке банный лист удачи!

Для тех, кто не понял, объясняю, что такое «банный лист».

На Руси издавна существует традиция париться в бане. Там люди основательно прогреваются, распариваются и колотят друг друга распаренными вениками, преимущественно березовыми.

Намокшие листики чаще всего прилипают к задним нижним выпуклостям тела.

Теперь тем, кто все еще не понял, что такое «баня», объясню по-другому. Это мокрое место, куда ходят, чтобы под санитарным предлогом драться горячими букетами. Победитель определяется по количеству прилипших листиков к нижней части спины или к тому, что находится еще ниже.

Когда они к вам прилипают, вы чувствуете особый вкус к жизни, одновременно ее простоту и сложность, гармонию и красоту.

Вы наслаждаетесь каждым прожитым днем, каждым движением, каждым своим вздохом! Вы обретаете внутреннюю гармонию и силу.

Вы творите свою жизнь!

Теперь — внимание!

Представьте! Только на один миг представьте. Ну, пожалуйста, представьте назло вашему психиатру. Представьте, что полеты, миллиарды и ваша способность видеть, чувствовать, воспринимать, творить добро и наслаждаться счастьем других людей и своей жизнью — **реальность**.

Почувствуйте, что это — факт.

Ощутите, что это так и есть! Хотя так оно и есть!

Я в свое время тоже не верил. Но рядом, дорогие читатели, на одной с нами планете, в каких-нибудь трех-четырех шагах от нас живут люди, обладающие фантастическими способностями, которые они передают из поколения в поколение.

И что самое интересное: каждый из вас при желании может развить в себе умение формировать события по собственному желанию, говорить без слов, видеть внутренним зрением, чувствовать людей на расстоянии, мысленно просматривать будущее и много еще всяких «и т. д.».

Чудеса? Да не-ет! Просто вы не знаете, как это сделать. Просто никогда не пробовали. Потому что вокруг — такие же люди, как вы.

Да и кто знает, что такое чудеса?

Понятно? Да ни хрена вам не понятно!

Короче говоря, хотите раскрыть свои скрытые способности? Хотите что-нибудь успеть в этой жизни? Хотите оставить след в истории, чтобы ваши дети и внуки гордились вами?

Есть у вас амбиции? Есть у вас вкус к великому созиданию добра, творению, свершению?

Тогда одно из простеньких упражнений, доступных всем.

Спросите себя: «Кто я?».
Основательно подумайте и ответьте.
Снова спросите: «Кто я?».
Ответьте как-то иначе.
И так сорок раз подряд. А лучше четыреста!

Техника безопасности!

ВНИМАНИЕ Когда человек избавляется от первых ложных «я», у него начинается состояние пустоты. Это может привести к временной депрессии.

Если почувствуете дискомфорт и нежелание работать — ни в коем случае не останавливайтесь! Один из секретов состоит в том, чтобы идти дальше и не останавливаться, пока не почувствуете в себе раскрепощение и легкость освобождения.

Рабочий лист № 1_____

Заполнить обязательно!

 Ваши ответы впишите сюда.

Кто я? _____

Кто я? _____

Кто я? _____

Кто я? _____

Кто я? _____

Кто я? _____

Кто я? _____

Кто я? _____

Кто я? _____

Кто я? _____

Кто я? _____

Кто я? _____

Кто я? _____

Кто я? _____

Кто я? _____

Кто я? _____

Кто я? _____

Кто я? _____

Кто я? _____

Кто я? _____

Кто я? _____

Кто я? _____

Кто я? _____

Кто я? _____

Кто я? _____

Кто я? _____

Кто я? _____

Кто я? _____

Кто я? _____

Кто я? _____

Остальные 399 страниц вклейте самостоятельно! Заполните до следующего понедельника!

Посчитайте: сколько раз вам понадобилось ответить, чтобы почувствовать себя пустым местом? И сколько — чтобы почувствовать в себе истинное «я», которое было растоптано, унижено, уничтожено вашими ложными «я»?

Продолжайте. Спросите себя: «Куда я иду?».

Рабочий лист № 2 _____

Начните подниматься к себе, Божественному, и познайте в себе Творца и свои великие возможности

Куда я иду? _____

Куда я иду? _____

Куда я иду? _____

Куда я иду? _____

Куда я иду? _____

Куда я иду? _____

Куда я иду? _____

Куда я иду? _____

Куда я иду? _____

Куда я иду? _____

Куда я иду? _____

Куда я иду? _____

Куда я иду? _____

Куда я иду? _____

Куда я иду? _____

Куда я иду? _____

Куда я иду? _____

Куда я иду? _____

Куда я иду? _____

Куда я иду? _____

Куда я иду? _____

Куда я иду? _____

Куда я иду? _____

Куда я иду? _____

Куда я иду? _____

Куда я иду? _____

Куда я иду? _____

Куда я иду? _____

Куда я иду? _____

Куда я иду? _____

Куда я иду? _____

Куда я иду? _____

Куда я иду? _____

Куда я иду? _____

Еще сами знаете, сколько страниц.

Рабочий лист № 3 _____

Ради чего я живу? _____

Ради чего я живу? _____

Ради чего я живу? _____

Ради чего я живу? _____

Ради чего я живу? _____

Ради чего я живу? _____

Ради чего я живу? _____

Ради чего я живу? _____

Ради чего я живу? _____

Ради чего я живу? _____

Ради чего я живу? _____

Ради чего я живу? _____

Ради чего я живу? _____

Ради чего я живу? _____

Ради чего я живу? _____

Ради чего я живу? _____

Ради чего я живу? _____

Ради чего я живу? _____

Ради чего я живу? _____

Ради чего я живу? _____

Ради чего я живу? _____

Ради чего я живу? _____

Ради чего я живу? _____

Ради чего я живу? _____

Ради чего я живу? _____

Ради чего я живу? _____

Ради чего я живу? _____

Ради чего я живу? _____

Ради чего я живу? _____

Ради чего я живу? _____

Ради чего я живу? _____

Ради чего я живу? _____

Ради чего я живу? _____

Ради чего я живу? _____

Ради чего я живу? _____

Ради чего я живу? _____

А таких страниц еще знаете, сколько?

А теперь самое главное: где найти ответы на эти вопросы?

Если у вас на все есть готовые ответы, наштампованные до вас, полученные от добрых советчиков, из умных книг, из чужого опыта, значит, вы постигли «истину» и можете спокойно закрыть книжку. Нам не о чем говорить. Общаясь с «замороженным», я почему-то испытываю некоторый дискомфорт.

А вот если ответов нет, то интересно понять, почему.
Просто:

— **истине нельзя научить**;

— **истина не дается готовой**;

— **истина постигается** как непередаваемый, непостижимый умом личный опыт.

Трагедия НАУКИ:
яйцо умнее курицы!

Мои родимые! Могу ли сейчас пригласить вас на коротенькую прогулку?

Давайте отойдем в сторонку лет на тридцать. Прогуляемся по захудалому поселку с грязными улицами, старательно приветствуя ногами произведения табуна облезлых кур-саперов.

Войдем в дом с облупленной штукатуркой. Посидим среди опрятных сопливых ребятишек, на лицах которых появились первые рекламные угри.

Послушаем непонятное философствование стариков, так просто и обычно одетых. Они настолько просты, что, встретив их на улице, не обращая внимания, пройдешь мимо...

...Они говорили такие удивительные, странные и несуразные вещи, которые никак не соответствовали ни этой облупленной штукатурке, ни этим их застиранным сорочкам с бахромой на манжетах.

От них исходило непонятное величие и доброе могущество, их шутки вызывали вокруг постоянное веселье.

Одним словом, толпа клоунов и юмористов. Они рассказывали о таких невероятных, невообразимых, немыслимых возможностях человека...

Даже мне, пятнадцатилетнему юноше, жившему в мире фантазий и максимализма, все это казалось сказками для малышей.

И так же, как и остальные, сидел, ковыряя в носу, ожидая, когда же все это закончится. Одновременно выдумывал, изобретал убедительные для своего дяди аргументы в пользу того, почему я должен учиться в столице.

А на самом деле просто хотелось в город. Не было желания оставаться в этой дыре, где нет широких улиц, по которым вечно куда-то несутся толпы людей с умными лицами. Где нет того воздуха, которым дышат герои из телевизора.

Какому юноше не хочется оказаться в среде студентов, особенно если их до сих пор видел только в кино?!

Мечтал попасть туда, где моя фантазия рисовала жизнь с романтикой.

А мой покойный дядя, мир праху его, о котором я вслед за старшими привык думать, что в голове у него чуточку «вассалом алейкум», упорно твердил про какую-то школу:

— Право и возможность учиться в этой школе — есть великая награда Создателя.

Потом сравнивал его высокопарные речи с реальной жизнью: с немытым со времен динозавров чайником на керосинке, с деревянным вагончиком на колесах, стоявшим у входа на территорию маленькой строительной конторы, где дядя жил и работал сторожем.

Мои мысли противоречили друг другу. Только через много лет я понял, что **этим старикам** глубоко наплевать, где и кем работать, как выглядеть, потому что **они знают**, кто есть владыка истинного благосостояния.

Меня удивило, что в этой чисто узбекской деревне вдруг оказались вместе украинцы, узбеки, евреи — и все говорят об одном Боге. Чувствовал, что они так давно знают друг друга, будто вместе росли, и теперь привязаны друг к другу, словно близнецы.

Они говорили о каком-то тайном могуществе, но я-то смотрел на все через экран телевизора. Невзрачная, неброская внешняя сторона их жизни не вызывала желания подражать.

Тогда, в тот памятный день тридцать лет назад, сидели двадцать два Наставника. По одному на двух-трех кандидатов в ученики. И мы сдавали какой-то экзамен, смысл которого я понял только через много лет.

Вы уже знаете, почему мне меньше всего хотелось туда. Но меня с треском... приняли.

На следующий день нас собрали и сказали:

— Сыновья, сегодня вы в необычной школе. Какая школа лучше: обычная, в которой большие и светлые классы, спортзалы, множество приборов и пособий, много детей и знающих людей — ваших педагогов, или эта?

В вашем возрасте мы пошли бы в ту школу. Там вы будете изучать физику, математику, читать стихи и поэмы. Там все ясно, все расставлено по местам. Потом пойдете в институты, станете инженерами, конструкторами, будете строить города...

А в этой школе все будет очень трудно, непонятно и в вашем представлении мы вряд ли можем соревноваться с той школой.

Потом спрашивали, кто кем хочет стать. Я сказал: «Авиаконструктором». Меня похвалили:

— Молодец!

И еще сказали:

— Сто лет назад мы остановили работу школы, чтобы древние знания не попали в руки недостойных людей. Через двадцать лет ваши знания, ваша сила, ваши возможности понадобятся людям. Вы — первые наши ласточки.

Потом поинтересовались:

— Путешествовать любите?

Ну, все, конечно:

— Да-а, лю-юбим!

— В нашей школе, — говорят, — тоже много классов, но они не на разных этажах находятся, а на разных континентах. Вы сейчас не в школе, а в классе сидите, а школа разбросана по всему миру. И пока будете из класса в класс переходить, придется вам весь мир объехать.

Это они такую удочку забрасывали. Ведь в каждом юноше живет великий романтик, великий путешественник. Помните себя? А поездить, действительно, пришлось немало.

— Каждая школа гордится своими выпускниками. Наша школа существует с давних времен и дала миру многих великих Учителей, великих Пророков.

Она дала миру три религии. Наши Мастера — ученики нашей школы — их тысячи и тысячи: Омар Хайям, Навои, Фирдоуси, Руми...

— Сейчас, — они дали каждому по тетрадке, — напишите свои желания: что хочется изучать, кем хочется быть, как хочется жить. А через десять лет прочтете.

И мы сидели по углам и сочиняли свои мечты. И хихикали: «Во дают! Десять лет! Это же целая вечность!».

А в этом году, родимые мои, передо мной лежат три тетради. Потому что в этой школе учусь уже тридцать лет. Читал свои разновозрастные мечты в инфракрасном свете собственного смущения. Читал одним глазом, засунув голову от стыда глубоко под мышку.

— Сыновья, — они тогда сказали, — сегодня у вас последний шанс еще раз обдумать свой путь в жизни. Хорошенько обдумайте.

Мы знаем, какой выбор вы сделаете. Но наша традиция требует, чтобы мы вас спросили. Тогда в будущем, вспоминая об этом, вы будете уверены, что сами выбрали этот путь.

Они еще много чего говорили. Тогда казалось, целый день что-то говорили, говорили, говорили... Какой-то набор слов. Тогда я ничего не понял, уразумел только через двадцать лет и, оказывается, все помню!

Нас было тогда около шестидесяти кандидатов в ученики. Через десять лет осталось двадцать три. На каждого Наставника по ученику. А на сегодняшний день еще меньше. Догадайтесь, сколько предметов мы изучали в этой школе.

Наставники сказали:

— С тех пор как Господь изгнал Адама и Еву из рая, их многочисленные потомки ищут дорогу назад. Ищут знания, которые могли бы помочь найти ту дорогу. Есть два пути.

Путь первый — «ПОДРАЖАНИЕ».

Этот путь — самый легкий, самый сладкий... вначале. И самый трудный и горький — в конце. Здесь не надо трудиться душой. Здесь нужно быть, как все, жить, как все. Но в старости — горечь, раскаяние и сожаление...

Старость для вас сейчас — что-то до того неопределенное, нереальное, неясное. Как далекий-далекий туманный остров. Каждый из вас уверен, что никогда не состарится.

На этом пути не нужно думать, напрягаться, надо просто следовать простейшим инстинктам и желаниям.

Это — **путь спящих.** Это постижение мира через повторение опыта других, через подражание предшественникам.

В «Каноне тайных наук для будущих Властелинов» сказано примерно следующее:

«...Наступит время, когда человек с помощью предмета сможет поднять другой предмет до звезд и обратно, и дальше, через восемнадцать тысяч миров к Господу Богу.

Наступит время, когда человек с помощью предмета сможет поднять себя до звезд и обратно, и дальше, через восемнадцать тысяч миров к Господу Богу, чтоб лично предстать перед Ним.

Но это только, когда наступит время. Это время может наступить через тридцать вдохов и выдохов или через тридцать тысяч лет. Но это — когда наступит время. И твоей жизни может не хватить на ожидание.

На этом пути ты можешь получить, добыть, собрать, накопить знания и передать в виде наследия другим людям. Ты можешь оставить после себя след в истории человечества и свой опыт движения по этой дороге».

Второй путь — «СОСТОЯНИЕ».

В той древней книге сказано: «Запомни! Если у тебя нет времени ждать тысячелетиями и ты при жизни хочешь предстать лично перед Творцом, чтобы раствориться в Его великом и необъятном свете, ты должен идти по пути самопознания. Потому что, познавая себя, познаешь Бога.

Идя по пути самопостижения, раскрывая в себе тайные силы, ты сможешь усилием своего духа поднять предмет, отправить его до звезд и обратно или дальше, через восемнадцать тысяч миров к Всевышнему. Или сможешь усилием своего духа поднять себя до звезд и обратно или дальше, через восемнадцать тысяч миров к Бесконечному.

На этом пути ты узнаешь ненависть, переходящую в сострадание к людям.

Через сострадание ты постигнешь Любовь.

Став богатым, ты постигнешь суть богатства и нищеты.

Ты постигнешь суть силы и бессилия.

Ты поймешь и постигнешь справедливость.

Ты узнаешь боль одиночества, оставаясь среди множества людей.

Ты постигнешь радость и боль одновременно, раскрыв свое истинное восприятие мира и увидев человека таким, каков он есть».

Истина не передается, истина постигается.

Путь Подражания. Получая легкое знание, личность на этом пути исчезает, остается форма, растворенная в толпе. Постичь истину на этом пути бесконечно трудно.

Путь Состояния — это путь к совершенному человеку. На этом пути каждый идущий может постичь истину. Его недостаток заключается в том, что сила, способности, любовь, могущество и все возможности, достигнутые на пути к истине, невозможно передать другим. В процессе передачи, отражаясь в сознании другого человека, истина погибает.

Задача идущего по этому пути — найти, распознать, раскрыть совершенного человека и передать эстафету.

Третий путь, который называется «ИСТИНА», появится тогда, когда «...оба пути гармонично сольются в один и превратятся в реку. Тогда наступит время совершенного человека. Для этого мы здесь».

Они сказали: «Вот теперь — выбирайте!».

Кажется, увлекся и начал говорить с вами без маски. Если дальше так пойдет, вы уснете. Чтобы немного развлечь вас, расскажу историю из жизни одного из моих Наставников.

Как целоваться с КРОКОДИЛОМ _____

Техника безопасности

Тогда я был у своего Наставника мальчиком на побегушках, в том числе его шофером. Однажды мы поехали то ли на свадьбу, то ли на похороны, — не помню точно, — помню только, что толкучка там была ужасная.

Когда проехали километров пятьдесят, на дорогу вышел варан огромной длины! Живой варан! Первый раз в жизни вижу!

Раз! — по тормозам... Остановил машину. Что? Что? — от неожиданности испугался Наставник.

Говорю:

— Смотрите, варан!

А он так иде-ет, иде-ет... Я из машины выскочил и побежал за ним, чтобы посмотреть. Дед из окна машины смотрит, говорит:

— Пое-ехали! Сынок, мы опаздываем.

— Ну, дайте посмотреть!

— Хорошо, — говорит, — на обратном пути посмотришь, он тебя подождет.

И вдруг этот варан шел-шел, остановился, свалился на бок, потом на спину и лежит. Дед говорит:

— Поехали?

И мы поехали. Пробыли там два или три часа, а когда обратно ехали, я уже, оказывается, успел подзабыть об этом варане.

Дед говорит:

— Ты не будешь смотреть своего варана? Это Божье создание, может, не станем мучить?

— Буду! Конечно, буду смотреть.

Начали вспоминать, где он находится. Доехали.

— Вон там. Ну, иди!

Смотрю, варан до сих пор лежит, загорает. Огромный такой! Подойти боюсь. Где-то читал или слышал, что варан хвостом очень крепко бьет.

Наставник говорит:

— Да не бойся, он тебя не тронет.

Подхожу, смотрю: глаза открыты и на меня уставились, язык ходит туда-сюда.

Я взял варана на руки, со всех сторон посмотрел.

— Все, — говорит, — успокоился? Насытился своей любовницей? Поцеловал бы в щечку!

— Да, спасибо.

И не успел я опустить варана на землю, он быстро вскочил на ноги и как дал деру!

Значит, Наставник смог этого варана остановить и держать своей волей столько времени на расстоянии почти двадцати километров! Но как? Что это за сила такая или, может быть, знание языка животных?

Но если один человек смог овладеть этой силой, значит, и в вас эти способности вложены, нужно только их разбудить! Вы согласны?

Так что идем дальше.

Вот вам другая история.

Что ТАКОЕ «художественное обрезание»

Очередной комплекс неполноценности в коробочке с розовой ленточкой. Только для вас!

наете, что такое обрезание? Это праздник, причем очень большой, потому что он означает, что мальчик становится мужчиной. В семью, где принят такой обычай, в тот день тысячи и тысячи гостей приходят.

Сосед моего Наставника устроил такой праздник. Вечером гости начали собираться во дворе, потому что ни в какой комнате тысячу человек разместить невозможно.

В самый разгар веселья, когда тамада только взял микрофон и начал говорить, ток отключили и свет погас. На радость возящимся детям все оказались в темноте. А хозяин-то годами готовился к этому мероприятию. Сам, может быть, не доедая, кое-как одеваясь, готовился, копил деньги для угощения.

Теперь понимаете состояние этого человека? Сосед пришел в отчаяние.

Мастер — возраст у него был уж очень солидный, как-никак за сто ему было — в празднике не участвовал. Сидел на веранде своего дома и наблюдал. А когда началась суматоха с электричеством, вызвал меня: «Пошли, надо помочь».

Вышел из своего дома, говорит соседу:

— Дашь ли для праздника четыре своих тополя?

Тот говорит:

— Хоть дом готов сжечь, лишь бы людям сейчас хорошо было.

Учитель сказал:

— Тогда твой праздник будет таким, что на всю жизнь запомнится. Так что успокойся. Иди, займись своим делом. Освещение я беру на себя.

Соседский огород, где гости сидели, был с трех сторон обсажен рослыми, стройными пирамидальными тополями.

Дед, кряхтя, подошел к крайнему тополю и что-то там сделал. И этот тополь снизу доверху загорелся странным огнем без сильного жара.

Представьте! Ночь, множество людей за столом. А в четырех углах высоченные факелы. Дети просто с ума посходили от радости — смех, крик, визг. Зрелище такое, что все городские фейерверки могут отдыхать.

Теоретически я знал, что такое возможно, но на практике видел впервые. Моя-то задача была за людьми наблюдать. И что интересно: они все происходящее воспринимали как должное. Через полчаса уже и забыли, при каком свете сидят. Тополя горели, а люди пили, ели, развлекались. Звон посуды, болтовня о том, о сем.

Больше всего меня, как всегда, удивило: они вообще не поняли, что произошло. Через некоторое время уже никого у полыхающих тополей не осталось — все с головой ушли в еду и танцы. Только несколько детишек продолжали экспериментировать с огнем.

Наставник позвал и говорит: «Внешний праздник — для бездельников. Иди, займись делом — изучай. У меня силы не те, чтоб еще раз такое показывать».

Я подошел к горящему тополю. Почувствовав жар, дал деру. Говорю Учителю:

— А что изучать? Да, горит...

Он сказал:

— Смотри на листья, дурак. Этот жар — обман для слепых. На это, что ли, попался, идиот? Сам же каждый день прячешь истину.

Да, мои глаза меня же напугали!

Снова подошел к дереву с другой стороны, где люди не могли меня видеть. Подавляя страх, вошел в полосу жара. Через несколько шагов жар исчез, осталось холодное неестественное свечение, которое давало очень сильную прохладную свежесть.

До сих пор не устаю удивляться. Люди кричат: «Чу-у-ду, чу-у-ду давай!». А как покажешь им чудо, плечами пожимают равнодушно, говорят: «Нормально... Так и должно быть...». Или вообще не замечают.

Давайте проанализируем. Вы можете сказать: «Это массовый гипноз». Тогда какого хрена из района — с расстояния километров в десять — приехали пожарные. Оттуда увидели! Свидетели — не только гости и жители поселка, но и целая команда пожарных.

К утру начали все расходиться. Они даже думать забыли, даже и не заметили, как погасло.

Но что главное: ни на одном дереве никакого следа огня не было. Тополя стояли зеленые!

Мне кажется, это заметили только двое — сосед и я.

Истина внутри ВАС...
Запишитесь к проктологу

Погуляли — и будет.

Ну что? Возвращаемся к нашему разговору о том, что истина не передается, а постигается.

Как могу передать вам вкус мороженого, которое было куплено на старательно собранные в детской копилке монетки в течение стольких месяцев?! Мог бы дать вам лизнуть...

Но! Это мое мороженое! Это мороженое — моя истина.

Когда говорю «мороженое», вы думаете о том же самом, но ваше все-таки другое.

Уверяю вас, мое не понравилось бы вам, а ваше — мне, потому что у нас разное детство. Каждый из нас ищет его в своем раю и слишком далеко друг от друга.

Как-то в прошлом году в одном курортном городе бродил, слонялся, бездельничал. От скуки подошел к киоску, думая купить журнал, посидеть на скамеечке, погреться на солнышке.

А в том киоске оказалось мороженое. К мороженому отношусь взаимно, то есть прохладно. А там много-много всего в разных красивых заморских оберточках. Соблазнился, вспомнив, что уже много лет ничего такого не ел. Попросил самое дорогое и вкусное. Не торопясь расположился на горячей скамейке, торжественно развернул упаковку, предвкушая наслаждение. И как только откусил, сразу проснулся!

Что это? Это же не мороженое! Это гадкий коктейль из прекрасных дорогих туалетных мыл! Испортили все! Выплюнул и выбросил. Вернулся и с упреком обманутого в лучших чувствах человека настоятельно попросил:

— Дайте мороженое!

— Вы же взяли!

— Что вы мне дали? Это не мороженое, это парфюмерия! Я же не бомж какой-нибудь! Это ведь натуральный одеколон!

— Ну, выбирайте!

Взял два других. Снова развернул, попробовал, выплюнул. Ну, ё-моё!

Как раз, когда третье взял в рот, вдруг понял, что ищу.

Детство! Свое детство! Вот что, оказывается, я искал в этих красивых обертках!

Вернулся. Подошел. Замялся. Мне уже было неудобно. Знаете, что сказал?

— Солнышко, родненькая! Ищу мороженое от тоски по детству. Знаю, что у вас есть — «Молочное» в бумажном стаканчике? Готов купить за любые деньги!

Она сначала удивилась, потом понимающе улыбнулась:

— Поняла.

Поискала, покопалась, аж с головой влезла в свою тележку. Пошуршав некоторое время по углам, где-то в самом низу нашла стыдливо сморщенный бумажный стаканчик и с торжественностью фокусника протянула:

— Вот!

— Похоже! Сколько?

— Бесплатно! Презент от фирмы!

Только сейчас вспомнил: тогда даже «спасибо» забыл сказать. Попробовал... Оно!!!

Чтобы вам стало понятно, какое оно было, объясню: стакан молока развели в бочке воды, чайную ложечку сахара прибавили, на стаканчике написали «Made in ...недоморозки».

Хотя мое было еще вкуснее.

Как благодарить этих мороженых мошенников? Они сами не поняли, что создали машину времени!

Устроившись на скамейке, путешествовал в мире безмятежных воспоминаний. Прикасался к чистоте! Нет, не ел это мороженое — любовался, глядя, как оно тает на солнце и превращается в чистую родниковую воду. Слизывал эти капли и наслаждался.

Съел мороженое — и постиг простую истину. Истину внутри себя. Вам смешно? Тогда мне не смешно оттого, что вы ничего не поняли!

Истина всегда внутри нас!

Все ответы внутри нас. Осталась самая малость — научиться слышать и слушать свое сердце и разбудить великие силы!

А как найти доступ к истине? Это — главный вопрос. В нем ключик от волшебной дверцы, за которой спрятаны решения многих и многих ваших проблем. Вот этот ключик мы и пойдем искать. Вам это понятно, мои уважаемые Буратино?

Если готовы, если сердце стучит, если не пугают трудности, если есть сила сзади, ниже спины...

Готовьтесь плавно перейти к тренировкам и упражнениям. Эта наша с вами беседа в книге своего рода попутчик. Поболтаем о том, о сем, чтобы скоротать путь-дорогу.

Если вы готовы — в путь!

Пойдем на экскурсию в великий театр абсурда, в большой театр теней.

Мы с вами пройдем через сумеречный мир инвалидов, которые думают, что они правят этим миром. Одним словом, пройдем через мир обычных людей со всеми их академиями, министерствами и другими силовыми структурами, заполненными людьми, которые жрут и... о чем-то мечтают.

Добро пожаловать в главу про пятичувственников.

Настала пора и нам, дорогие читатели, достать кое-что из наших заветных папочек в шкафу.

Когда нам хочется побольше рассказать о способностях и возможностях Мирзакарима Санакуловича, которых он достиг путем многолетних тренировок, мы постоянно сталкиваемся с протестом с его стороны. Именно поэтому мы старательно прячем от него эти папочки.

Там подшиты разные бумаги, хранятся кассеты с записями рассказов его друзей и знакомых о различных случаях из его жизни. Другими словами, рассказы очевидцев.

А когда прочтете, знайте, что мы их уже перепрятали в другое, еще более надежное место!

Прочитав ниже описанный случай, Мирзакарим Санакулович не на шутку рассердился и с возмущением высказал нам все, что думает по этому поводу (передаем дословно):

— Что вы сюда понатыкали?! Откуда вы все это достали?! Вы разве не поняли, что все это вранье и чушь! Какой хрен это сочинил?! В тот момент там никого из знакомых рядом не было! Это не для книги!

Мы стали его уговаривать не удалять этот материал из книги, потому что эта информация может быть не только интересной, но и полезной читателям.

После долгого сопротивления он все-таки уступил нашим уговорам и с беззащитной улыбкой выдохнул: «Ладно! Ваша взяла! А теперь исчезните, ябеды!».

Мирзакарим Санакулович пожалел о том, что его спутники тогда оказались невольными свидетелями того случая.

— Это моя ошибка, — сказал он. — Во-первых, нельзя идти на поводу у эмоций, а во-вторых, нам запрещается в кругу обычных людей демонстрировать те способности, которые у них еще не пробудились.

Зато благодаря именно одному из этих людей история о первом посещении метро нашим автором стала известна нам.

...Однажды мы с Мирзакаримом и одной моей знакомой шли к метро, и по пути он сказал, что никогда в метро не был, и просил рассказать ему, что там и как.

В каждом из нас сидит и взрослый человек, и юноша, и мальчик. Мужчины нас поймут. Так вот, хорохорясь перед нашей спутницей, как павлины, мы шли вниз, в подземный переход, чтобы оттуда попасть в метро. А что произошло дальше...

Зима, февраль, а у него на ногах летние туфли — как-никак он человек с юга. Когда мы стали по лестнице спускаться, он поскользнулся и упал. Головой стукнулся о ступеньки, покрытые льдом.

Так это было смешно, когда после разглагольствования о высоких материях он вдруг оказался на земле с высоко поднятыми ногами. Да еще мимо проходящий парень бросил реплику:

— Чурка! Чем приставать к нашим девушкам, научись вначале ходить по городу!

А люди идут сплошным потоком, и ему показалось, что все оживленно загалдели. Мирзакарим, держась за голову, стал спрашивать нас:

— А почему они смеются? Боже мой, что за нравы здесь?! Почему, когда кому-то плохо, другим хорошо?! Кем он меня обозвал?! Я чурка, а он, значит, человек?! Он стал человеком только потому, что научился ходить по городу?!

— Стой, уважаемый!

Он даже не обернулся. Процедил сквозь зубы:

— Да пошел ты.... Понаехали тут!

Мирзакарим, обидевшись, начал, как мальчик, оправдываться:

— Что я им сделал плохого?! Ведь я же упал, не они! Почему они меня оскорбляют?

Мы стали его успокаивать, но он уже разошелся не на шутку:

— Ах, они называют себя человеком только потому, что умеют ходить по городу?! Что от них тогда останется, когда я у них это отниму?

Вдруг тот парень, ни с того ни с сего, на ровном месте споткнулся и упал. Только поднялся на ноги и снова повалился.

Потом Мирзакарим повернулся лицом к лестнице, по которой перемещался широкий поток людей, какой бывает только в больших городах.

И вдруг все, кто находился в этот момент на лестнице, начали спотыкаться и плавно скатываться вниз. Вставали и снова падали, вставали и падали. А наш Мирзакарим только приговаривал:

— Значит, вы умеете ходить?! Вот вам еще напоследок подарок от чурки. А ну-ка, апорт! Еще раз повторите-ка на бис!

Мы попытались заступиться за этих людей, а он нас резко одернул:

— Не вмешивайтесь!

Так что и нам под горячую руку досталось на орехи.

И опять, как по команде, все поднявшиеся только что на ноги снова повалились. К нашему удивлению, стоял общий визг вперемежку с хохотом.

Потом он выдохнул:

— Все! Пошли отсюда. Мне тошно и гадко от вашего пошлого города! Извините за проявление моей слабости. Это у меня сработал рефлекс старой обиды! Употребляя именно слово «чурка», меня в армии пинали кирзовыми сапогами, да так, что забили до инвалидности! Так что прошу прощения!

С сегодняшнего дня даю вам слово, что буду еще более примерным горожанином, чем вы все, вместе взятые. Кстати, никто из них не пострадал, уж я об этом позаботился! За этот поступок мне еще как попадет от моих Наставников!

Потом Мирзакарим резко повернулся и пошел в направлении того «острослова». Мы испугались, что теперь он еще надумал подраться, и побежали за ним!

Он подошел, помог ему подняться, потрепал по плечу и сказал:

— Извини, брат! Я только что по отношению к тебе совершил очередную ошибку. Хочу вернуть тебе то, что забрал у тебя, не спрашивая на то разрешения.

Парень недоуменно посмотрел, потом начал хлопать себя по карманам.

— Да не кошелё-ё-к! Мне твои деньги не нужны. Просто я тебе возвращаю твои «оторванные» яйца. Они тебе еще пригодятся, чтобы расплодить таких же идиотов, как ты сам! Так что в будущем веди себя хорошо! Вдруг еще раз тебе встретится такой же «чурка», как я, но «коллекционирующий» чужие яйца. Бывай!

И мы пошли в метро, продолжая успокаивать его. Но этим дело не закончилось.

После того случая в переходе, находясь еще под впечатлением, мы стали присматриваться к Мирзакариму по мере того, как спускались по эскалатору на станцию.

Вдруг он начал меняться в лице. Стал часто дышать, и вид у него был явно болезненный.

Потом, когда ехать оставалось совсем немного, он вдруг, схватившись за горло, резко повернулся и побежал назад навстречу потоку.

Все начали возмущаться:

— Куда прешь?!

А он чесал, как газонокосилка. Люди на расстоянии двух-трех метров не просто расступались, а валились от него в разные стороны.

Мы не поняли, что случилось, но тоже побежали за ним. Оказывается, он торопился как можно скорее вырваться на воздух!

Потом он нам рассказал, что вдруг возникло ощущение, что он задыхается. Нет! Это не синдром закрытого помещения! Просто, как он сказал, буквально почувствовал, что как будто сразу ослеп, оглох и ему не хватает воздуха. Такое ощущение возникло впервые в жизни.

Как, например, мобильный телефон в метро иногда не работает, так и у него тогда тоже что-то «отключилось», а к этому он не был готов. Он привык все время чувствовать своих Наставников, а тут словно связь прервалась. Такие эпизоды из жизни Мирзакарим вспоминать не любит.

КАК стать Личностью?

Вы говорите:
«Хрен его знает!».
Значит, слово
предоставляется
Хрену Академьевичу

Мы с вами собрались в путь. Посчитаем багаж. Сколько у нас сумок, портфелей, чемоданов и рюкзаков — разделим?! Вам на плечи — ваши задачи, мне — мои.

Тэ-э-экс, посмотрим!

Ох, и ничего себе! Начнем с ваших вещичек. Других-то нагружать легче!

Ваши пожитки

- Задача № 0. Окончательно и бесповоротно подготовиться к основательному решению безотлагательно начать тренировки когда-нибудь.
- Задача № 1. Познакомиться с родимой средой обитания, чтоб узнать, где, у кого и в каком месте живете. Посмотреть глобусу под хвост.
- Задача № 2. Узнать в лицо своих «рабовладельцев» и уточнить номер личного клейма в этом параде рабов престижа и мнимых ценностей. Проверить список своих мечтаний.

● Задача № 3. Максимально подробно и детально ознакомиться с тезисами всех «революционеров», которые каждой весной и осенью делают «революцию» правдой и философией большинства — чтобы сравнить с собой.

● Задача № 4. Провести диагностику своей болезни и степени разложения собственной жизни. Найти свое место в этом распаде личности. Не забудьте резиновые сапоги ассенизатора и перчатки патологоанатома! Да, и противогаз поновей!

Мои задачи

● Реферат № 007. Анатомо-утопическое исследование обычного человека с высшим образованием в целях обнаружения у него гипотетического интеллекта.

Пока свои бумаги приготовлю, сбегайте, пожалуйста, в соседний кабинет за микроскопом.

● Меню № 007. Рецепт любимого соуса, под которым съедают историческую личность.

● Рюмашка № 1001. Основательная дискуссия на кухне с последующими прениями «О роли личности в истории».

● Заезженная пластинка № 1. Минимум трижды повторить одно и то же в разных вариантах.

Как-никак среди читателей могут затесаться дамы, поднявшиеся до уровня женщины. Они под, над и между строками читать не хотят и не умеют, поэтому их в расчет не берем!

● Ведерко № 2. В ответственные моменты вылить какую-нибудь грязищу на ваши головы, предварительно подогрев, чтоб не только вкусно, но и тепло было.

● Главная задача № 09. И, наконец, все вместе повторить еще раз.

● Задачи № 10—99...разрешите не разглашать. Не положено!

Ну, что? В путь! По ко-о-оням! А теперь прися-
дем на дорожку и поговорим еще немножко —
пару-тройку дней.

Родимый мой! Подойдем к развилке дорог. Помните, куда собрались-то?

Вместе с рекой людей по широкой проторенной
дороге пойдем от одного указателя к другому? И думать не нужно.

Смотрите, дорога уходит за горизонт прямиком
к месту вечного покоя. Автобусы, поезда, ковры-
самолеты — чтобы вы догнали свою мечту о счастье.
И всюду реклама, реклама, реклама — ваш шанс
исполнить мечту идиота.

Вот образцы. Списываю из первой попавшейся
под ноги газеты. Комментарий вашего слуги.

«**Вы спите, мы за вас работаем!**» — предложение от ночных ковбоев.

«**Вы отдыхаете, наше изобретение за вас работает!**» — реклама вибратора.

«**Мы можем сделать ваше финансовое бремя намного легче! Прямо здесь и сейчас!**» — услуги налоговой инспекции.

Одним словом, «**мы жуем — вы глотаете! Вы перевариваете — мы... вам**». Не жизнь, а рай!

Мы еще поговорим об этом позднее.

Куда ни посмотри — всюду исполнение мечты обычного человека, готовая инструкция для спящих. Живем-с...

Теперь к делу, то есть к очередным тарам-барам-растабарам.

Эйнштейн, Колумб...

Третьим будете?!

Родной мой! Разрешите ли вы мне на несколько минут взять паузу и снять маску клоуна, шута горохового, которую специально надел для вас?

Как-никак мы с вами в цирке, имя которому «жизнь». А в цирке кого вы ждете с таким нетерпением? Конечно, клоуна. А почему? Да потому, что всегда приятно увидеть хоть одного человека в мире, кто глупее тебя.

Родимый мой! Мой хороший! Навещает ли все еще вашу душу великий романтик? Тот, сидевший когда-то на задней парте в правом ряду у окна? Тот, давно отправившийся за туманом, не выдержав вашей скучной жизни?

Время от времени он стремительно врывается в вашу пыльную нору, швыряет под ноги букет полевых цветов с запахом костра, с великой радостью распахнув объятья, шепчет вам в уши:

— Ну, здравствуй! Это я!

Увидев, что не реагируете, трясет вас за плечи сильными загорелыми руками и почти кричит:

— Слушай, слушай же! Что ты здесь делаешь?! О, Боже, что ты вытворяешь со своей жизнью?! Неужели не видишь?!

Пока ты сидишь, грозы и ливни, штормы и ураганы уносят запахи первой любви! Радуги тают в слезах, безнадежно ожидая тебя. Альпийские луга выцветают, тоскуя по тебе!

А там — сумасшедший закат, вечерний закат над полями, полными стрекота цикад и шелеста крыльев стрекоз, серебро лунной дорожки на морской глади. Парусник ждет нас, чтоб уйти за горизонт к сказочным островам.

Ночью под звездным небом посидим на вершине горы, споем свою Главную балладу вечных путешественников.

Ну, пошли-и-и же... Пойдем, а?

Заглянет с тоской в ваши помутневшие от забот, разъехавшиеся в стороны зрачки, в каждый по отдельности. И, поняв всю безнадежность своих призывов, помявшись, потоптавшись, почешет в затылке. Махнет, наконец, рукой:

— Каким ты был, таким ты и остался, дурачок ты мой городской.

И тихо уйдет, пряча влажные глаза.

Неужели в этот миг вас не всколыхнет желание крикнуть: «Постой! Я с тобой!»?

И мысленно бегом в чулан отыскивать зачем-то когда-то купленный, но тут же позабытый вещмешок, лихорадочно сгребая в него — зубную щетку, мыло и полотенце, гребенку, иголку, нитку и-и-и... записную книжку с адресами нужных людей... Что бы еще взять? Самое необходимое...

Туда же запихиваем (см. список):

· кровать многоспальную «Сони»;
· холодильник «Мумия»;
· ванну «Тебядодыр»;
· телевизор «Унитас»;
· лимузин-шестерку «Катафалк»;
· виллу-песочницу «Мавзолей Романтика»;
· престиж трехмачтовый «Borov»;
· дипломы, удостоверения, квитанции, полисы, сертификаты и индульгенции на все случаи жизни;

- сбережения в банке «Кэш», скопленные за всю многолетнюю беспорочную службу в борделе «Карьера».

Итого: **прощай, романтика!**

Вот что такое поганая профессиональная болезнь, дорогие мои! Если много лет проводишь занятия в технике ускоренного обучения... сам не замечаешь, как снова натянул на рожу педагогическую клоунскую маску!

Хотел поговорить серьезно, без шуток, поделиться своими сокровенными, трепетными чувствами, а получилось, как всегда.

Просто иногда, когда находишься в диких безлюдных местах и видишь бескрайнее пространство, которое было за много тысячелетий до тебя и будет еще миллионы лет — вся мелочность, ничтожность и пустота людских переживаний видится, как на ладони.

А теперь вернемся к нашим вечным вопросам.

Жив ли в вас мудрый волшебник, отважный герой?

Дышит ли в вашем сердце безграничная доброта?

Светится ли в вас еще искорка сочувствия, желания помочь каждому несчастному?

Помните, как было в детстве?

Есть ли еще порох в пороховницах, чтобы наконец-то приступить к осуществлению, к исполнению своей мечты?

Может быть, вы думаете только о деньгах, с утра до вечера трудитесь ради существования и у вас есть розово-голубая мечта — сколотить лишний миллион?

Тогда дайте возможность помочь вам быстрее добыть его, чтобы вам накушаться этого вдоволь и понять, какая же глупость — работать только ради денег! Быстрее стать свободным от нужды и наконец приступить к главному делу вашей жизни — познанию самого великого, самого сильного, самого могущественного, самого прекрасного, но самого нераскрытого Человека Вселенной — то есть себя.

Чтобы увидеть свое место в мире, нам с вами придется очень коротко, но весьма поверхностно-основательно изучить «ху» из «ху» путем перехода от отдельного «ху» к толпе из «ху».

Сейчас немного отвлечемся и заглянем в историю. Хотя речь пойдет только про вас — не про того, который читает эти строчки, а про того Великого, кто замурован глубоко внутри вас.

О маленьких человечках с двумя дырками в носу

Посмотрим, на ком держится история. Целая **эпоха рухнет,** если убрать одного такого «маленького» человека с круглой головой, одним носом и двумя дырками в нем. Точь-в-точь, как у вас.

Вся эта эпоха с тысячами и тысячами людей, с миллионами миллиардеров и миллиардами миллионеров, со всеми поэтами и прозаиками, со всеми царьками и президентиками, бухгалтерами и академиками.

Он смог своей душой, своей любовью, своей волей сделать нечто такое, за что Господь отдал ему века.

Золотой век Зороастра, время Моисея, эра Христа, эпоха Будды, времена Мухаммада-алай-хис-салам. Думая об истории, вы невольно думаете о гигантах, о великих личностях, в сравнении с которыми Эверест — горка в детской песочнице.

Давайте посмотрим, сколько в истории Личностей — один-два-три... тысяча и обчелся.

Президента Линкольна знаете? Ну, по крайней мере, по изображению на долларах?

А Леонардо да Винчи? Такой валюты еще в руках не держали?

Александр Македонский? Омар Хайям? Конфуций? Наполеон? Король Артур? Цезарь? Паганини? Аль-Хорезми? Фирдоуси? Руми? Аристотель? Платон? Авиценна? Тамерлан? Чингисхан?

Перечислил первых, кто в голову пришел, и решил ничего не менять. Хотя с глубоким почтением отношусь ко многим, многим и многим.

О них вы можете не знать. Но хоть про себя-то, страдающего от великой скромности, слыхали?!

В истории один человек меняет все. Вы согласны?

Один Зороастр изменил всю историю.

Один Моисей изменил всю историю

Один Иисус изменил всю историю.

Один Будда изменил всю историю.

Один Мухаммад изменил всю историю.

Эти Личности играют роль антенны, полюса. Через них дается новая жизнь, благословение и благодать всякому месту. Где бы они ни находились, вокруг них будет создаваться новая субстанция, новое состояние, новое качество жизни.

Этих людей называют «человек-полюс» своего времени.

Но мы с вами — простые смертные, и не нам тревожить тени великих Посланцев. Зато у нас есть возможность посмотреть на жизнь некоторых великих ученых, поэтов, писателей, тоже своего рода полюсов человечества. Хотя нельзя сказать, чтоб им от этого стало легче в общении с обычными людьми. Скорее наоборот!

Мысленно уберите из истории человечества всего одного ученого — аль-Хорезми. Убрали? Всё! Вместе с ним исчезла алгебра.

А кибернетика-то, кибернетика где? И все ваши дорогие кошельку и сердцу компьютеры — растворились, как туман.

Мир пошел по другому направлению. Целые миллиарды людей пошли абсолютно по другому направлению.

Вы алгебру в школе изучали? В каждой нормальной школе алгебру изучают. Алгебра кормит не только миллионы математиков, но всех их жен, любовниц и любовников, число которых никакая математика не в силах сосчитать.

Где алгебра была создана? Она была создана в городе Хорезм, или Хива, — одной из столиц науки и искусств Востока. Вы слышали о таком городе? Конечно, нет!

Был такой человек, аль-Хорезми. Весь мир отмечал тысячелетие со дня его рождения в конце прошлого века. Он создал «аль-джебр» — алгебру и кибернетику.

И что интересно, за эту тысячу лет весь табун ученых мира ничего существенного не смог в его алгебру добавить. Зато сегодня вы сидите за компьютером, а основа компьютера — кибернетика — заложена еще тысячу лет тому назад!

«Кибр» означает «высокомерие», «гордыня». Тысячу лет ученые не могли понять, с чем эту «кибернетику» жрут, не понимали, думали, что это — шутка гения.

Науку «кибернетика» создал аль-Хорезми — все тот же математик из Хорезма. Прошла тысяча лет, и вся мировая вычислительная техника на его открытиях держится, на их основе работает.

Этот человек опередил время на тысячу лет!

Он ввел понятие «алгоритм»: арабское «аль-хорезм», «алгоризм» превратилось в «алгоритм». В те времена арабский язык для восточных народов был тем же, что для нас с вами английский.

Великий мудрец аль-Хорезми был изгнан на чужбину властью ученых умов, которые абсолютно точно знали, что земля плоская, и отошел в лучший мир вдали от родины.

Уберите из истории Эдисона. Караул! Все лампочки погаснут! Мир уже пошел по другому направлению. Сразу детей станет намного больше. Согласны или нет?

Если не согласны, поживите недельку без света и увидите, как стремительно исчезнет ваша несовместимость с другой половиной. Светоч вы мой!

Земля крутится вокруг полюса, а история крутится вокруг этих людей, вокруг Личностей.

Личность — это родник в пустыне. Родник один, а вокруг вьется живность, мелкая и крупная. А дальше — песок...

Путники в пустыне идут от родника к роднику, от колодца к колодцу.

Природный талант — это тоже родник: бьет и выходит на свет, преодолевая сопротивление пустой породы.

Колодец — это результат труда людей, знающих, где и как копать. Их имена со временем могут забыть, а колодцы останутся ориентирами для жаждущих.

Родник и колодец, по сути, выполняют одну задачу — дают жизнь всему, что вокруг. Намек понятен? Колодец вы мой бездонный!

А теперь уберем дурочку Машу из вашего ЖЭКа, или генерального директора мусороперерабатывающей фабрики, или какого-нибудь министра — ничего не изменится. Убираем из истории сотни тысяч, миллионы людей — ничего не меняется!

Теперь возьмем старшего из трех отцов мировой медицины — Авиценну.

До середины XIX века его «Канон врачебной науки» был основной настольной книгой любого европейского врача. Один из моих Наставников перевел на русский язык труды этого гиганта медицины.

Ваш покорный слуга тогда занимался фундаментальной медициной. Наставник велел мне в обязательном порядке изучить труды Авиценны. Знаете, что меня удивило?

Когда ошивался в книгохранилище, копался в картотеке, увидел, что последний раз эти книги читали сорок—пятьдесят лет тому назад. Вот тогда я понял всю оторванность современного врача от опыта тысячелетий.

Существует ряд заболеваний, о которых большинство сегодняшних врачей скажет: «Это неизлечимо!».

На всякого, кто скажет «излечимо», они посмотрят с высокомерным пренебрежением, как на невежду.

Недавно, когда я сидел в очереди к стоматологу, в коридоре по телевизору показывали интервью с одним профессором стоматологии, известным практиком. Слышу, врач комментирует слова того профессора: «Чушь, туфта все это, ерунда».

Не скажу, что это дословно, но смысл его выступления именно такой.

Что же получается? Недоучка-ремесленник судит своего наставника, из рук которого он получил диплом. Понял, что сижу в очереди к очередному умственному лодырю. Встал и ушел.

Мы ненароком чуточку отвлеклись и продолжаем предумышленно отвлекаться дальше.

Возвращаемся к трудам Авиценны. В них содержится множество рецептов вытаскивания больного из его болезней. Некоторые рекомендации архисложные, другие очень доступные.

Взял оттуда именно те, которые полностью соответствуют принципам современной медицины. И оказалось — работает!

Например, псориаз. Сегодня эта болезнь — спросите любого врача — считается практически неизлечимой. Изо всех рекомендаций Авиценны на этот случай мы используем самую простую. И, боже мой, как работает! Еще как работает!

Именно на этих знаниях основана оздоровительная система вашего покорного слуги. Я никакой Америки не открываю!

Некоторые сведения из тех, что сейчас использую, были выведены тысячу лет назад рукой Авиценны, так что все мои «собачьи» регалии — докторские и академические звания — не считаю своими. Я всего лишь чуть-чуть применяю на практике то, чему учил Авиценна и другие Титаны.

Знаете, как это делается? Берете горстку древних знаний, проверяете на практике. Польза есть? Есть! И тогда со всего маху опускаете на голову современной цивилизации!

А великий Авиценна, хотя и достиг в конце жизни положения визиря, был постоянно гоним и отошел в иной мир на чужбине. Конечно же не без помощи высокоученых соотечественников, не говоря о рядовых дипломированных специалистах.

Нет пророка в своем времени! Он всегда находится или в прошлом, или в предполагаемом будущем. А сейчас он для вас шарлатан, или шизофреник, или опасный соперник, которого надо уничтожить всеми возможными и невозможными средствами. Зависть-то — не тетка, а злой дядька с камнем за пазухой, как вы, например.

Микробиолог Пастер не был врачом. А что он создал? Он изобрел вакцинацию. Тысячи ученых врачей бились, а он создал! Но в конце его жизни славные современники ему такую травлю устроили!..

Один Эйнштейн изменил весь мир физиков. А его в свое время исключили из колледжа! Тех, кто исключал его, кто-нибудь знает?

Попробуйте убрать Шекспира і.з истории. Исполните мечту современников, которым все они мешали!

Хотите поучаствовать в изготовлении патрона, которым застрелился Ван Гог? Увидев вас, он, возможно, подумал бы: «Чем дышать одним воздухом с такими, лучше уж...».

Хемингуэя тоже довели! Его все знают и тогда знали. Знали и довели!

А Пушкин, по европейским меркам, был страшным бабником! А на самом деле он просто не мог жениться на всех дамах, в которых влюблялся.

А был бы истинным мусульманином — как его мавританские предки — то был бы завгаром (заведующим гаремом!), то есть очень уважаемым, почитаемым и желанным человеком! Мог бы написать «Онегин-2», а вместо этого пошел стреляться на дуэли и погиб зазря. Но его тоже почему-то все знают. Согласны?

И Льва Толстого все знают.

А целый миллион литераторов-писак, критиков, которые сами ничего не пишут, но зато всех критикуют... А сколько их было в свое время?! Да и сейчас они есть.

Итак, диагноз поставлен...

Как делаются...
Откуда берутся...
открытия в науке
Способ создания приключений для своей...

Некоторое время тому назад мы закончили одно исследование. Не скоро до меня дошло, что мы только начинаем что-то исследовать, и слишком поздно дошло, куда влипли, в какие дебри попали. Сегодня я убежден в том, что еще даже не приступил к работе, результат которой уже приводит меня в удивление. Не только в удивление, а просто повергает меня в ужас. Своей масшабностью.

Не понимаю, неужели люди не знают, не догадываются, не подозревают о причинах и таких простых решениях своих проблем?!

Поделюсь лишь некоторыми результатами исследований нашей команды.

Была поставлена задача поиска способов оздоровления человека. На сегодняшний день мы добились наилучших результатов по излечению доброй сотни заболеваний.

Одно из направлений — это восстановление зрения.

В свое время нам нужно было узнать, что происходит со зрительным центром мозга во время восстановления зрения. Договорились с некоторыми институтами о совместном научном исследовании и приступили.

Делаем энцефалограмму, фиксируем работу нужного участка головного мозга. Пользуясь этим методом, можно точно определить, нормальное у этого человека зрение или нет.

Вот мозг.

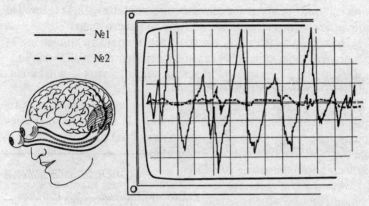

Глаза спереди, а центр обработки зрительной информации — в области затылка. И как всегда получается, что перед видит, а зад — думает.

Посмотрите на эти кривые. Первая — это ритм работы зрительного центра среднестатистического головного мозга.

Приглашаем слепого человека, снимаем данные. Получаем кривую № 2. Исследуем сотни слепых. У всех кривые импульсов зрительного центра схожи.

Еще раз посмотрите на кривую № 2.

Обобщаем данные и что получаем? Закономерность различия между здоровым зрением и инвалидным.

Потом таким же образом исследуем работу слухового центра. И замечаем ту же разницу, те же четкие закономерности.

Переходим к обонянию. И там такой же кавардак.

Значит, это общая закономерность!

Так вот и доисследовался на свою голову. Однажды думаю: стоп, стоп, стоп! Дай-ка попробую проверить другие участки мозга.

Нашел помощников-ученых, создал лабораторию и поставил перед ней задачу: найти участки мозга с аналогичными показателями. Нашлись такие участки! И пошло — поехало. А ведь жил же себе спокойно до сих пор!

Один из участков — шишковидная железа, или эпифиз, и некоторые участки первичного мозга.

Вот человек — на первый взгляд абсолютно здоров, физиологических аномалий или отклонений нет. Как и все, сидит, штаны протирает — семья, дети, зарплата. По всем умственным показателям — вроде бы совершенно нормальный человек. По внешним данным тем более — гордость всего двора!

Но тогда какого черта у него в этой зоне мозга кривая инвалидности выскакивает? И ведь не у него одного, а у 75—80% таких. Слепых и глухих ведь не так уж много, а этих — вон сколько! Что за чертова болячка?!

Чтобы побольше поисследовать, пошли в самое легкодоступное и густонаселенное место — в школу. И тут нас ожидал очередной подарок — все цифры встали как раз с ног на голову.

Здесь наоборот: здоровых «шишек» — те же 75—80%. А с инвалидной кривой — 20—25%.

И еще одна грустная закономерность: чем школьник старше, тем он в большей степени «инвалид». К десятому классу здоровых остается примерно 30%.

Проверили студентов. Вообще фантастика! В институт, оказывается, стремятся — и поступают! — в основном шишковидные инвалиды. Здоровых мы нашли там 10—15%. И большинство из них, вы не поверите, потом оттуда не мытьем, так катаньем выгоняют, или они сами уходят. И к выпуску здоровых «шишек» оказалось кот наплакал — 3—5%.

О чем это мы, как думаете?

Возвращаемся в школу... Нет, лучше сразу идем в детсад и ясли. Маленьких детей долго исследовать трудно, у них прыгучесть повышенная и одинаковый гороскоп, то есть кузнечик в зодиаке. Пришлось по ходу дела изобрести кое-что.

Мы им на голову надели шапки-невидимки и разные другие сказочные головные уборы, начиненные кое-какими приспособлениями. И пока мы перед ними кривлялись, с красными поролоновыми шариками на носах, успевали сделать запись данных их шишковидных железок.

А результат этой клоунады вышел совсем не смешным. Инвалидов среди этой мелкоты почти такое же количество, как здоровых среди выпускников вузов — 7—12%.

Значит, наша следующая задача — узнать, чем же все-таки «больны» эти 7—12% юных инвалидов? Тело — в порядке. Ум —

тем более. Они, мы заметили, даже умнее многих других детей.

Стоп, машина! Эврика!!! Первая зацепка!

В том-то и дело! Они слишком умные! Маленькие совсем — и такие рассудительные — умеют уже читать-писать. Но... маленькие старикашки! Маразматики!

Думают взрослыми мыслями. Оперируют взрослыми понятиями, произносят взрослые слова такие маленькие попугайчики. Просто чудо-дети, только без перьев.

Интересно, что с ними делается в школе.

Лучшие ученики, отличники, гордость всего педагогического коллектива школы — по «шишке» становятся первыми выдающимися ласточками-инвалидами в нашем списке.

Кто же добрался до выпускного бала со здоровой «шишкой», несмотря на все старания педагогов?

Эти здоровые вконец выбили нас из колеи. Оказалось — самые непослушные, самые невоспитанные, ну просто бельмондо в глазах школьных училок. По поведению у них — троечка, четверочка. Да и вообще — «хулиганье».

Кто из них, по вашему мнению,
выиграет в жизни?
Делаем ставки, господа!

Обычно они по одному предмету учатся на пятерки, по другому — на двойки. А когда мы исследование провели, то увидели: не оттого они плохо учатся, что неспособны или предмет не любят. Они просто терпеть не могут конкретного педагога.

Изучаем этого педагога — незаметно, исподтишка. Видим, что он — случайный в своей профессии человек. Его нельзя на пушечный выстрел подпускать к детям.

Так вот, если эти дети видят, вернее, чувствуют неискренность педагога, то отвергают и его, и предмет, который он преподает. И получают свои двойки. Если педагог относится к ним как личностям — тогда у них пятерочки.

 Первое домашнее задание. Если вы от школы отъехали уже далеко, тогда садимся в машину времени и следуем назад. Вспоминаем своих однокашников. Делаем анализ. Разделяем их всех на три группы:

- пятерочники,
- середняки,
- «дебилы».

Примерный расклад такой: пятерочники — два-три человека, середняки — большинство, и «дебилы» — тоже два-три.

Ведь в каждом же классе такие бывают, если, конечно, вы не учились в школе для особо одаренных или умственно отсталых детей.

Вспомнили?

Но нас интересует особая порода, исключения — те, кто не вписывается ни в одну из этих трех групп. В каждом классе таких бывает один-два. Их-то я и назвал условно «хулиганами». Вот эти нарушители порядка и нормы, «белые вороны» тоже разделяются на две категории: добрые и злые.

Теперь контрольные вопросы к тем, кто добросовестно вернулся из путешествия.

Кто из ваших однокашников в жизни чего-то достиг?

Кто прославился, стал известным, кому вы завидуете?

Кто из них стал лидером в этой жизни?

Кто открыл собственное дело и дал работу другим?

Кто ведет за собой людей?

Кто сделал открытие, маленькую или большую революцию в том деле, которым занимается?

Заместителей, старших бухгалтеров и других, ну о-о-очень многоуважаемых заводных кукол с компьютером в голове попрошу в этот список не включать!

Что я имею в виду?

Думаю, что сейчас многие из вас столкнулись с таким вопросом: куда пропали пятерочники? Они пошли в институты и университеты, закончили их с отличием, а потом — пшик! — исчезли из поля зрения.

Заранее хочу сказать: исключения всегда бывают. Я вам не абсолютные истины излагаю, а наблюдения и заключения, исходящие из нашей практики.

О «дебилах» мы вспоминать не будем. Это по-настоящему больные люди.

А вот эти пятерочники, как правило, становятся очень хорошими, прекрасными, отличными... исполнителями чужой воли.

Середняки! Куда вас, дорогие государи-сударыни, с титаническим трудом безошибочно воткнули по самые уши. Середняки, среди которых вы себя до сих пор по ошибке числите, неся на голове... корону. А вы что подумали?

Одним словом, середнякам, которым я со слабой надеждой, но торжественно посвящаю весь этот Реквием. Вдруг вы не умерли, а спите, вдруг мой тихий голос покажется вам иерихонской трубой и сможет вас разбудить?!

А теперь — хулиганы.

Мы у взрослых людей спрашивали:

— Где теперь тот, кто был в вашем классе хулиганом?

Они говорят:

— Вот такой-то... (сюда вставьте ваши любимые ругательства)... вытворял бог знает что, а теперь владеет банками, заводами, компаниями, правит каким-то районом, городом, областью, страной.

Понимаете?

Начали специально исследовать этих хулиганов, чтоб найти главную закономерность их поведения. Заметили следующее.

Особое внимание! Наконец-то добрались!

Интуиция!

Нам удалось экспериментально доказать, что, кроме уже известных функций, шишковидная железа еще отвечает за пространственно-временную ориентацию индивидуума.

Установлено, что она является органом восприятия и коммуникации. В частности, экспериментально подтверждено, что эти участки мозга резонируют, а затем принимают и передают информацию через пространство.

К слову сказать, исследования проводились в условиях, когда расстояние между участниками экспериментов было двадцать тысяч километров.

Но пока нас интересует только одна способность этой железы, а именно — способность чувствовать будущее.

Возвращаемся опять к хулиганам.

Обратите внимание! Как раз у этого школьного «хулиганья» интуиция развита больше, чем у других. И позднее тоже. Как раз у тех людей, которых педагоги не смогли до конца очеловечить, нормальная функция шишковидной железы сохраняется. Вот такие дела!

У них интуитивное мышление с годами даже еще ярче становится. Они освобождаются от многих искусственных ограничений окружающего мира. Со временем они все-таки будто бы вписываются в общепринятые законы, хотя на самом деле живут вне законов, выше этих законов, по другим правилам, которые сами же и устанавливают, потому что каждый из них — Личность.

Помните, мы с вами говорили о Личностях? Теперь понимаете, откуда они взялись?

А знаете ли вы, что Эйнштейна вытурили из колледжа?

А вы в курсе, что Менделееву умные училки за то, что он, как заезженная пластинка, не повторял за ними зазубренный урок, по химии ставили двойку?!

Этот список можно продолжать и продолжать. Не будем на этих страницах подробно вспоминать Титанов и Гигантов человечества. У подавляющего большинства из них такая же судьба.

Вы думаете, в наше время к Личности относятся лучше? Как бы не так!

Обратите внимание! Среди настоящих эстрадных звезд очень мало тех, кто закончил консерваторию. Чаще всего их оттуда выгоняли или вообще туда не принимали.

Зачем далеко ходить?

Моего друга-музыканта отчислили со второго курса консерватории за то, что он не подавал никаких надежд — за «профнепригодность». Зато недавно он был признан лучшим компо-

зитором года Средней Азии. А кто знает педагогов, взявших на себя роль его судей?

Да никто. Еще раз повторю: даже хрену они не нужны!

Дорогие мои, историю делают Личности.

Но личности всегда противостоит безликая серая масса — толпа. Это — мертвые ткани жизни. Эти люди не могут ничего создать, они только потребляют, как жировые клетки тела. Они только потребляют!

Но их много, и в массе эти жировые отложения всегда агрессивны по отношению к Личности. На свой живот гляньте.

Так что выбирайте, что лучше: оставаться жировой клеткой, безликой составляющей толпы, или **стать Личностью**?

Теперь попробуем завязать более близкое знакомство с этой пресловутой «шишкой». Посмотрим, чем отличается тот, у кого интуиция есть, от того, у кого она не развита.

Шагом-арш в ЛОБОТОМО-раторию!

Прошу вас, следуйте за мной в кабинет диагностики. Придется вам сдать анализ вашего интеллекта!

А теперь, внимание! Напрягаем не только зрение, но и ум!

Контрольные вопросы.

Бывает ли с вами такое: хотите позвонить кому-то, с кем месяц не общались, тянетесь к телефону... В это время звонок. Трубку берете — этот самый человек!

Было это? Было!

Дальше. Вы подумали о каком-то человеке, кого не видели много времени, из головы он не идет целый день. И в тот же день его встречаете, а он говорит: «Я сегодня думал о тебе».

Или еще интереснее.

Сплетничаете о ком-то в свое удовольствие со множеством художественных дополнений.

Вдруг замечаете, что ваш собеседник как-то притих, скукожился, сник, потом заерзал на стуле, а вы продолжаете и продолжаете в полном упоении.

Наконец вы догадываетесь оглянуться, и что же вы видите?!

Тот, чьи косточки вы моете, чье бельишко полощете, тот, кто никогда не был в этом месте и не должен был здесь оказаться в это время, — тут как тут, прямехонько за вашей спиной и слушает с большим интересом.

Было дело? Было!

Или идете по улице. Вдруг «проваливаетесь» в какое-то странное, чуть сонное состояние. И как будто... вы здесь уже были.

Вы точно знаете: сейчас за поворотом вы увидите телефонную будку с распахнутой дверцей. В ней человек стоит, он так-то и так-то одет. Говорит слова — вы точно знаете какие.

Потом он выйдет и пойдет — вы точно знаете куда. Вы все знаете точно! Это уже было... И что сейчас будет происходить — точно знаете! И, что самое тайное, щемящее, невероятное, — так и происходит!

Было такое? Бы-ы-ыло!

На простом русском языке это называется «дежа вю».

Так вот, великоуважаемые придурки! Все это — огрызки вашего полноценного состояния, которое вы потеряли, сидя на попище и растопырив пальцы веером. Это осколки ваших Божественных возможностей. Это дуновение вашей угасающей памяти о рае, откуда вы выпали в эту жизнь. Это вы, в агонии

длиною в жизнь, на несколько секунд приходите в себя и видите мир в реальности.

Намек поняли? Только что намекнул вам, где находится и
как достать ваш жалкий миллиард, если вы считаете, что все
счастье в деньгах.

Только что, неслучайно, проболтался о главном — о том, где
скрыты ответы на все ваши «как?», «почему?», «зачем?», «как
быть при...», «как поступать при...». Продолжайте сами.

Что за СОСТОЯНИЕ не-стояния?!

*Если не знаете,
то вам повезло,
уважаемый!*

Р
одимый мой! Ну наконец-то! Наконец-то я дошел до момента, когда могу без всяких реверансов и дальнейших нудных объяснений, которые все равно были необходимы, приступить к самым главным... очередным объяснениям. Не пугайтесь, пошутил!

Изучая шишковидную железу, мы столкнулись с сумасшедшим явлением. Оказывается! Именно в состояниях дежа вю ваш сладким сном задрыхший эпифиз вдруг ни с того ни с сего просыпается, сонно глаза продирает:

— Ау-у! Есть кто-нибудь живой? Я кому-нибудь ну-у-ужен? Эх, вы! Что вы со мной сделали?

А вокруг — гробовое молчание с высшим образованием. Ну он, конечно, с тоской переворачивается на другой бок и снова впадает в летаргическое состояние.

Что такое дежа вю по-научному?

Маленькое отступление.

В учебниках по психологии со слезами благоговения читаем примерно следующее:

«*дежа вю* — болезненное состояние мозга, вызванное переутомлением или другими обстоятельствами, при котором

81

поступающая информация попадает не в ту дверь, куда надо, а в ту, где находится память о прошлом. А через этот участок человек все воспринимает так, как будто это уже было».

Чтобы вы не мучились, как мучился в свое время ваш слуга, читая эту ученую ахинееобразную белиберду, переведу вам так:

если у вас дежа вю — вам назначается отдых. Если не поможет — лечение. Если вы хронический дежавист — принудительное лечение. До чего все просто, ясно и научно! Аж плакать хочется!

Прочитал учебник по психологии — получил знание, что это именно так. Прослушал лекцию — стал еще умнее, понял, что иначе и быть не может. Это мне подтвердили, выдав диплом.

Когда на практике снова столкнулся с дежа вю — прошел мимо. Потому что тут все ясно и нет никаких неожиданностей. Но в душе...

Однажды наше исследование шишковидной железы в очередной раз окончательно зашло в тупик. Как всегда начал терзать сначала себя, потом других. И уже собрался задушить всех моих сотрудников, которые не только решили сделать то же самое со мной, но уже и веревку прикупили... И вот в этом усталом, растрепанном состоянии вдруг понял всю свою глупость.

Ба-а-а! Вот идиот-то!

Испокон веков известно, что ученики, увлекшись решением маленьких либо больших задач через интуицию путем озарения, начинают пренебрегать более трудоемкой и примитивной формой мышления — логикой.

Наставники, чтобы исправить этот перегиб мышления, перед всеми традиционно ставят задачу поддерживать логику.

Выполняя упражнения по развитию логики, то есть занимаясь наукой обычных людей, совсем потерял нюх и чуть не забыл, чему учили мои Наставники. **Умение мыслить путем озарения достигается, когда логика и интуиция находятся в гармонии.**

Ё-е моё! Достаточно же взять оттуда самые простые упражнения и через них пропустить то, чем я занимаюсь.

Чтобы войти в нужное состояние, ночью пришлось немножечко потренироваться и взять самое простое упражнение. Ну как-никак, я же ленивый... Потом выписал все вопросы и пропустил всю эту информацию через простенький индикатор чувств: «да» и «нет».

Между прочим, мотайте на ус! Это са-а-мое примитивное упражнение для начинающих! Вам тоже предстоит это освоить! С этого и начнем практические упражнения.

Прохожу по списку задач раз — чувства отклика не дают. Прохожу второй — опять ничего. Когда пятый раз прошел, вижу: мое чувство на спине лежит, как жирный кот, и на меня с издевкой косится. Разозлился и список в мусор швырнул. А под ним очередной отчет о наших экспериментах обнаружился. И тут... Стоп! Дзынь-нь-нь!

Ну наконец-то засигналило! А там словечко «написано»: дежа вю. Вот здесь нужно копать!

Можно на эту тему анекдот расскажу?

Идет путник по пустыне. Впереди куст.

Интуиция:

— Под этим кустом клад.

Начал копать. Копал, копал — ничего. Пошел дальше. Впереди скала.

Интуиция:

— Вот под этой скалой точно клад. Ищи! Да-да, точно здесь.

Рыл, рыл — опять ничего. Дальше уже не идет, а ползет. Полз, полз, приполз к высохшему дереву.

Интуиция:

— Вот здесь — точно! Здесь — наверняка! Я тебе говорю!

Из последних сил разгреб песок... Здоровенный кованый сундук! Открыл — а там сокровища несметные.

Интуиция:

— Ни хрена себе!

Зачем этот анекдот приплел? Сам не знаю. Наверное, интуиция...

Возвращаемся к дежа вю. Приступили к очередной серии исследований. Задача: понять, что же это такое. Точка отсчета — ноль. Чтобы достичь этой точки, надо забыть все, что до нас наплели по этому поводу коллеги-ученые.

Инструменты: черные и белые шарики в закрытой емкости. В ней — отверстие. Никто не знает, какого цвета шарик сейчас выскочит. Но шарики-то вещь небесполезная.

Представьте, что вам зачем-то понадобилось узнать, какой именно шарик сейчас выпадет, а какой за ним.

Начали! Ляпайте, что в голову приходит!

Вы говорите: черный. Выпадает белый. Вы говорите: белый. Выпадает, естественно, черный.

Но мы обратили внимание, что даже у обычных людей, если они упорно тренируются, через какое-то время предположения и реальность начинают совпадать. Результат со временем доходит до 100%.

Ну, и где же здесь дежа вю? дежа вю-то по науке — это глюки! А с глюками путешествовать вперед во времени невозможно. И от глюков черное не становится белым.

Ученые оказались правы: в состоянии дежа вю есть и утомление, и все остальное, о чем они говорят.

Все, что угодно, только не галлюцинации. Хотя при чрезмерном утомлении глюки могут возникнуть. Но это особый случай! Надеюсь, к вам это не имеет отношения.

Все, что мы переживаем в состоянии дежа вю, все, что мы в этом состоянии чувствуем и предвидим — реальность.

Мы чувствуем реальность, которая находится в будущем, прошлом и настоящем — от нескольких секунд до бесконечности.

Значит, в определенных состояниях мы можем шастать в информационном поле пространства и времени.

Экспериментально установили: в состояниях, подобных дежа вю, у человека включается ряд способностей, малоизвестных науке.

Первое: способность заглядывать в прошлое и будущее.

Второе: способность выбирать оптимальную линию действий в жизни.

Третье: способность выбирать свое оптимальное будущее и усовершенствовать его, оказывать на него созидательное воздействие.

Четвертое: способность вызывать резонанс в окружающей среде.

Теперь можем смело отказаться от слова «дежа вю» и назвать это явление обычным состоянием полноценного человека. Но это определение тоже не точное.

Каким местом мы сверхчувствуем и сверхвоздействуем? Уже догадались? Кроме локаторов на попочке у нас есть еще кое-какие чувствительные органы — спина, например!

Пока скажем не слишком определенно: это — зона первичного мозга. Там расположены несколько интересных отростков, функции которых нам кое-как известны.

Почему говорю так неопределенно? Потому что лучше всех, абсолютно досконально и точно функцию мозга знает только студент третьего курса института Ваня Армстронг.

Ваш покорный слуга не теоретик, а практик. Моя задача не доказывать, а тренировать, исходя из опыта работы с тысячами ваших предшественников.

Помните, мы говорили про эпифиз и его феноменальные свойства? Теперь очень простая непростая задача: исследовать тех людей, у которых эта «шишка» дает нормальные сигналы. Как они живут? Что думают? Как реагируют?

Провели исследование и в очередной раз вернулись туда, откуда начали. И где оказались-то?

Вы уже догадались правильно, у тех самых выросших хулиганов, превратившихся в преуспевающих бизнесменов, ученых, художников и руководителей, одним словом — в Лидеров.

Теперь в наших руках один из секретов новых русских, новых, извините, украинцев, а также казахов, узбеков, то есть вообще всех преуспевающих американцев:

нормально развитое сверхчувство обрекает человека на самый оптимальный и продуктивный выбор действий во всех сферах жизни.

Наконец-то мы до сути добрались! Теперь можно отдохнуть со спокойной совестью.

Если б знали, чем дело кончится! Вернее, что потом начнется!

Мы с умилением поглаживали первые результаты и приговаривали:

— Червячок, ты мой, червячок. Наконец-то ты у меня в руках.

А когда этот червяк зашевелился... Ух, как он зашевелился! И оказалось, это — хвостик слона.

Зона нашего исследования все разрасталась и размножалась втихомолку. Кстати, мои расходы на науку тоже. Одним словом, не наука, а сплошная.... Сами скажите, что!

Этот тихий слон на самом деле оказался страшной взбесившейся эпидемией, охватившей примерно 85% населения всего земного шара. Мы нашли новое инфекционное заболевание, поражающее сознание и дающее почти невыраженную патологию в работе мозга, которая, как черт в тихом омуте, втихаря делает свое черное дело!

Идем дальше, родные мои!

Прежде чем отправиться туда, где свирепствует эта эпидемия, каждую минуту уносящая в мир обычных людей тысячи гениев, пройдем основательную теоретическую дезинфекцию.

Теорию будем проходить в морозилке, где в летаргическом сне покоятся хронические пятичувственники.

ХОМО хреновинус_____

то такие эти хронические пятичувственники?

Это те, кто на время или на всю жизнь застрял в мареве миллионов людей, в этой колышущейся быдломассе — в этом театре абсурда марионеток. Это те, кто на всю жизнь остался слепыми щенками. Щенки играют во взрослые игры и удивляются, почему их успехи — только плод фантазии.

У этих людей на все есть точное мнение. Они напичканы знаниями-подражаниями, правилами, инструкциями. Их сознание наполнено мыслями-абсолютами о том, что это так, но ни в коем случае не по-другому.

Они совершенно точно знают, что находятся в трезвом уме и светлой памяти.

Это и есть состояние анабиоза.

Сейчас вы читаете эту строчку. Вы смотрите, зыркаете, глазеете или сонно моргаете. Это обычное, нормальное для вас явление. Согласны?

Теперь прочтите дальше, а потом закройте глаза.

Закрываем глаза.

Не сейчас, дуралейчик! Пока продолжаем читать.

После того, как закроете глаза, представьте — боже, спаси! — вы слепой. Небо исчезло, горизонт исчез. Вся красота мира — ее нет! И вот так теперь будет всегда. И завтра тоже, и послезавтра, и до конца жизни. Вечно!

А теперь попробуйте войти в роль слепого, максимально почувствовать это состояние. Почувствуйте разницу между возможностями зрячего и слепого. Вы согласны, что это — небо и земля?

Какие ощущения? Если вам удалось это прочувствовать как следует, уверяю, вы узнали крохотную часть того ужаса, в котором находится настоящий ослепший. Это кошмар! Это трагическая беспомощность!

Открываем глаза.

Анализируем. Что вы потеряли, потеряв зрение?

Вы потеряли свет, вы потеряли ориентацию в пространстве, вы потеряли самостоятельность, вы потеряли свободу.

Вы теперь нуждаетесь в опеке других людей, которым и без вас не так уж... И вы не стремитесь к тому, чем другие владеют, обладают. Потому что у вас другие ценности.

Вы слепы и живете в обществе слепых по правилам, которыми пытаетесь компенсировать свою ущербность.

Но если с момента рождения вы были слепы и выросли среди слепых, для которых свет — это только игра воображения, фантазия больного рассудка, то никогда не станете считать себя ущербным. Вы — нормальный, обычный, рядовой, счастливый гражданин своего общества.

Вы создали общество со всеми его законами, где все формы обучения и все формы жизни рассчитаны именно на этих слепых!

Там есть слепые с высшим образованием, слепые учителя, слепые доктора наук и академики. Чтобы контролировать эту ситуацию, вы создали конторы, министерства, целый государственный аппарат. И конечно, у вас есть свои специалисты, которые готовят из ваших детей будущих слепят! Готовят целенаправленно, методом кнута и пряника.

И вдруг, в один прекрасный день, хрясь-бац! — у вас «пролупились» глазки.

Каковы теперь ваши возможности в сравнении со слепыми? Насколько шире у вас теперь способности? Можно сказать, бесконечно!

А если незрячий попадет в общество слепоглухонемых? Там он царь и бог, ведь у него на одно чувство больше.

Значит, в мире людей с более высокой чувствительностью вы — на положении слепого. В мире людей с более низкой чувствительностью вы — лидер.

А слепой? Слепой полностью зависит от подачек из мира зрячих. Зрячие создают рабочие места и блага для слепых. Кто-то незрячего водит за руку. А кто-то за нос, как вас, например, со школьных лет.

А теперь поводырь сидит у вас дома в телике. Потому что вся ваша жизнь протекает в замкнутом пространстве инвалидов. Абсолютно все, что вы называете «жизнь». Сельская, городская, столичная, заграничная — никакой разницы! Слепой — он и в Африке слепой.

Старый ПАТЕФОН

«Наши годы длинные... пшик, Наши годы длинные... пшик...»

Хорошо! Тогда переворачиваем пластинку. Трык! Пшшш. Новая тема: поговорим о слепых... Трык! Пшшшш... Новая тема: поговорим о слепых... Чтоб увеличить КПД своей жизни, уважаемые члены «общества слепых», в первую очередь надо прозреть.

Вот это — одна из следующих наших задач. Ею и будем заниматься. Когда вы прозреете, палочка вам уже не понадобится. В сравнении со слепым человеком вы будете двигаться намного быстрее, можете уже не идти, а бежать к цели.

А слепой не только не видит цели, но даже не знает, что это такое и где она находится.

НО!

В следующем маленьком абзаце разрешите обратиться к тем, кто занимался у нас на оздоровительных курсах.

Как вы силой своей воли, силой своего духа, силой своей любви смогли улучшить или восстановить здоровье, в том числе зрение, точно так же можете восстановить полноценную работу следующего органа чувств — интуиции. И тогда вы увидите: до чего жизнь другая, до чего знакомо незнакомая! И почувствуете свое всесилие!

И вы увидите: до чего большинство людей, ё-моё, живет наизнанку! Живут ради выживания, работают ради денег. Величайший дар природы — Жизнь — они обменивают на какие-то вещи, деньги, шмотки. Дни, месяцы, годы — р-раз, как масло, отрезают — и меняют на бог знает что!

Да здравствует наше общество инвалидов! И все его законы, и все его достижения — в жизнь!

Продолжая наше исследование, мы столкнулись с удивительным явлением: интуиция-то у всех есть, но работает по-разному. Подавляющему большинству интуиция приносит чаще всего вред. Такой вред — врагу не пожелал бы!

Среднестатистический человек — ориентировочно, 85% всех людей — изначально является созидателем неудач на свою... голову. А также гениальным творцом пустой жизни, фабрикой по производству приключений на свою....

Эти граждане-перевариватели полностью, абсолютно зависят от окружающего мира. Это есть общество «бе-е-е». И в это «бе-е-е» входит уйма самых разных персонажей: от бродяги до министра.

Хотя министры обычно... Ну, нет, тоже бывают.

И эти люди работают, действуют ради выживания.

Ради вы-жи-ва-ния! Всего-навсего!

Их постоянно преследует осознанный или неосознанный, большой или маленький страх — неуверенность в завтрашнем дне. Это синдром человека, который бредет ощупью, спотыкаясь без поводыря, по незнакомым улицам. Этот человек куда-то идет, но что будет через шаг?

Неизвестность!

Ради преодоления страха неизвестности толпа выдумала свои законы, сочинила свои уставы, изобрела свои условности и ценности. И в этой толпе каждый копирует каждого. Одним словом, роботы из протоплазмы.

Их морят голодом, как когда-то в Поволжье.

Ежедневно отправляют миллионы людей на войну, как пушечное мясо.

Потому что это, образно говоря, стадо микроорганизмов с навязанным со стороны точным знанием того,

как надо и как не надо,

кто враг и кто друг,

что есть добро, что есть зло,

что есть правда, что неправда,

и куда надо стремиться —

и так далее, и тому подобное.

А все это знание, вся эта информация изготовлена такими же инвалидами-пятичувственниками. И передается, вкладывается, втемяшивается будущим зомби в школах и в институтах.

Эдакое вот, понимаете ли, голубчик вы мой посиневший, коловращение получается. Изготовление себе подобных и передача этого опыта себе подобным. Передача и изготовление. Изготовление и передача.

Чем занимались Винни Пух с Пятачком в дупле?!

Как мы из ребенка делаем себе подобного? Да просто начинаем ему вдалбливать стишки, песенки, «это можно», «это нельзя», «это хорошо», «это плохо»... Зачем трехлетнему ребенку знать, что делал Винни Пух с Пятачком в дупле? Мы навязываем ему знания, ему не нужные. Это — отвлекающие знания!

Обучаем его считать, писать, вместо того чтобы развивать его естественное состояние. После двух-трех лет у вашего ребенка начинают бурно развиваться очень интересные состояния. Мы вдалбливаем в него свой «старческий» маразм и гордимся нашим вундерКиндером.

И постепенно ребенок становится кем?

Нет, не стариком — успеется — а уродом, как мы с вами! Нормальной гордостью общества!

И вот уже мчится на меня, сверкая шашками в лучах заходящего солнца, вся наша Красная Армия ОбрЕзования.

Ваша реакция? ВОЗМУТИТЕЛЬНАЯ ЧУШЬ!

То, что я сейчас сказал, абсурд, не так ли? Вы не можете этого даже представить! А как вы можете представить свет, если от рождения слепы? Вернее, с двух-трех лет, как раз с момента, когда вас начали воспитывать таким же способом.

Вы — те же ребёнки, только еще более матерые!

Вы уже забыли настоящее ощущение **времени и пространства**. Вы уже забыли, что значит мыслить полноценно, использовать чувство, использовать зрительные и слуховые образы, использовать всю палитру истинных возможностей, данных вам... хочу сказать Богом, но, чтобы угодить вашей неистребимой материалистической идеологии, скажу Природой! У вас эту память отшибли еще в детстве.

И теперь вы сами навязываете свои мысли, свой опыт беспамятства, целенаправленно уничтожаете интуитивное мышление, душевную, духовную — истинную — жизнь своего ребенка. Почему? Потому что все «бе-е-е» так воспитывают своих козлят.

Ну и что из этого получится? Оглянитесь на свою жизнь! Вот это самое и получится. А может, и еще того... лучше.

Мы хотим, чтобы наши дети были выше нас. Мы мечтаем, чтобы они пошли дальше нас. Мы стремимся, чтобы они были во всех отношениях лучше. Чтобы мы могли гордиться ими. Согласны?

Но вот величайшая из шуток: мы явно перестарались с воспитанием. Что мы из них делаем? Зомби. Ведомого, привыкшего, чтобы вечно кто-нибудь давал добрые советы, вечно кто-то направлял.

Можете провести эксперимент, если, конечно, у вас в доме есть такое счастье, как малыш достаточно солидного возраста, двух-трех лет. Спрячьте за спиной разноцветные конфетки. Не показывая, спросите:

— В какой руке красная, в какой зеленая? А теперь какая? Если угадаешь — конфетка твоя!

Ваш ребенок просто так, играючи, ответит правильно. Ребятенки часто даже удивляются: «Почему спрашиваешь, сам, что ли, не знаешь?».

Проверьте! Так чем же они занимались в дупле-то? Пра-а-вильно, ели.

Здесь был мед.

Добро пожаловать в мир сумасшедших... ———————

До-мо-ой!

Теперь у меня к вам вопрос: почему появилась такая форма общества, где калечат детей и делают из них убогих?

Вы думаете, это было кем-то специально придумано? Нет, это неосознанно, и никто этого специально не делал. Просто-напросто существуют два пути.

Первый — трасса, построенная для удовлетворения человеческой лени. Второй — тропиночка, протоптанная теми, кто ищет себя, в ком горит свет.

Мы с вами воспитаны в самом ленивом, самом бесплодном, бес-продуктивном обществе.

Когда ребенок не хочет, он говорит:

— Я не хочу.

Взрослый человек что говорит?

— Я занят, я о-о-очень занят.

Хотя наше «я очень занят» и детское «я не хочу» — одно и то же.

Когда, уважаемые взрослые, мы из себя корчим деловую колбасу, то не понимаем, почему говорим: «Я очень занят».

Мы это просто выдумываем, потому что нам не хочется, потому что нам лень.

Благосостояние в нашем обществе воспринимается, как стремление к ничего-не-деланию. Все свои проблемы мы перекладываем на технику, на оборудование, на аппаратуру.

Когда лень говорит от имени народа, вы обязательно узнаете, что у народа в очередной раз возросло стремление к благосостоянию, что мы сделали новый шаг на пути технического прогресса. И учебный процесс у нас полностью обслуживает вот эту нашу ленивость.

Кого больше: созидающих или просто ленивых, живущих ради удовлетворения инстинкта? Кого больше?

Ленивых больше, дорогие мои, ленивых. Их подавляющее большинство.

Архимед один, а физиков — до хрена. Сумасшедший Архимед сделал открытие: «Эврика!» — а тысячи-тысячи физиков учат других и диссертации защищают. Понимаете? Точно так же во всем остальном.

Как ему это удалось?

Интуиция!

Значит, в первую очередь нам с вами нужно восстановить что? Интуицию!

Тогда ваша форма мышления, дорогие мои, со временем окажется не такой, как сейчас.

Если говорить с пафосом — а об этом стоит говорить именно так — восстановив свою интуицию, вы станете ангелом-хранителем собственной жизни и своей семьи — «слепых» в вашем доме.

Тогда у вас появится возможность отличить черное от белого, серое от красного, красное от оранжевого, правду от полуправды. Потому что шестое чувство нельзя обмануть.

Вы начнете видеть людей насквозь, они для вас станут раскрытой книгой. Восстановив интуицию, вы, если Бог даст вдохновение, начнете путь к себе.

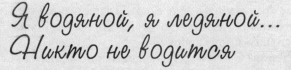

*Я водяной, я ледяной...
Никто не водится
со мной...*

*А мне летать, а мне летать...
Ва-а-ще-то мне ЖРАТЬ охота!*

Вы еще помните, что мы находимся в лаборатории? Скажите, пожалуйста, вы хорошо говорите по-японски? Если нет, то среди японцев вы — чужой, ненормальный. А разговаривать по-волчьи можете?

Значит, среди волков вы тоже чужой. Волк, с точки зрения человека, существо совсем никудышное, но среди животных он — создание высокоразвитое, потому что у него большой объем мозга. Все относительно.

Кто такой нормальный человек? Что такое «норма»?

Это общепринятые рамки поведения, возникшие для легкости ориентации в окружающем мире. Это набор общеизвестных фактов и знаний, внедренных в каждую среднестатистическую голову.

Значит, «норма» — это есть реализация лени человеческой: не думать, а поступать, как робот, поступать, как все.

Когда один врет, это называется «враньем», когда другой повторяет это вранье, это называется «цитата». Когда все повторяют вранье, это называется «общеизвестным фактом».

Когда вранье преподается в школе, потом в институте — это называется «высшим образованием». Когда это вранье становится общим, его называют «знанием».

А кто такой гений? С точки зрения нормального человека — он ненормальный. Он думает иначе, он воспринимает мир иначе, он поступает иначе. Гений — это тот же шизофреник, только в реализованном виде.

А кто такой шизофреник? Он — больной.

Вы знаете, что Наполеон был эпилептиком? Достоевский — эпилептик. Петр I — эпилептик. Больные люди!

А кто такой нормальный здоровый человек с точки зрения психиатрии? Это тот, кто ничем не отличается от большинства.

А что такое большинство, масса, толпа? Об этом мы уже говорили. Большинство смотрит на звезды через чью-нибудь попу. Извините за мягкость!

Но одна Личность полностью меняет сознание толпы, миллионов людей.

А миллионы людей бьются за место под солнцем и пытаются сожрать Личность.

Существует городская масса, сельская масса, масса трудящихся... Если я скажу: «Масса Достоевских» — вы почувствуете абсурд?! Или толпа Шекспиров? Шекспир — не масса, не количество. Шекспир — это качество!

Масса — это громадная толпа безликих существ, отвергающая все, чего сама не знает и не умеет. Кто помнит об этих нормальных людях, кто помнит об этих кусках мяса с паспортом?

Мои родимые! Мир — слоеный пирог! Алкаш думает, что он пьет, как все. И он прав — вокруг него одни алкаши. Подобие тянется к подобию и во всех видит свое подобие.

Интересы обывателя укладываются в границах от «орбита» до «памперса» включительно.

Почему у среднестатистического человека работают только 2—3% мозга? Чтобы просто есть и спать в жизни большего и не нужно.

Обыватель думает о гениях: «Не может быть! Это не для меня, а значит, этого не существует».

Человек — как вода: течет туда, где низко.

Есть такое понятие «я», или «эго». Вокруг этого «эго», вокруг неМЫтого «я» крутятся все интересы пятичувственника. Вокруг своего «эго» этот пятичувственник создает свою мораль, свои законы и даже свою религию.

Находясь от рождения среди волков невозможно стать человеком. Вы станете таким же волком, как и окружающие вас.

А как же гений? Разве он не из того же логова?

Да, конечно. Но у гения сказывается его природная аномалия, его дар, который, как врожденная болезнь, диктует ему индивидуальные правила игры, правила жизни. Там — внутренний зов.

У вас тоже есть этот внутренний зов, это внутреннее стремление. Оно есть у каждого. Только у вас оно слабее, чем у гения. Пока.

Это стремление можно развить!

Хотите ли вы его развить, усилить — вот в чем вопрос.

Если вы халявщик — увы, нам не по пути.

Если вам лучше жить среди толпы — скатертью дорога вам, а мне тем более.

Но если вы чувствуете желание, тягу, зов, силу...

Умненький вопрос:

*вам хочется
прожить свою жизнь,
как все?*

Как сделать, чтоб вы, родимые мои, могли вырваться из этого плена толпы, из этой ограниченности восприятия? Как сделать, чтоб вы стали человеком мирового масштаба, думали, чувствовали, жили вместе со всем миром, а не с дурочкой Машей из ЖЭКа?

Как быть? Как?

Мастера говорят: «Познавая себя, познаешь Бога».

Часто на занятиях мне задают вопросы о проблемах человечества. В таких случаях я им отвечаю: «Спросите о СЕБЕ! Вы вначале познакомьтесь с СОБОЙ, узнайте СЕБЯ, а потом будете познавать человечество».

А у вас на все вопросы ответы есть, гении вы мои!

Познавать себя... Это не то чтобы очень тяжело, это кошмарно трудно! (Специально пугаю.)

Вот вы активно интересуетесь проблемами родственников, знакомых, соседей: чем болеет, сколько получает, с кем живет? Вы хотите спасать все человечество. А это — первый показатель того, что вы бежите от самого себя, от своих собственных проблем.

Вы готовы годами учить какую-нибудь физику—математику, иностранный язык или философию или что-то еще. Но когда дело касается изучения самого себя — это вас пугает. И вы найдете любой предлог, чтоб только этого не делать.

Вы прикрываетесь любознательностью, изучаете что угодно, лишь бы загрузить себя чем-то, только бы отвлечься от самого себя. Только бы отложить на потом самое главное — познание себя, потому что человек больше всего боится себя, больше всего боится остаться наедине с самим собой. Вы согласны?

А что происходит, когда вы приступаете к познанию себя? Уже через пятнадцать-двадцать минут знакомства с самим собой у вас возникает внутренний барьер, нарастает внутреннее сопротивление. И дальше — по возрастающей, по восходящей, с усиленной яркостью проявляются скука, вялость, угнетенность, нежелание находиться в состоянии самопознания.

Это — тоже закономерность!

Вы БОИТЕСЬ встретиться со своими прожитыми днями. Вы БОИТЕСЬ отвечать за свои совершенные поступки. Вы БОИТЕСЬ увидеть в себе преступника, преступницу. Вы БОИТЕСЬ встретиться лицом к лицу с этим дьяволом, с этим сатаной — с самим собой. (Специально гипертрофирую.)

Истина всегда тяжела.

Или не всегда?

Когда человек боится, он пассивен в отношении себя, он бездействует. Когда человек боится, он агрессивен по отношению к тем, кто действует.

Для того, чтобы выйти из состояния куклы, куколки, чтобы вылупиться бабочкой, вы должны этого захотеть. Очень захотеть! **Захотеть каждой фиброй души. И влюбиться в то, чего хотите. И действовать, работать, вкалывать, то есть познать себя!!!**

Вы можете себя программировать, вы может себя перепрограммировать. Перепрограммировать на обретение свободы. Свободы Ангела добра и света.

Вы должны оглянуться на себя. Вы должны заняться собой. Вы должны узнать, КТО вы и ЗАЧЕМ вы?

Задайте себе вопросы: КТО я? ЗАЧЕМ я?

Обратите внимание — это испокон веков мучающий человека вопрос!

Почему вы женщина или мужчина?

Зачем вы родились именно в этом году, именно этого числа, именно в этой стране?

Отчего вы ребенок именно этих родителей?

Благодаря чему вы считаете так? Благодаря чему вы считаете по-другому?

На каком основании в одном случае вы радуетесь? На каком основании в другом случае вы печалитесь?

Как получается, что в одной ситуации вы боитесь? Как получается, что в другой ситуации вы гордитесь?

Откуда знаете, что это — хорошо, а это — плохо?

Когда мы начинаем вникать в эти вопросы, многие наши старые страдания исчезают. И появляются новые. Но к этому моменту вы уже знаете, что делать!

Когда мы с вами знаем, что такое печаль, — печаль исчезает.

Когда мы знаем, что такое страх, — страх исчезает.

Когда мы знаем, что такое гордость — гордость исчезает.

Появляется законный вопрос: что тогда остается?

Остается зерно человека. Остается Личность.

Человек освобождается от условностей, от кандалов, от этих проводов, ниток, которые окружают его мысли, руководят его действиями. И он вдруг чувствует, что он ЖИВОЙ. Он вдруг осознает, что он ЖИВЕТ!

И вдруг он видит: вокруг одни тени бегают. Тени, которые могут поставить синяк. Тени, которые могут нанести боль. Тени, которые могут раздавить своими гусеницами.

Безликая, колышущаяся толпа роботов. А вы видите предопределенность каждого человека. Вы знаете заранее, что этот человек будет делать, что скажет...

Человек, обладающий полным ассортиментом чувств, видит всю абсурдность мира. Это — театр абсурда, где каждая кукла думает, что она живет.

Шестое чувство — это не лишняя способность, не случайный талант. Это — необходимость. Тем более седьмое чувство!

Как только вы начинаете отвечать на свои «почему», то вдруг задумываетесь о какой-то Великой Относительности, о какой-то Великой Пустоте.

Время не имеет начала, время не имеет конца. Время не имеет течения. Все в жизни происходит по спирали.

Иногда, находясь на одном витке этой спирали, мы почти вплотную приближаемся к другому витку. В этот момент происходит внезапное соприкосновение витков. В такие моменты мы вдруг чувствуем: это уже было. Сейчас этот человек вот это скажет, сейчас произойдет то-то и то-то. И мы это и ВИДИМ, и ЧУВСТВУЕМ, и ЗНАЕМ.

Почему? Потому, что в этот момент еще не произошло полное стирание из памяти.

*Если грохнуть спящего по башке*_____

редставьте! Однажды какой-то случайно проходящий мимо человек грохнул спящего по башке, и тот пробудился. Он пробудился и начал думать:

* *Кто я?*
* *Зачем я?*
* *Почему я на Земле?*
* *Отчего я именно в этом городе?*
* *Зачем я именно в этом времени?*
* *Для чего я в теле мужчины или женщины?*
* *Почему мне так одиноко?*
* *Почему? Отчего? Зачем?..*

Он начал думать. Он начал думать! Он **начал думать!!!**

Потом он **начал понимать,** почему ему было страшно и почему он избегал источник этого страха. Избегал всеми правдами и неправдами. Находил тысячи побрякушек, лишь бы корчить из себя делового человека. То есть избегал себя. Общения с самим собой. Осмысления себя. Познания самого себя.

И он, эта личность, проснувшись, **начинает искать.**

И тогда у него шестое чувство восстанавливается...

Дорогие мои! Он **начинает плакать**, как ребенок. Он **начинает слышать** других проснувшихся.

И эти другие проснувшиеся приходят к этому ребенку. Понимаете? Потому что в безлюдном квартале, в безлюдном городе, когда все сладко спят, среди глубокой ночи, которую обычный человек называет «жизнь», им будет ясно слышен плач новорожденного.

И «акушеры» приходят, приходят обязательно, приходят с радостью.

Приходят Учителя.

Их задача — научить вас тому, что вы и так знаете, преподать то, что вы много раз изучали, но каждый раз проходили мимо. Их задача — восстановить ваше восприятие до нужной широты.

Поговорим о знаниях. Как вы думаете, куда ушел опыт тысячелетий? Где хранится мудрость, накопленная множеством поколений? Вы думаете, все ухнуло в небытие, кануло в Лету? Да нет! Никуда оно не делось. Оно хранится и накапливается, но тайно. И до того хорошо запрятано, ни за что не найдете!

Эти знания укрыты металлическими дверями с железными засовами, в глубоких пещерах за семью печатями под самым вашим носом, то есть у вас дома.

Вы удивлены? Вот видите, вы даже не догадывались, что являетесь хранителем огромного бриллианта, которому нет цены!

Испокон веков дервиши — люди, постигшие великое знание, — зашифровывают его и распространяют по всему миру в виде сказок, притч, занимательных историй, красивых стихов. А хранители мудрости — вы сами.

Посмотрите на книжную полку. Наверняка у вас найдется томик Омара Хайяма, Низами, Руми, Фирдоуси или даже труды Авиценны.

Ну, сказки «Тысяча и одна ночь», я думаю, у вас есть. А в действительности это не сказки для детей, это один из учебников для профессионалов.

И вы наверняка что-нибудь из этого списка читали. Весь вопрос — как?

Внешняя форма — самая простая и привлекательная для обычного человека. Читая такие книги, он думает: «Ага! Оказывается, автор мыслит, как я! Ну что ж, неплохо, неплохо!».

Вы думаете, что он такой же, как и вы.

Хотите, прогуляемся вместе в одно из подземелий, где хранятся древние тайны?

Пристроимся в попутчики к Омару Хайяму, которого принято считать только поэтом. Хотя он был не менее знаменитым врачом, астрономом, математиком, государственным деятелем и много еще кем. Но сейчас мы с вами чуточку познакомимся с Омаром Хайямом — виртуозным шифровальщиком тайных знаний.

Великий поэт писал: «Я спрятал свою истину за семью печатями и сорока замками, чтобы злое стадо людей не использовало эту истину во имя зла».

Многие читают рубаи Хайяма.

Наслаждаясь его стихами, вы восхищаетесь: «Какая поэзия! Какая утонченность восприятия мира! Как он понял всю тщету человеческих усилий, всю жалкую ничтожность бытия!».

В действительности он просто подыгрывает вашим слабостям и сомнениям, вашему неверию и пассивности.

А другой думает, что Омар Хайям был забулдыгой и гулякой. Он ведь пишет о вине, женщинах, кабаках. И вы говорите жене, оправдывая свое поведение: «Молчи, дура! Омар пил, я тоже бутылек раздавил».

Омар Хайям перед каждым поставил зеркало в красивой рамке. И сотни лет обыватель любуется своим отражением. Ради того эту книжку и держит у себя.

А известно ли вам, что в те времена за глоток спиртного сразу четвертовали или сажали на кол? Тогда своя инквизиция была.

Омар Хайям был одним из величайших Мастеров.

«Вино» у Омара Хайяма, дорогие мои, означает «опьянение от познания истины».

Каждое слово в привычном для вас значении содержит скрытый смысл и рассчитано отнюдь не на логическое мышление.

Потребуется несколько десятков страниц, чтобы разъяснить значение одного предложения, написанного таким языком.

Читая одну фразу, человек, мыслящий путем озарения, способен воспринять информацию, равную иногда целой библиотеке, забитой книгами от пола до потолка.

Прежде чем приступить к изучению тайнописи, нужно три года учиться тому, как учиться.

Вот, если хотите, малюсенький словарик языка тайнописи.

Влюбленный — это есть дервиш.

Принц — ученик.

Женщина — душа спящего.

Красавица — душа искателя.

Изменчивая красавица — страдания разума, которые дает душа.

Пьяный — дервиш, постигший истину.

Опьянение — просветление.

Чарка — сознание.

Кабак — место, где собираются для тренировки.

Кувшин — ум.

Осколок от кувшина — частичка опыта ушедших мастеров.

Виночерпий — дающий вино истины, то есть одно из обозначений Всевышнего.

Сад — процесс тренировки.

Дерево — мастер без учеников.

Дерево плодоносящее — наставник с учениками.

Гора — высший просветленный, приближенный к Высшему.

Холм — Наставник.

Утес — тот, кто был причиной начала обучения.

Глыба — мудрый.

Камень — староста тренирующихся.

Кольцо — круг учеников.

Кольцо с драгоценным камнем — круг учеников, в котором присутствует высший Наставник.

Кольцо с сапфиром — практикующие упражнения Соломона.

Кольцо с изумрудом — практикующие упражнения Мухаммада.

Кольцо с алмазом — практикующие упражнения Моисея.

Ожерелье — мастер, который освоил все основные Школы.

...

...

И так далее.

Мастера для скрытой передачи информации друг другу во времени и пространстве используют 3001 слово.

Мой Наставник однажды дал мне азбуку тайнописи и «Рубаят» Омара Хайяма и сказал: «Вот это четверостишие переведи». Начал переводить. На это у меня ушло около двух месяцев. Из одного четверостишия получилось почти 270 страниц машинописного текста.

В каждом четверостишии Омара Хайяма есть внешняя форма, оболочка, для нас интереса не представляющая. Это всего лишь привлекательный переплет для взрослых детей.

А по букварю тайнописи получается так:

Открываем **первую вуаль**, читаем: «Made in...», то есть откуда, где и кем изготовлено, к какой Школе относится и назначение упражнения.

Вторая вуаль — теоретические основы.

Третья вуаль — техника безопасности, предупреждение о возможных ошибках.

Четвертая вуаль — внешняя техника упражнения.

Пятая вуаль — внутренняя техника.

Шестая вуаль — запуск процесса, начальная стадия упражнения.

Седьмая вуаль...

Предъявите пропуск, пожалуйста! Извините, дальше проход закрыт.

И в результате получаем целый трактат. И если этот текст показать какому-нибудь современному любителю дотошных инструкций, то он тут же в обморок грохнется от зависти.

Потому что перед вами будут лежать жесткие, предельно лаконичные, веками выверенные и отшлифованные указания, где, в какой последовательности, при каких обстоятельствах и что именно нужно делать, чтобы усилием воли, например, остановить течение воды. Что и как нужно тренировать, чтобы достичь такого-то и такого-то состояния.

Притчи тоже имеют совершенно не тот смысл, который вы видите на поверхности текста.

Помню, на перевод первой маленькой притчи, содержащей сорок вуалей, у меня ушло восемь месяцев!

Внимание! Иногда, когда я читаю притчи по-русски, у меня часто появляется мечта вызвать того горе-переводчика на татами и поколотить его в честном бою.

Чтобы сделать смысловой перевод, мне придется сначала с русского перевести обратно на язык оригинала и только потом приступить к раскрытию вуалей.

Хотите малюсенький экскурс? Чтобы вам было хоть немного понятно, возьмем один абзац притчи «Пища да перья». Вначале прочтем оболочку.

«Где-то, когда-то жил-был студент Абу-Кулол из Бухары. Он ежедневно ходил к своему учителю, сидел у его ног и записывал на бумагу все, что тот говорил. И так каждый день.

Однажды вечером его жена поставила перед ним горшок, покрытый платком. Этот платок он повязал на шею, заглянул в горшок, а там — исписанные перья и бумага.

— Вот, чем ты занимался до вечера. Попробуй их теперь есть...». И так далее.

Так выглядит оболочка, рассчитанная на обычных людей, живущих в мире сна. Они эту забавную притчу сохраняют и читают своим детям, чтобы те быстрее уснули. А речь здесь идет совсем о другом.

«Студент» означает «искатель», который пытается достичь гармонии путем слияния души и разума.

Здесь говорится примерно, так, да простят меня мои «собутыльники»-Влюбленные за слишком упрощенный перевод.

«Начинающий искатель! Твой разум («разум» — это «он») всегда, каждый день окажется у начала истины («у ног») познания жизни («учитель» — это есть «Всевышний»), у начала познания Высшей Истины и Высшего Могущества.

Но твой разум будет пытаться держать все в памяти («бумага» означает «память»).

В конце жизни, когда душа твоя («жена») покажет тебе содержимое твоего ума (это, понятно, «горшок»), там, кроме памяти («бумаги») и мертвых мыслей («перьев»), ничего не найдешь. И тебе захочется повеситься от душевных страданий («платок» — это нечто, что имеет отношение к душе).

Теперь этот же текст с первых трех слов: «...Где-то, когда-то **жил**...» — жизнь разума. «Жил разум». Значит, я должен узнать, как этой инструкции дать жизнь, как претворить ее в жизнь.

«Сядь у ног». Сидя на стуле, вы сидите над ногами. Но если вы сядете в позу упражнения, то ваше тело окажется «у ног». Если было бы сказано «рядом с ногами», то означало бы «рядом с учителем».

Третья вуаль. Здесь «Сядь у ног» означает: войди в состояние начала начал. Очисти свое сознание, свою память до состояния белого листа («бумага»). Стань пустым, останови мысли.

Дальше четвертая вуаль — это тренировка доступа к «библиотеке», то есть вечному информационному слою.

Название притчи «Пища да перья» означает «полезная практика с мертвыми мыслями», то есть «упражнение для расширения мышления». Одним словом, это тренировка для получения абонементной карточки в особую библиотеку.

Потом пятая вуаль. И так далее до сороковой вуали.

Тысячи лет тому назад с бумагой было плоховато. Была одна глиняная дощечка, куда мастер должен был вложить 400—500 страничек инструктажа, но сделать так, чтобы простолюдин не мог его использовать. Может, оттуда и пошло?

Омар Хайям передал свои истины через тысячелетие тем, кому они были предназначены. Великий математик, он сжал, спрессовал свои знания и зашифровал их в простых словах, примитивных понятиях, которыми живет большинство.

Почему великое знание мудрых было засекречено? Это знание, эта сила не должны попасть в руки злодея, потому что ее корыстное использование может убить человека.

А обычный человек любую силу, которую приобретает, в первую очередь использует для удовлетворения своих животных потребностей. Вот почему достижения великих умов всегда скрыты.

Великий Омар Хайям говорил: «Я спрятал свою истину за семью печатями и сорока замками, чтобы злое стадо людей не использовало эту истину во имя зла». Была разработана целая наука тайнописи для того, чтобы в руки обывателя не попало могучее оружие.

Тайные знания передаются из поколения в поколение, от отца к сыну. Опыт тысячелетий, опыт миллиардов людей никуда не пропал. Как развить полноценное восприятие, как стать личностью, как овладеть силой, как и что делать, с чего начинать — вся информация об этом, вплоть до конкретных инструкций, хранится и передается веками.

Дорогие мои, неспроста во всех священных писаниях сказано: познавая себя — познаешь Бога. Это означает, что, познавая себя, ты познаешь собственное могущество.

Начав рассказывать о тайнописи, я незаметно для себя углубился и, кажется, только что по уши влип в очередную книгу. Теперь, сказав «А», чувствую себя обязанным сказать «Б», то есть засесть за букварь для тех, кто в древних притчах захочет увидеть истинный смысл.

Понимаете, мои хорошие?

Вам выбирать, дорогие мои, уважаемые инвалиды! Вам выбирать: путь Личности или путь, ведущий в никуда!

Как стать Личностью? Готовый ответ хотите?

Если хотите, вы — не Личность.

Вот за это фиг вам!

Знаю, что пройти к вам через вашу душу я не в состоянии, потому что орган души у вас говорит на одном языке, а понимает — другой. И мне приходится идти такой дли-и-инной, бесконечно ну-у-удной дорогой — через язык, через уши, через слово.

Это довольно бессмысленная и бесполезная работа. Почему? Потому что информация, проходящая через уши, имеет свойство перевариваться.

Любой кулинарный шедевр, который вы готовите на кухне, потом переваривается и приобретает всегда одинаковую внешность, одинаковый запах... К сожалению, так!

Таков же механизм мышления пятичувственника. Часто он все переваривает и делает естественный вывод. А потом удивляется, почему у него жизнь такая... паршивая.

Когда вы свой вывод оглашаете, сразу возникает потребность в свежем воздухе.

На занятиях я всегда говорю своим ученикам: нельзя продавать бриллиант в овощной лавке. Перед вами сидят люди, которые думают только о материальном благе или о физическом здоровье, что одно и то же. Для чего им нужно прозрение? Для чего им улучшать свою судьбу?

Вы согласны?

Какова плата за мудрость? Боль! Взамен своей слепоты вы получаете боль знания. Это же больно — видеть слепоту других. (Очередной раз вас пугаю.)

Блаженны нищие духом.

И все-таки...

Мы с вами сейчас у двери инкубатора. Хотите — возвращайтесь к своим разбитым яйцам. (Или яичкам? Как по-русски правильно произносить? Только сейчас понял, что не знаю.) Хотите — вперед!

Пошевелите, пожалуйста, плечами. Сзади что-то мешает? Ну, хоть иногда? Не случалось ли вам иногда елозить в постели, вздыхая, думая: может, есть у меня какое-то назначение в жизни? Почему я жгу свою жизнь ради каких-то глупостей?

Поймите: то, что вам не дает спокойно спать — иногда! — это есть ваши невостребованные крылья. Мощные, как у орла, красивые, как у ангела, воздушные, как у бабочки, крылья вашего торжественного гимна, творческого полета. Крылья познания любви, познания жизни, постижения вашего великого назначения.

ДАМА
в мужском теле ___

Сейчас будем делать упражнение «Секстан». Секстан — это инструмент, с помощью которого определяется местонахождение корабля-путешественника.

Дорогие мои! Не смотрите, что у всех у нас головы в данный момент круглые и на каждой «сидит» нос с двумя дырками. Любой из нас — особенный, индивидуальный.

Вы, конечно, знаете, что в некоторых учениях людей принято разделять на разные категории. Например, человек-растение, человек-животное. Но есть среди нас самая главная категория людей, которую называют «Человек». Обязательно с большой буквы.

Давайте среди окружающих найдем... Кого? Человека, который Человек? Нет, вначале животных найдем.

Если собака проснется в шкуре кошки, как она будет себя чувствовать? Представьте.

Давайте еще упростим: вы, уважаемые дамы, просыпаетесь в мужском теле. У вас был такой опыт? Просыпаетесь, хотите кое-что сверху надеть, а оттуда нечего приподнять. Смотрите вниз — там что-то лишнее. Как вы себя почувствуете-то?

Мужчины! Утром проснулись, подошли к писсуару, сонливо что-то у себя ищете, а там ничего нет. Ваша гордость пропала! И в другом месте в видоизмененном и удвоенном виде висит. Что с вами произойдет?

И теперь вам надо еще нравиться другим мужикам. Вы-то их знаете, этих козлов! Тяжелый случай, вы согласны?

Принадлежность к женскому полу, принадлежность к мужскому полу — это о чем? Это инстинкт. Согласны или нет? Вложенный Природой инстинкт. Каждый из нас гордится тем, что принадлежит к своему полу.

Когда инстинкт включается, все, что не имеет к нему отношения, перестает работать. Посмотрим на примере мужчин. У них две головы, согласны? Нижняя и верхняя. Когда нижняя работает, верхняя не работает, то есть голова не работает. У мужчин вообще хроническое «малокровие»: когда одна голова трудится, вторая отключается. Это раз.

Дальше.
Кто чаще всего говорит: «Моя вера! Моя нация! Мой город! Моя улица! Мое! Мое! Мое!!!»? Тот, кто остался на уровне животного. Тот, мыслями и действиями которого управляют животные инстинкты.

Вспомните, у кого мы видим безграничное стремление метить свои границы?

Возьмем Жучку, вашу собачку. Время от времени, по необходимости, она вспоминает о вас и ведет вас выгуливать.

Первым делом она осматривает углы, обнюхивает и размышляет с беспокойством: «Не понаехали ли черные?». И поднимает указующую ногу: здесь граница! От патриотического чувства у нее энурез начинается. На каждом углу пишет: «Мое!».

Стремление сохранить свою территорию, защитить свою область — это чувство из области зоологии. Уже более красивым человеческим языком оно называется «патриотизм».

Посмотрим еще более примитивные формы. Самые маахонькие, которые в стаи собираются — птички, рыбки.

У рыб вообще головной мозг почти отсутствует. Разных рыбок выпускаем в аквариум и наблюдаем. Он мгновенно разделяется на территории. Главный «акуленок» отвечает за целостность страны — правого угла аквариума.

Ваши документы!
Предъявите грин-карту.

Там, между прочим, есть и свои милиционеры. Если какая-то рыбка с любопытством заходит в этот угол, они тут же кидаются: «Аусвайс! Регистрацию покажи или уйди на свою историческую родину».

Они это инстинктивно делают, по внутренней программе, помогающей их вы-жи-ва-ни-ю. У них сплошной спинной мозг вместо мозгов. Помните?

Когда эти же реакции мы видим у человека, то перед нами двуногое, говорящее человеческим языком животное. Этих людей мы называем «люди-животные», они в своем интеллектуальном развитии дальше уже не пошли.

Понимаете?

Обычный человек — стадное существо. Он живет, он обучается осваивать мир по законам стада. Я сейчас рассказываю о баранах. Шашлык! Пушечное мясо. Баран — это ходячий шашлык с рогами, ребрышки в докулинарной стадии развития. Так еще понятнее, да?

Значит, его обучают по законам бараньего стада. Этот маленький барашек вначале ходит в ясли. Обучается беканью — ну, стишки, песенки и прочее — первое его «бе-е-е-е!». А потом в школе — школа молодого барашка. Потом институт — школа молодой овцы. И когда ему дают диплом, в дипломе написано: «Баран с высшим образованием, с такой-то специальностью».

Управлять этим стадом легче всего. Если какой-то баран чуточку обкозлится — всё! Бараны все дружно его выдвигают, говорят: «Пожалуйста!».

Куда идет козел — большой секрет! Но вы тоже за ним туда идете. Один говорит:

— Мы пойдем другим путем!..

И пошли... Через много лет пришли — и оказались на том же месте. Потом еще один провозглашает:

— Теперь мы умные и знаем, что они не правы. Другой, лучшей дорогой пойдем, господа!

Вот и всё! Вечное скитание.

Великоуважаемые, вы хотите быть козлами? Кто хочет быть козлом? Поднимите копыто, пожалуйста.

Поднимете, не поднимете — какая разница? Все равно вы в этом стаде.

Вам нравится, дорогие мои, быть баранами? Это самый легкий способ жизни. Вернее, самый легкий способ существования.

Но я вижу, вам не нравится зоология. Люди интереснее? Хорошо.

Тогда возвращаемся к нашим баранам, то есть к себе. Обиделись? Боже мой!

Ну, чувство юмора у вас, конечно, обрезано с момента рождения. Вы всё всерьез принимаете. Пошли дальше.

Как гарантированно стать ЦАРЕМ,

опираясь на мысли, исходящие из того места, на котором сидишь

Следующее упражнение. Повод для анализа своего характера.

Представьте! Вы хотите стать царем или, на худой конец, депутатом. Конечно, вам нужно, чтобы за вас проголосовало как можно больше членов так называемого электората. А люди-то, составляющие большинство, к какой категории относятся?

Вопрос на засыпку. Что бы вы им сказали? Как построили бы свою избирательную кампанию?

Если позволите, могу вам кое-что посоветовать. Чтобы привлечь на свою сторону максимальное количество обычных людей, нужно следовать самым простым истинам.

Первое.

Человек происходит от животного. Весь мыслительный процесс обычного человека, вся цель его жизни — удовлетворение инстинктов: пожрать, поспать, трахнуть чего-нибудь (pardon) и снова пожрать повкуснее.

У него работают только пять чувств. Вся его жизненная задача — поиск источников все большего и большего удовольствия.

Значит, первый инстинкт — пожрать. Для того, чтобы обеспечить себе большинство сторонников, скажите: «Если меня выберете — каждому по жратве!».

Второй инстинкт — территория, он вытекает из первого. Любое опасение, что другие лезут за его стол, вызывает обиду, а потом бурную ярость, как у собаки. Обида — оборотная сторона гордыни.

Животномыслящие везде одинаковы, только масть бывает разная. Это может быть Европа или Азия — разницы никакой. Все животные везде мыслят однотипно.

Одна собака не так уж опасна, ее агрессивность не слишком велика. А свора катализирует агрессию.

Итак, повторим еще раз.

Если у человека интеллект находится сами знаете где — он в первую очередь начинает определять свои границы. Его понятия: «мой дом», «моя квартира», «моя улица», «моя нация», мое это, мое то, мое се. Высшее состояние животного инстинкта — это есть империя. Границы на замке, необходим захват чужих территорий.

Высшее состояние человека, каждый из которых Человек, — это тоже объединение. Но объединение с любовью, с пониманием, объединение через любовь. Если посмотрим на глобус, то найдем такие места.

Вы гордитесь, что принадлежите к своей нации? Кто не гордится? Представители любой нации гордятся, что они представители своей нации. Понимаете?

Чукча гордится, что он чукча. Если ему скажешь, что он русский, он обидится. Может на тебя в драку полезть — это для него оскорбление. Еврей гордится, что он еврей. Украинец — что он украинец, — и так далее....

Высшее состояние — это человек-космополит, то есть человек, для которого родина — весь мир, вся Вселенная.

Обратите внимание! Женщины — изначально космополиты. Их «шовинизм» основан на принадлежности к полу.

Были ли случаи в истории человечества, чтоб женщина начала войну? Хотя, если женщина опустится до уровня мужчины и станет мужеподобной, она может развязать войну. Я не знаю, я просто предполагаю.

Если бы мужчина хоть раз, один только раз, под своим сердцем ощутил бы шевеление жизни, он не смог бы убить чужое дитя. Он не смог бы убить чужого ребенка.

Если бы он кормил грудью, нарушая свой сон по ночам, годами воспитывал, наблюдая, как ребенок растет, слушая его плач, его лепет, он никогда бы не начал войну!

Мужчина ведь намного примитивнее женщины. Почему примитивнее?

Тупость, посягательство на чужую жизнь — это мужская особенность.

Женщина — носитель жизни. А мужчина к жизни не привязан.

Я уверен и знаю, что мужчина не должен править миром. Он в своей сути несет смерть, а женщина — жизнь.

Но нахальство — это второе счастье. Вы согласны?

Можно ли летать ТОЛЬКО одной ногой

Еще немножко зоологии.

Кто из ваших домашних животных более очеловечен: кошка или собака?

Давайте кошку и собаку отнесем километров на сто и оставим. Кто домой вернется? Кошка. Почему? Потому что кошка дрессировке не поддается. Не согласны? А разве ваша кошка умеет читать: «Улица Тараса Бульбы»? Или она у другой кошки спрашивает: «Гражданка, гражданочка, госпожа! Скажите, как добраться до Москвы?».

Нет! Она просто прет к цели. Ее ведет что? Интуиция.

Интуиция, обратите внимание! — это одно из чувств, которое дано сверх инстинкта.

А собака? У нее по сравнению с кошкой способность интуитивно двигаться к цели не так четко выражена. Именно этим она «похожа» на нас. Собака, оттого, что стала похожа на нас, погибает по дороге — она потеряла живучесть. Значит, к ее инстинкту прибавились зачатки разума.

А что такое «разум»? Способность мыслить логически.

У человека к инстинктам добавляется логика, способность «правильно» мыслить, способность комбинировать информацию по определенным правилам. Эта способность замещает собой интуицию. Она вытесняет интуицию. С момента добавления логики жизнеспособность человека падает.

Здесь какое-то несоответствие, правда? Подключая логику, человек должен бы получать более высокое развитие, более

119

широкие возможности. Да, он получает, но при этом утрачивает жизнеспособность.

Неспроста на Востоке есть пословица: **«Мир — это великий рынок: получая что-то, ты размениваешь главную монету — свою жизнь».**

Значит, если логическое мышление развивается отдельно от интуиции, растет только одна сторона ваших способностей, уважаемые единороги.

Современная школа на чем основана? На логике. В ущерб чему? Интуиции. Современная школа, часто в лучших намерениях, развивает однобокость восприятия мира.

Можно ли летать с одним крылом? Можно ли ходить только одной ногой?

Логическое действие более удобно, более привычно, более натренировано у современного человека, чем интуитивное чувствование. Логическое мышление не требует душевных затрат.

Логика чем-то похожа на пищеварение у жвачных.

Человек нахапал разного опыта, разной информации — и потом остаток жизни все это переваривает. Среди этого опыта, среди этой информации энное количество является истиной, энное количество является истиной относительной, энное количество является ложью. В совокупности эти знания — пришедшая извне информация.

СКАЗАНИЕ

о полку халявщиков и трахальщиков

Многие ваши знания — не ваши, то есть халявные знания. Халявные знания, взятые со стороны, от дутых специалистов.

Что такое «халява»? И кто такие эти специалисты, которые халяву раздувают? Подойдем к этим вопросам с умной рожей, строго научно, филологически, этимологически. Красиво?

В старину раздутое стекловаром в пузырь стекло называлось «холява». А как тогда назывался тот, кто дул? Халявщик? Нет, «трахальщик»! Вот с тех пор всех нас и...

А что? Нет, что ли?

Смотрите, сколько нам предлагают всякой халявы. Вся реклама только на том и построена, что нам сулят полное освобождение от действий. Штанишки надеваем, на диван ложимся и во сне худеем. А таблетки? Проглотил три килограмма, и как проглотил, так сразу... Обратите внимание: здоровье, красоту, силу, радость — вам все предлагают получить через рот.

Есть такое глубоко научное понятие «лохотрон». Вы же проклинаете каждое свое усилие! А тут — извольте, мы вам поможем без труда получить все. Дайте рубль, получите тысячу! И мы еще налоги платим — помогаем государству. Положим, не государству, а вам лохотронщики точно помогают. Поумнеть помогают. Пару раз нарвавшись, может, и поймете, что из ничего ничего не бывает. Вместо того, чтоб мазилками мазаться, пойдете в спортзал. И вместо того, чтоб на «авось» надеяться...

Сколько ни говори: «Халва, халва» — во рту слаще не станет. Так говорится? А если скажут: «Халява, халява»? Ой, как сладко! Всей-то разницы — одно маленькое ленивое «я».

Обычный человек является величайшим искателем приключений на свою... голову. Хотел сказать «попу», но, видите, молчу.

Все эти приключения, все свои проблемы современный человек сам выдумывает, сам создает, а потом говорит гордо: «Я решил эту проблему!». И всю жизнь живет, как белка в колесе: создает — решает, создает — решает, создает — решает. А жизнь-то стороной проходит.

Как мы принимаем решение? Путем размышления и логического суждения.

Наши умозаключения, наши взгляды и поступки — всё начинается с вышеозначенной «халявы», то есть информации, полученной извне, от дутых специалистов.

Из этой информации мы делаем вывод, приходим к решению и совершаем поступок. И сейчас же куда-нибудь падаем или натыкаемся на проблему. И с каждым промахом, с каждой неудачей накапливаем опыт: «больно», «страшно», «непонятно» и т. д., и т. п.

Наша жизнь превращается в сплошную неуверенность, пассивное ожидание, страх за завтрашний день. А мы превращаемся в ма-а-а-ахонького несча-а-а-астного человечка.

Отсюда логический вывод: логика обслуживает наиболее пассивную, наиболее ленивую часть нашей психики.

Мы ленивы, а потому чаще всего мыслим логически.

В данный момент у большинства людей самой большой проблемой является прием информации, оперирование этой информацией, вывод и принятие решений.

Если часть воспринятой нами информации изначально была ложной, о чем мы не подозревали, то все дальнейшие операции и действия тоже будут таить в себе ошибку. Соприкоснувшись с реальной жизнью, все наши намерения рухнут, потому что это колосс на глиняных ногах.

А что такое интуиция?

Интуиция, дорогие мои, это инструмент, с помощью которого мы с точностью определяем: что, где, когда. Потому что интуицию обмануть невозможно.

Знание-ломня
для очень крутых
ШАХТЕРОВ_____

Как мы добываем информацию?

С помощью органов восприятия.

Зрение работает в мире света и цвета. Слух — в мире звука. Обоняние ориентирует в мире запахов. Вкус — в мире вкусовых ощущений. Осязание тоже как-то нас ориентирует. Вы согласны?

Из этих чувств три — обоняние, осязание, вкус — работают в зоне материального контакта. Два — в зоне нематериального, скажем, относительно нематериального. Звук и зрение — это одни и те же волны, только разного диапазона.

Обоняние в сравнении со вкусом намного сильнее по эффективности. Осязание, тактильные ощущения сильнее обоняния. Слух сильнее осязания. В сравнении со слухом зрение намного сильнее. Каждое следующее чувство увеличивает возможности человека в геометрической прогрессии.

А следующее чувство какое?

Шестое чувство, в сравнении со зрением, еще сильнее. Шестое чувство — это ви́дение невидимого, ви́дение во времени и пространстве, недоступное для других органов чувств. Ви́дение прошлого, будущего и — самое главное — **полноценное восприятие действительности**.

Где анатомически находятся органы этого пресловутого шестого чувства?

Антенной служит вся нервная система. Локатор находится на два пальца ниже теоретического расположения сосков груди. Просьба не искать в области пупка, где они сейчас кое у кого могут находиться! Это примерно район солнечного сплетения.

Точно так же, как у всех органов чувств есть соответствующие участки-«офисы» обработки информации в головном мозге, так и у шестого чувства есть такой участок. Это тот самый участок мозга, о котором вам уже все уши прожужжали, то есть область первичного мозга.

Какие возможности у шестого чувства?

Когда смотрю на вас органом интуиции, то примерно чувствую, каков ваш характер, ваши чувства, ваше поведение, ваше отношение, чувствую, каково у вас финансовое состояние, каковы ваши деловые возможности. Да и много чего еще чувствую.

Если задам вопрос: «Сколько у вас друзей?» — то сам могу дать примерный ответ.

Многие ваши недуги, многие ваши проблемы происходят именно от неизвестности, от неуверенности в своем знании. Отсюда ваша нервозность, подавленность, постоянная напряженная готовность к опасности — ваша агрессивность.

У слепого человека невроз возникает очень быстро. У слепого и глухого еще быстрее. Восстановление шестого чувства дает возможность мгновенно реагировать в любой ситуации. Особенно ценно это чувство для решения проблем и достижения целей. Здесь ему замены нет! Эти глаза, видящие всё и вся, заменить нечем.

Шестое чувство дает ответ на вопросы, оно знает дорогу ко многим целям.

Значит, наша задача: восстановить интуицию и сбалансировать ею переразвитость нашего логического мышления.

Упражнение.
Сложите кисти рук в «замок». Теперь посмотрите внимательно: пальцы какой руки у вас сверху? Вы сейчас проделали это автоматически — так, как вам удобно, привычно. А теперь сложите руки наоборот: если сверху были пальцы правой кисти, то теперь пусть будут левой.

Ой, как неудобно! Ощущение дискомфорта? Согласны?

Вы знаете, конечно, что каждая рука связана со своим полушарием мозга и служит индикатором его деятельности.

Вывод: одно полушарие у нас с вами, научно выражаясь, работает хреново.

Дополнительный анализ: вместо целой плохо работающей головы мы с вами имеем половиночку, работающую еще хуже!

Резюме: нужно подключить вторую половину!

Рекомендация: организовать научно-исследовательскую экспедицию во все стороны света с учетом текущих экономических возможностей с целью обнаружения способов исправления данной ситуации.

Что откопала экспедиция? Мозг подключается при нижеследующих ситуациях.

• Удар кувалдой по головушке, по головушке! И так до достижения нужного результата. Но!

Есть незначительный с точки зрения науки побочный эффект: недостаток подкованности и отсутствие преданности по отношению к отечественной науке вызывает у подопытного категорическое нежелание предоставлять свою голову для подобного эксперимента.

• Удар молнии в верхнюю оконечность туловища.

Для осуществления этого эксперимента было бы необходимо создать правительственную комиссию и обратиться в Совет Министров с ходатайством о предоставлении государственных ассигнований на создание спецполигона для отлавливания молний и их переориентации в направлении подопытной головы. Предполагается также создание сети научно-исследовательских институтов по обеспечению научно-технической базы этой программы.

Но возникли объективные причины:

• не хватило всего бюджета США,

• подопытные категорически против,

• подопытные подвесили экспериментаторов за трусы на научном оборудовании,

• эксперимент вызвал глобальные изменения в биосфере Земли,

• засекречено ЦРУ,

- засекречено КГБ,
- засекречено МОССАД.

Остался нам с вами от всех этих больших секретчиков ряд способов. Вот один из них мы с вами и рассмотрим.

Способом подключения обоих полушарий и других полушариков кто-то, где-то, как-то, именно сегодня и занимается. Вот с этого и начнем.

Заметили, что во время занятий любовью, в состоянии высокого эмоционального подъема, интуиция подключается. Если это проводить регулярно и систематически, возникает условный рефлекс, при котором мозг работает полноценно. А вот как — мы не в состоянии описать, поскольку те, у которых работает полноценно, с нами, научными работниками, общаться отказываются, объясняя это тем, что общаться со слабоумными им не интересно.

Так вот, тонкий намек поняли? Тем с вами и займемся. Через технику упражнений. Договорились?

Значит, это упражнение дано, объяснено и разбросано в книге специально. Найдите, составьте по частям и займитесь!

ЛИКБЕЗ

для акакдемика: _____

прошлое и будущее

Сначала я на рисунке покажу, что такое «обычный человек» и что такое «сверхчеловек».

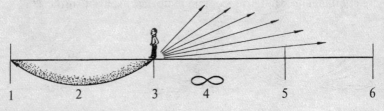

Обычный человек:

1 — рождение; 2 — накопление жизненного опыта; 3 — местонахождение человека в данный момент. Граница неизвестности; 4 — бесконечный выбор случайных действий методом проб и ошибок; 5 — случайная судьба; 6 — окончание жизненного цикла. Переход в другую форму жизни

Вот здесь вы родились (1). Вот здесь (2) — ваше прошлое. Это (3) — настоящий момент вашей жизни. Сейчас вы находитесь здесь, и мы с вами размышляем. Это момент жизни, который постоянно движется, и с каждым шагом будущее меняется.

Вот оно — ваше будущее (4). Там для вас — туман. Прошлое над вами имеет силу. Будущее... Вы катитесь туда, сами не знаете куда (5).

В конце — что? Не смерть, смертные вы мои! Смерть существует только для пятичувственников! Переход (6)! Это когда цикл заканчивается.

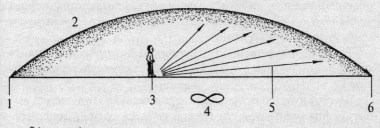

Сверхчеловек:

1 — рождение; 2 — все возможные варианты действий, опыт, результаты; 3 — местонахождение человека в данный момент; 4 — бесконечные варианты оптимальных решений; 5 — осознанный выбор жизненного пути; 6 — переход в следующую форму жизни

Для полноценного человека смерти не существует, потому что он видит и знает, что произойдет потом. И у этого человека, у полноценного, есть выбор, а у вас нет выбора, уважаемые ходячие желудочно-кишечные тракты.

Значит, обычный человек пользуется опытом, который находится в рамках между рождением и настоящим моментом. Будущее для него абстрактно. Он не имеет доступа к информации о будущем.

Слепой, идущий по жизни с закрытыми глазами, получает информацию от своих ног. Шаг вперед сделал, пощупал — там нет ямы. Второй шаг. Его жизнь занята не следованием к цели, а выбором места, куда поставить ногу.

Какова цель вашей жизни? «Ну-у-у...». Еще не знаете? Для этого у вас пока не нашлось времени?

Пятичувственник оперирует информацией прошлого, да и то только той, которую помнит, которая осела в сознании и копошится там. С помощью этой информации он пытается конструировать будущее по аналогии, по трафарету прошлого. Варианты строго ограничены его прошлым опытом, неудачными попытками, разочарованиями, синяками, ссадинами, фингалами, накопившимися страхами.

У обычного человека тоже бывает сильная интуиция. Но она действует, как великая шутка сатаны!

Если перед этим человеком поставить десять проектов: один — банкрот, девять — миллионная прибыль, обычный человек выбирает именно путь банкротства и снова ходит по уши в... проблемах! Этот эксперимент я очень часто провожу во время занятий.

Так и вы поступаете до хрена раз. И потому всегда сидите голой попой по уши в луже! Извините за научную терминологию.

Шестое чувство использует информацию из будущего и выбирает оптимальные пути действия. Здесь тысячи вариантов. Здесь человек находит путь интуитивно-сознательно и идет в нужном ему направлении.

У обычного человека выбора нет, он плывет по течению. Для него успех — лотерея, случайность. Шестое чувство дает человеку возможность выбора.

Вы-бо-ра!

Из миллиона вариантов он может выбрать нужный. Но и этот вариант он тоже может еще, еще и еще улучшать по своему усмотрению. Там, где слепой пятичувственник упадет головой в яму, вы — зрячий — можете обойти, можете свернуть, можете перепрыгнуть, перелететь.

Понятно?

А седьмое чувство позволяет усилием воли построить мост, проложить дорогу, засыпать яму. Оно создает путь. Куда бы ни шел такой человек, перед ним — представьте! — огромный рулон дороги стелется. Он видит цель и просто шагает к ней. Почему так происходит? Потому, что всякое начало пути уже содержит в себе конец. И зрячий видит целое. Но об этом потом.

Как гарантированно выйти ЗАМУЖ за козла _____

Значит, теоретическую часть я объяснил.

Теперь снова переходим с вами в лабораторию. Сейчас я покажу в пробирочке, как действует среднестатистический человек, и почему жизнь пятичувственника — вечное приключение на его...

Сейчас мы посмотрим, как этот среднестатистический человек использует информацию будущего для решения сегодняшних проблем.

Чтобы вам было понятно, хочу сделать вас участником эксперимента «счетные палочки».

В чем суть эксперимента? На занятиях кто-нибудь из слушателей должен найти две задуманные цифры.

Одна из них означает «счастье», другая — «несчастье». Чтобы никто не мог подумать, будто у нас здесь «подсадные утки», я через спину бросаю в зал нашего «бабника» — игрушку, знаменитую тем, что вечно ходит по рукам...

P.S.

Дорогие читатели!

Предлагаем вам стенограмму одного из таких занятий Основного курса, проводившегося в мае 2002 года в Москве в Институте самовосстановления человека.

М. С. Норбеков держит в руках игрушечного слоненка:

— Этого слоненка я бросаю... Кому попадет, тот еще бросает. Третий человек будет нашим подопытным кроликом. Мы его интуицию сейчас будем исследовать. Хорошо?

Но этот третий еще бросает, напарника себе находит. Вот давайте, сейчас посмотрим. Я бросаю неглядя.

Бросает игрушку. Слушатели перекидывают ее друг другу.

— Первый. Вторая. Третья.

Вставшей слушательнице:

— Значит, сейчас вам предстоит найти себе напарника или напарницу. Как вас зовут, извините?

— Катерина.

— Катерина, вы будете информацию принимать. Бросайте куда-нибудь, вам нужно найти себе напарника.

Катерина бросает игрушку. Встает вторая слушательница.

— Вы, милая моя, — передающая. А вас как зовут?

— Наташа.

Мирзакарим Санакулович Катерине:

— Значит, вы сейчас закрываете глаза, чтобы не видеть, какую цифру покажут. А чтобы она не услышала, будем применять пальцы.

Наташе:

— Наташенька, ваши пальчики — это счетные палочки. Вы пальцами показываете цифры.

Катерине.

— Вы закройте глаза и, пока мы не назовем ваше имя, не открывайте.

Наташе:

— Слоненка сюда верните. Спасибо. Сейчас вы покажете цифру... Катерина, я же вас просил не открывать глаза! Я понимаю, что вы — женщина, но не настолько же!

Наташе:

— Покажите какую-нибудь цифру!

Наташа пальцем показывает 1.

— Эту цифру будем называть «добро». Теперь следующую цифру покажите.

Наташа показывает 3.

— Эту будем называть «зло». Хорошо? Первая цифра — это «правда», а вторая — «неправда». Садитесь, пожалуйста.

Помощнику, стоящему у доски:

— В середине чертим границу.

Помощник делит доску пополам по вертикали. Норбеков обращается к Катерине:

— Катерина, открываем глаза. Значит, перед вами десять путей. Один путь ведет к решению, остальные — пустые, но среди них есть опасное решение, которого вам следует избегать. Смотрите. *(Показывает на доску.)*

Справа находится «опасность», «неправда», «неудача». Если мужчина, то это непременно «козел». Слева находится «правда», «истина». Если речь идет о мужчине, то это ваш «суженый», «принц».

Перед вами десять решений. Если вы пятерочница... Вы школу на пятерку закончили? Да?

— Да.

Мирзакарим Санакулович:

— Ой, какое несчастье!

(Смех в зале.)

Если вы — пятерочница... Смотрите... Начнем. Берем цифры от нуля до девяти, в голове смешиваем. Пять штук сюда напишите, чтоб среди них было «добро», а пять вот сюда, чтоб здесь оказалось «зло». От нуля до девяти. Не думать!

— 5, 3, 7, 1, 8.

— Так. Тише, тише! Все молчат!

Катерине:

— Почему вы такая серьезная, дорогая моя, милая моя? Прошлый раз я тоже хотел вас задушить. Зрение восстановили?

— Да.

— Спасибо. Теперь сюда.

— 2, 9, 4, 6, 0.

— Хорошо. Теперь внимание! Вот сейчас смотрите. Очень часто, когда мы хотим что-то делать, в голове начинают крутиться какие-то решения. Очень часто! Навязчиво, нахально они крутятся!

Катерине:

— Что крутится-то? Вот, любимое? Смотрите, пожалуйста! Не на меня, колхоз, на доску смотрите! *(Смех.)* Не по любви выбирайте! **В жизни надо выбирать по истине!** Что крутится сейчас? То, что сейчас скажете, выбрасываем в мусорный ящик. И у вас остается девять вариантов.

— 5.

— Исключаем эту пятерку?

Катерина настаивает.

— Ну, я же сказал вам. И каждый раз эта ложная информация, которая в голове крутится... Это дает логика. Сразу видно: пятерочница. Вот, я вам даю возможность: 5 исключаем. А теперь, из этих оставшихся четырех цифр — 3, 7, 1, 8 — несколько вычеркиваем. Оставьте... две штуки. Как?

— 5.

— Да ё-моё!

(Смех в зале.)

— Вы исключите эту пятерку!

Залу:

— Вы понимаете, как человек поступает? Вы анализируйте, пожалуйста. Мы сейчас делаем анализ хода мышления человека. Ну, видно же: женщина! Из этих оставшихся четырех оставьте две штуки.

— 3 и 7.

— Три? И... семь. Какие цифры выбросили? 8, 1. Из этих выброшенных цифр уничтожьте что-нибудь в первую очередь! Что-нибудь... Там 1 и 8. Вычеркните!

— 1.

— Умница...

Смех в зале.

— Теперь из оставшихся 3 и 7 одну цифру себе возьмите. Ну, всего две цифры осталось, колхоз! *(Новый взрыв смеха.)* Одну! Выбирайте, пожалуйста... Вот, два мужика, у одного мужика тройка стоит, у другого — семерка стоит.

(Смех в зале.)

— Назовите, за кого выйдете замуж.

— Тройка.

(Смех в зале. Аплодисменты.)

Мирзакарим вздыхает:

— Садитесь, пожалуйста.

Я же говорил, объяснял заранее. Вы сами это сделали. И вы увидели самих себя, дорогие мои! Уважаемые пятерочники! Смотрите, пожалуйста: что было вычеркнуто? «Добро», «правда», «суженый», «верное решение» — уничтожено!!! А «зло», «пустое решение» — это была тройка — выбрано!!!

Катерине:

Поздравляю, поздравляю, дорогая моя! Только что вы вышли замуж за козла!

Катерина:

— Я знаю... Так я ж и развелась...

— Значит, задача на будущее какая? Найти, правильно выбрать своего принца!

Тысячи, тысячи, тысячи раз этот эксперимент делаю — на 98% вы повторяете одно и то же! Самая страшная болезнь... Сама-я страш-ная болезнь современного человека не в том, что он изуродован, а в том, как изуродован.

С самого начала, прежде чем в лабораторию перейти, вам сказал, что современный человек — носитель неудач.

Если вам нужно финансовые вопросы решать, вы из тысячи решений выбираете самое пустое. Изо всех профессий вы выбираете для себя самую неподходящую. Исключаете в первую очередь самое верное решение! И так поступает 85% людей! В этом-то и заключается ваше несчастье...

Вот что вылечил у меня мой Наставник. А потом, когда пришел в себя, смотрю: ба-а-а. Оказывается, быть богатым, быть обеспеченным, быть счастливым очень просто.

Эксперимент продолжается.

— Поехали! Еще раз! Бросаю.

М. С. бросает в зал игрушку и обращается к слушательнице:

— Хорошо, идемте сюда! Вы у нас — подопытный кролик. Бросайте кому-нибудь!

Сейчас будем усложнять. Чувствую, что сейчас игрушка попадет к более одаренному человеку, поэтому усложняем эксперимент.

Слушательница бросает игрушку. Встает молодой человек.

М. С. Норбеков слушательнице:

— Закройте глаза. Перед вами сто мужчин.

Слушателю:

— Покажите на пальцах какие-нибудь цифры.

Слушатель показывает 5 и 3.

— Спасибо. Хорошо. Которая из них «счастье», «верное решение», «неопасно», «добро»?

Слушатель показывает 5.

— Спасибо. А та, другая — «несчастье», «неверное решение», то есть «опасность» и «зло».

Слушательнице

— Вы сейчас назовете одну цифру. Всего-навсего. Выбираете, за кого идти замуж.

К залу.

— Внимательно послушайте, что будет за цифра! Повторяем эксперимент, чтобы исключить случайность и еще раз увидеть эту вопиющую закономерность!

Слушательница:

— 3.

— Это что? «Решение»? Умница!

(Смех в зале.)

— Это было что? «Зло» было! Ваша тройка — это есть путь ко злу, или путь к козлу! Видите? Сейчас она, не думая, выбирает что? Ложный путь! Следующую назовите.

— 5.

(Аплодисменты.)

— Получилось тридцать пять.

— А я подумала сначала 5, потом взяла и 3 сказала.

(Смеется.)

— Вам надо было найти 53. Пятерка — это «верное решение», тройка — «ложное». А вы с ходу вышли замуж за козла! Вы нашли 35.

(Смех в зале.)

— А теперь мы с вами посмотрим, при каких ситуациях интуиция временно работает четко. Для этого мне нужен доброволец-мазохист, готовый пожертвовать собой ради науки.

Слушательнице:

— Вы согласны быть этим добровольцем?

— Согласна.

— Тогда, будьте добры, закройте глаза и отвернитесь к доске.

(Норбеков просит слушателя показать пальцами еще две цифры. Тот показывает 7 и 9.)

— Первая — это что? «Верно». Вторая — «неверно». Хорошо!

(Лупит слушательницу по спине, та ойкает.)

— Руки дайте!

(Хватает ее за руки, заставляет крутиться и бегать по сцене.)

— Быстро! Назовите пять цифр!

— 8.

— Продолжаем!

(Мирзакарим продолжает «экзекуцию».)

— 7.

— Продолжаем!

— 9.

— Продолжаем!

— 5.

— И последняя!

Слушательница, ойкая:

— 0.

— А теперь быстро: которая из них ваша? Который ваш суженый?

(«Экзекуция» все еще продолжается.)

— 7.

(Аплодисменты, смех.)

— А теперь! За кого нельзя выходить замуж? Только быстро! Не думать!

— Конечно, 9.

(Хохот в зале. Бурные аплодисменты.)

Мирзакарим Санакулович в зал:

— Понятно? Теперь анализируем! Что я сделал?

Голоса из зала:

— Выключили.

— Я интеллект временно «отключил» для того, чтобы дать возможность интуиции проявить себя. Хлопнул ее по спине, а потом начал тянуть...

(Целует слушательнице руку.)

Спасибо. Садитесь.

Мне нужно было, чтоб родненькая, наше солнышко, перестала думать! Искусственно вызвал у нее панику, агрессию, боязнь боли и страх упасть, то есть отключение ума. В это время, когда там — *показывает на голову* — «никого» не осталось, интуиция начала работать. Понятно? *(Смех в зале.)*

Вот что мы с вами будем делать! Вот зачем нам здесь нужны физические упражнения! Помогите нам с помощью усталости довести себя до ручки во время этих упражнений. *(Смех.)*

И когда уже голова станет пустой, тогда мы тренируем что? Интуицию, тренируем специальными тренировочными картами.

У нашего подопытного кролика интуиция, сразу видно, есть. Но эта интуиция как работает? Наоборот! Это называется «контринтуиция». Первым делом верное решение мы вычеркнули!

Вот это поведение и становится главным несчастьем многих из вас на сегодняшний день. Интуиция есть, но она не работает, не используется. Глаза есть, но видеть вы не умеете! Потому что двухзначное число было найдено с ходу, только вверх ногами. А вероятность его нахождения — один из ста!

Что мы видим? Уважаемые слушатели! Нет случайности, есть закономерность. Во всех трех случаях один и тот же результат! Из огня вы прямехонько попадаете попой к черту на рога. Извините за слишком культурное выражение.

Когда вижу, как люди с умными лицами, со всей высокообразованной решительностью сплошь и рядом, снова и снова выбирают из всех возможностей наихудшее решение — впадаю в состояние ярости и бешенства.

ВЫВОД!

То, что ниже написано, прочтите особенно внимательно! Пожалуйста, услышьте мой вопль!

Жизнь — это не эксперимент! Не хочу, чтоб в конце своей жизни вы сказали: эксперимент не удался, экспериментатор был дурак!

В каждой ситуации мы должны научиться выбирать самый оптимальный вариант, самое результативное решение, чем бы вы ни занимались, что бы вы ни делали — будь то бизнес или личная жизнь! От мелких до самых глобальных, судьбоносных решений!

Если будете выбирать через ИНТУИЦИЮ, вы обречены на УСПЕХ! Еще раз повторяю: на УСПЕХ!

Родимые! Не обижайтесь на мои резкие слова! Вы же меня уже знаете и чувствуете, что говорю все это с любовью.

Вам не кажется, что вы засиделись? Так что встае-ем! Мимика! Осанка! Улыбка! Продолжаем практические упражнения...

(Стенограмму прочел,
решил никаких исправлений не делать.
Как есть, так и есть. — М. С.)

Как в будущем разбилась ПИАЛА

Благодаря предыдущей стенограмме мы с вами посмотрели, как мыслит пятичувственник. А теперь, если вам интересно, разрешите рассказать, как воспринимает жизнь, как мыслит и действует человек зрячий, как работает шестое чувство.

Сначала расскажу, как проходило одно летнее занятие у моего Наставника.

В тот день один из моих сравнительно молодых Наставников вёл со мной занятие у себя дома. Темой было, если не ошибусь: «Что такое судьбоносное событие и в каких границах возможно вмешательство?».

Мы не в доме сидели, как обычно, а во дворе.

Представьте. Жаркий летний день в предгорье. Марево от жары покрывает припудренную пылью просёлочную дорогу.

Простой деревенский двор, дом с побеленными стенами, травка, куры ходят, живность всякая, дети бегают, старая, проржавевшая машина стоит.

Мы сидели, как у нас принято, на широком деревянном топчане под виноградником. Если вы когда-нибудь видели, как растёт виноград, то знаете: в землю вкапывают металлические трубы, между ними натягивают направляющие, по которым ветви винограда вьются, давая тень.

Наставник сказал:

— Посмотри, я тебе который раз говорю! Нельзя вмешиваться в судьбу человека, изменять события, если от этого будут страдать судьбы других. И если даже ты знаешь, что можешь вылечить или спасти человека, которого болезнь приговорила к смерти или которому грозит как бы случайная гибель, мы с тобой обязаны во что бы то ни стало посмотреть, чем его спасение обернется для других людей.

— А вот если одно спасение от беды вызовет цепь трагедий у других... Извини, брат, тебе придется остаться просто наблюдателем. Как бы больно это тебе не было.

— Мастер каждый день, каждую минуту находится перед выбором. Перед ним тысячи путей. Но судьбы разных людей в определенное время соприкасаются, и все они проходят через один общий мост. А таких мостов очень мало. Дорог гораздо, гораздо больше. Есть ситуации, в которые ты не имеешь права вмешиваться.

— Посмотри на эту пиалу. Возьми в руки и посмотри. Там должна быть нестираемая отметина. Купил ее после женитьбы, лет пятнадцать тому назад. Когда покупал целую стопочку пиал, пришлось ее отметить.

Там стояли штук пять-шесть пиалушек. Смотрю, на этой, правда, снизу на донышке красная метка.

— Сегодня эта пиала разобьется, — говорит Наставник.— Причиной этого станет во-о-н тот человек, который идет к нам. Он идет ко мне по такой-то и такой-то причине, у него такие-то и такие-то проблемы.

Действительно, вижу, по дороге к нам идет человек, но он еще далеко, на горизонте. Говорю:

— Почему мы не имеем права вмешаться в судьбу этой пиалушки?

— С этой пиалой связана жизнь моего внука, который родится от моего сына. Мой внук в такой-то момент захочет пить, подумает, что в пиале вода, а это будет уксус. Он выпьет, отравится и погибнет.

Вы обратили внимание на ход рассуждения Наставника?! Его сын бегает по двору, ему лет семь. А мы беседуем о судьбе внука, который еще не родился!

— Хорошо, — говорю, — тогда почему Вы ее не разбили сразу?

— Всему свое время. Еще когда покупал, посмотрел. И у меня был выбор. Увидел, что могу эту ситуацию исправить с пользой в первую очередь для тебя.

— Вы говорите, она разобьется? Хорошо! Если так суждено, давайте ее сейчас спрячем от того человека. А разбить всегда успеем.

Я был в летнем костюме, взял эту пиалушку и положил в карман пиджака.

К этому моменту тот человек подошел. Пришел, сел, начал рассказывать про все свои проблемы. Пока то, пока се...

Поговорили. Часа через полтора он стал прощаться. Встал, а у него, оказывается, затекли ноги — мы сидели по-восточному. И вдруг начал падать на меня.

Я резко развернулся, чтобы его удержать. От этого движения пола моего пиджака поднялась, как пропеллер, задела железную трубу, и я услышал звон... После посмотрел, а в кармане одни черепки.

И сразу моя глупость стала очевидной, потому что пиала все равно разбилась, и именно из-за этого человека. Сидел и наблюдал в себе такое интересное специфическое состояние... Представьте, что я мог ощущать, кроме глубокой неловкости.

После того, как гость ушел, Наставник говорит:

— Теперь продолжаем занятие.

Вытаскивает из-под скатерти сложенную бумагу. Раскрываю, читаю: «Сегодня Мирзакарим в очередной раз будет меня мучить своими глупыми вопросами. Но я буду его терпеть в благодарность за то, что он, наконец, разобьет пиалу с помощью того человека, которого я специально пригласил для этой цели».

Приятно подавиться, КИСКА!

Дальше мы говорили о жалости: должен ли человек всем помогать. Еще раз прошу вас обратить внимание на ход мыслей и рассуждений.

Наставник сказал:

— Сегодня я выбрал для нашей практики несколько случаев, которые произошли сегодня вечером.

Он так и сказал: «Произошли сегодня вечером», — хотя времени тогда было часа четыре пополудни.

— Вон, посмотри, там под шифером крыши воробьи чирикают. Сегодня оттуда желторотики будут вылетать. Один из птенцов сядет сначала на вот этот бельевой шнур, но не удержится своими слабыми лапками. Боясь упасть, полетит дальше. Потом перелетит через канаву и сядет вон на ту тропиночку, идущую во-о-н от того дома.

И показывает на соседский дом метрах в пятидесяти от нас.

— Появится соседская кошка и съест его. Пока они не вылетели, быстренько решай, как поступить! Посмотри будущее этого Божьего создания. Посмотри результат своей сердобольности.

Попытался... Жалобно сказал: «Ничего не получается». Он ответил:

— Мы можем продумать самые простые варианты изменения ситуации. Первый: возьмем тряпочку и на полчаса заткнем гнездо. Ситуация пошла по другому руслу. Птенчик остался живым.

143

Второй: ты идешь туда и отгоняешь кошку. Ситуация снова поменялась. Воробышку снова достается жизнь. Вариантов, как мы видим, тьма! Но!

Посмотри во-о-н на то заброшенное здание у подножия гор. Там когда-то была ферма, на которой животные погибли от мора. Наша сегодняшняя сердобольность выйдет боком через год. Этот воробышек прилетит туда, хотя туда почти десять километров, подцепит болезнь и разнесет заразу, от которой погибнут десятки тысяч птиц. Так что решай! Выбор за тобой.

Пока он говорил, из-под крыши — там гнездо было, чириканье стояло страшное — начали вылетать птенцы. Один, как по расписанию, сел сначала на веревку, несколько раз покачался и, не удержавшись, полетел дальше.

Смотрю, на тропинке никакой кошки нет. Шальная мысль промелькнула: «Неужели Наставник ошибся?!».

Наш протеже пролетел метров пятнадцать, через канавку, и шлепнулся прямиком на дорожку. В этот момент, строго по расписанию, как курьерский поезд, из кустов выскочила соседская кошка, схватила его и унесла. Все...

Обратите внимание на ход мыслей этих людей! Они решают сегодняшние задачи, планируют дальнейшие действия, опираясь на информацию, находящуюся в будущем.

Есть на Востоке пословица у обычных людей: «Не видя воду, не снимай сапоги». Мои Наставники, сидя дома, не только эту воду видят, им и сапог снимать не надо, потому что всегда знают, где мост.

Хорошо, когда видишь на пять, десять, на сто лет вперед! У вас может возникнуть вопрос: «Смогу ли этого достичь?».

Тут же дам свой дежурный ответ: «Хреноводством, что ли, мы с вами на этих страницах занимаемся?!».

ЭКОНОМИКА
пустых переговоров_____

Один из наших Наставников в жизни носит маску бизнесмена. Как-никак его состояние больше двух с половиной миллиардов долларов.

Богатство — не самоцель, это приложение к жизни этих людей. Просто деньги, достигая определенного количества, имеют тенденцию самоумножаться. Особенно если точно знаешь, что будет котироваться через десять лет.

Мы у него в свое время проходили стажировку. Утром он меня вызывает. Перед ним — лист бумаги, написано: 1, 2, 3, 4,... 50. Он смотрит и раз за разом вычеркивает номера. А перед тремя номерами ставит галочки.

С этим списком выхожу к секретарю — старшему ученику Мастера:

— Вот сюда записывайте посетителей, которые хотят попасть на прием к боссу. Записывайте по очереди. Чья фамилия попадет на номер с галочкой, тех безотлагательно пропускайте. А остальных — кто бы ни был, хоть министр, хоть пуп земли — отправьте к заместителям.

А заместители у него подкованные: угостив чаем-кофе, вежливо, культурно, мягко... избавят своего босса от бесперспективного общения. Экономия жизни! Руководители о-очень хорошо понимают, о чем я говорю!

Что это означает?

Он изначально видит, с кем стоит начинать деловое партнерство! Не зная ни имени, ни фамилии, ни должности. Зара-

145

нее чувствует, какую взаимную пользу может принести этот контакт.

Человек двадцать—тридцать запишутся на прием, но только с этими тремя стоит говорить. Остальные — пустозвоны, которые пришли за его деньгами, за его временем.

Тех троих он принял. И заранее согласился на все их предложения. Даже не обсуждал.

Остальное время он посвящал своим ученикам, большинство которых к бизнесу не имело никакого отношения.

Горжусь тем, что сегодня являюсь тренером его «внучатых учеников». Многие из них достигли таких высот в своей области, что дай Бог каждому из вас!

Намек на упражнение поняли?

Как узнать ТЕЛЕФОН любовницы вашего недруга

Практические рекомендации

В свое время нужно было освоить крайне важный навык — чувство, архиважное для роста, для получения абонемента в вечную библиотеку. Но я застрял года на два или три. Ну ни хрена дальше не идет! Что-то чувствую, а дальше не идет. Какое-то короткое время чувствую, а дальше не могу. Такое ощущение, что в мозгу что-то заклинило: дальше ни-ни.

Помог случайный конфликт! Однажды вел занятие. Огромный зал, заполненный до отказа. В первом ряду сидят трое мужчин и так вызывающе себя ведут, словно их насильно привели сюда.

Они просто были готовы меня растерзать на куски за то, что я их покой нарушил. А потом, когда стали делать первые упражнения, с их стороны начались разные выходки. Они издевались над группой — орали, кричали. Весь зал уже не работает, смотрит на них, а я не знаю, как себя вести.

Если скажу: «Вон отсюда!» — так они этого и ждут, ищут повод, чтоб со мной поцапаться. С другой стороны, они мешают всем остальным.

Постепенно, чувствую, во мне внутри что-то закипает, уже клокочет. Все внимание на них сосредоточилось, и вдруг ловлю себя на том, что только о них и думаю.

147

Мне так захотелось их поставить на место! Я должен это сделать! Не идти же публично бить им морду?! Нет, прежде чем поставить на место, я должен знать, кто они такие! Я должен узнать их!!!

И в этот момент прорвало! Понимаете? Прорвало! Все об этих людях сразу узнал. Такая вспышка была в сознании — озарение!!!

— Уважаемые, прошу вас, ведите себя прилично. Здесь сидят люди старше вас и т. д., и т. п.

А от них в ответ — сплошное хамство. Ну, смысл таков: «Стоишь тут, лапшу на уши вешаешь. Таких надо гнать вон, чтоб другим неповадно было».

— Хорошо! — говорю. — Тогда не обижайтесь! Вас зовут вот так и вот так. Его — вот так и вот так. А тебя — вот так и вот так.

И начал рассказывать всю их подноготную.

— Ты работаешь в торговой районной организации. А раньше был там, там, там. Оттуда своровал столько-то денег. У тебя три машины, но ни одна из них не записана на твое имя. Одна оформлена на твою жену, другая...

И так далее.

И вдруг снова озарение пришло: сделай так, чтобы этот человек признавал все, что ты о нем рассказываешь.

Сказал:

— Около туалета у тебя триста тысяч рублей зарыто на глубине... где-то метр.

Ну, это давно было. Тогда триста тысяч — это были бешеные деньги. Тот, кому сказал о деньгах, кричит:

— Всё-ё-ё правильно! Только деньги неправильно!!! Денег там нет!!!

А их там и правда не было, это я нарочно сказал.

Второму тоже много чего сказал: номер его машины, номер мотора машины и телефон его любовницы. Третьему тоже...

Вдруг подскакивает дама, такая упитанная, вся в золоте и давай его колотить, этого второго:

— Ах ты!!! Ты же говорил, что с ней не встречаешься!!!

Оказалось — жена.

Когда они начали драться, о каком занятии могла идти речь? Все на них смотрят. Они именно этого и хотели, то есть всеобщего внимания, вот и получили!

Объявил перерыв и пошел за кулисы.

Подходим к кульминации!

Иду, думаю: «Боже мой, лишь бы не забыть это состояние! Лишь бы запомнить это состояние! Лишь бы запомнить!!!».

Говорю моему ученику:

— Задумай и напиши трехзначное число!

И сразу называю это число, спрашиваю:

— Это?

Говорит:

— Я только успел подумать, как Вы сказали.

ЕСТЬ!!!

НУ НАКОНЕЦ-ТО УЛОВИЛ ЭТО СОСТОЯНИЕ!!!

Наконец-то прошел через этот барьер! Наконец-то прорвал эту подлую плотину!

И постарался максимально запомнить. Хотя провалы в восприятии до сих пор иногда бывают. И у вас тоже будут, так что держите хвост трубой!

Где изобретен ПЕРВЫЙ мобильный телефон

Когда я попал к одному из своих Наставников, то каждый вечер заваривал ему чай. У нас ученик — это мальчик на побегушках. Его задача — освободить своего Наставника от мелких проблем. Я помогал Наставнику по дому, заваривал чай, убирал, подносил и т. д., и т. п. Конечно, вы сразу подумали: «Чему так можно научиться?». Отвечу.

Как-то спросили одного святого:

— Как можно стать святым?

Он ответил:

— Путем служения.

Понятно?

Каждый вечер на закате мой Наставник уходил в свою комнату и подолгу сидел один. А мне-то любопытно: чем он там занимается? И как ему не скучно сидеть одному?! Однажды подсмотрел. Ну, интересно же, вы согласны?! Любопытство — страшная штука! Всегда суешь нос или палец туда, куда не надо.

Вижу, он сидит, уставившись в одну точку, губы шевелятся, и время от времени: «Хи-хи-хи-хи-хи», «кхе-кхе» — смеется.

«Ну, — думаю, — вли-и-п! К кому в ученики пошел? Да у него же глюки!».

150

Как-то он вызвал меня и своего младшего сына и говорит:

— У моего друга сегодня чай какой-то вонючий. Я начинаю пить свой чай, он пьет свой. Его чай до того отвратительный, что мне вкус перебивает. Отвезите ему пару килограммов отборного зеленого чая.

И отправил нас гонцами среди ночи к черту на кулички.

Ехали мы почти триста километров. Где-то примерно в час ночи едем, и уже в горах у нас кончается бензин. Вдруг видим, у обочины стоит мальчик и над сопливым носом держит керосиновый фонарик. Он помахал нам, мы остановили машину, а он говорит:

— Дед меня отправил встречать вас.

А рядом осел стоит. И что самое интересное, на спине у этого осла... две канистры с бензином. Мальчик говорит:

— Дед сказал, что здесь у вас бензин кончится.

А мы-то никому не сообщали, что едем! И как он мог знать, что бензин у нас кончится? Ну, как вы это объясните?

Мы заправились, узнали, куда дальше ехать. Еще километров семь ехали до дома того любителя чая.

Зашли в дом. Старик сидит на айване. Айван — это на Востоке такая терраса: с трех сторон стены, с одной — колонны. Сидит и говорит:

— Я же сказал этому старому пердуну, чтобы вас не мучил! Вы уж нас, стариков, простите. Я же терплю это пойло. Ну зачем мне его чай? Завтра-послезавтра помирать.

Понимаете?

Это они за триста километров, оказывается, выясняли отношения! Они болтали, и оказалось, что у того старика чай плохой. Вот Наставник нас и отправил. А старик все приговаривает:

— Я же сегодня ему говори-и-ил, угова-а-ривал, чтоб не беспокоился. Все равно этот старый негодяй вас отправил. Так что еще раз извините нас.

Со временем дошло, что для Мастеров общение на расстоянии — обычное, нормальное явление, как телефон для европейца.

Потом узнал, что в назначенное время они собираются в группы по интересам — кто в Лондоне сидит, кто в Тибете, кто в Непале, кто в Японии. Старички-то крутые! Придумали себе

МАКАКИ
и уважаемые учёные _____

Не кажется ли вам, что все это сказки?
А если есть люди, которые все это могут, то почему не пускают в дело свои возможности? Почему не применяют свои силы на благо всего человечества?

Когда начал учиться, у меня было очень много таких «почему». Почему, имея такую колоссальную силу, эти люди не помогают другим? Почему какие-то гады правят миром? Почему?.. Почему?.. Почему?.. Почему об этих людях никто не знает?

Как-то спросил:

— Почему о вас никто не знает? Достаточно вам один раз показать, что вы можете, хоть что-то из того, что вы можете, — мир изменится!

Они мне сказали:

— Все твои вопросы, которые начинаются с «почему», запиши и оставь на двадцать лет. Когда ты сам чего-то достигнешь — поймешь. Через двадцать лет, если захочешь, мы сделаем то, что попросишь. Захочешь — сам поможешь!

Вопросы, требования, советы, что нужно делать, я записал, а через полтора года выбросил.

Потому что мои прежние мысли были похожи на мысли макаки, которая сидит в клетке и говорит:

— Если они там за решеткой такие умные, как ты говоришь, почему я этого не знаю? Почему они не демонстрируют? Почему нам не объясняют? Почему нам не помогают, то есть не дают целую гору бананов?

Раз есть вечная проблема нехватки бананов, которая до сих пор не решена и не решается со всей принципиальностью, значит, ты врешь, обезьяна поганая!

Ответ оказался на поверхностный взгляд очень простым:

— А потому что пристрастия макак людям не интересны.

Чтобы перестать быть «макакой», первые три года, дорогие мои, уходят на восстановление, пробуждение шестого и седьмого чувства.

Да, так долго! А что вы хотите, чтоб я плясал под вашу дудку, подстраивался под ваши желания, под ваш навык обучения, под ваш привычный образ мысли, от которого вы якобы собираетесь уходить?

Кто-то из очень ученых говорил: «Дважды два будет четыре».

Вы это хотите от меня услышать? И, развесив свои прекрасные уши, будете глотать готовые заготовки? Но именно такая форма обучения, такая форма вкладывания информации делает из человека раба. Это и есть путь обычных людей. Это самая страшная форма обучения.

Самая тяжелая ваша болезнь — это ваше знание, полученное в готовой форме, и непостигнутая суть.

Значит, я свой опыт, свою истину вам передать не могу. Потому что если встретите тысячу мастеров, у каждого мастера будет своя личная истина, свой личный путь.

Истину ни при каких обстоятельствах, никаким способом передать невозможно. Наставник дает только веру, любовь и направление, а ученик выбирает свой путь постижения!

И второе.

Наставник никогда не должен показывать начинающему то, чего он в данный момент не может сделать, увидеть, освоить.

«Горы видно во время утренней зари. Если ты находишься возле гор, то ученик твой находится на западе.

Когда его сознание начинает от ночи переходить в состояние раннего утра, вот тогда ты можешь показать ему горы, которые видно на фоне его внутреннего солнца, которое начало обозначаться за горизонтом.

Когда он достигнет гор, он уже в состоянии увидеть горизонт, что за горами. Когда ты видишь, что он поднялся до гор, вот тогда ему покажи горизонт. И все твои слова о прелести, что находится за горами, обращенные к тому, кто никогда не был в горах, будут вызывать у него сомнение».

Понимаете, почему серьезные уважаемые ученые очень часто и весьма авторитетно заявляют, что все это ерунда? Потому что демонстрировать эти способности будет только тот, у кого этих способностей нет или почти нет, а есть какие-то жалкие их зачатки. А когда эти способности начинают раскрываться по-настоящему, признания ученых уже будет не нужно.

Откуда наши Наставники черпают силу, почему не хотят ее вам демонстрировать? Как я когда-то, вы ищете ответ внутри себя, в своем опыте обычного человека. А там нет ответа. Не попав в школу, не написав первой буквы, вы задаете вопрос: «Как написать поэму?».

Вы не знаете даже, что такое перо, что такое бумага!

Сейчас могу сказать только одно: эта школа находится внутри вас! Ищите путь! Дорогу осилит идущий.

ПРОЩЕНИЕ
План «Барбаросса»

Часто вспоминаете тех, кто вас обидел? Переживаете снова и снова, страдаете, возмущаетесь — пережевываете обиду. И хотя обидчик давно уже умер, все равно вы закипаете при одном воспоминании, продолжая составлять план «Барбаросса».

Мысленно откапываете обидчика, поднимаете его из могилы, одеваете, обуваете, землю аккуратно отряхиваете, а потом по морде, по морде, по морде кирпичом. Ореете мысленно: «Лежишь, сволочь, и прощения не просишь!».

А? Ну вы же так делаете? Разве нет?

Вы же судья, вы судите: он — сволочь, она — вообще стерва. Вы правы, они не правы — к-козлы! Правда?

А что такое «правда»? Правда — это то, что мне нравится. А что такое «неправда»? Неправда — это то, что мне не нравится.

Можете ли что-нибудь изменить в жизни покойного обидчика?

А в своей жизни хотите что-нибудь изменить?

Давайте разбираться. Что такое обида?

«Я — хороший! А меня назвали плохим, обошлись жестоко, оскорбили. Не оценили, унизили, посмеялись, сделали больно. А ведь я хотел, как лучше... Гады!».

Примерно так, с очень большими вариациями. Вы же должны логически обобщить?! Из обиды на кого-то очень быстро получается обида на всех.

«Кругом одни сволочи, житья нет! Где справедливость? Куда смотрит Бог?».

Продолжаем строить логическую цепочку. Из обиды на всех вырастает и расцветает обида на себя.

«Да и сам я хорош, такой-растакой, эдакий-разэдакий! Был бы умный, был бы сильный — разве допустил бы такое? Так мне и надо. Пропади все пропадом!».

Знакомо?

Просто вы начинаете винить, судить, мысленно казнить обидчика, а заодно с ним пожирать и себя. А наши желания, когда они идут из глубины души, имеют свойство осуществляться.

Ваше чувство вины, ваша нелюбовь к себе — это яд. И этот яд сначала разъедает душу, потом переходит в тело — вы заболеваете, становитесь инертным, нежизнеспособным. И наконец, вас очень быстро может постичь участь обидчика. По принципу «за что боролись, на то и напоролись».

Но ведь именно от этого вы сейчас и хотите уйти. Хотите или нет? Зачем читаете эту книгу?

Какая связь между вашими обидами и вашей инвалидностью, вашей слепотой, вашей спящей интуицией?

Объясню.

Только сначала ответьте на вопросы.

Кто из вас никогда не врал? Нет, я не спрашиваю «сегодня с утра», а вообще.

Кто из вас не обманывал? Поднимите мысленно руку!

Кто из вас чревоугодием не занимался, пузо не набивал?

Кто из вас не сквернословил? Ну, вы же не подняли руку на первый вопрос, так что теперь я вам точно верю.

Кто из вас не завидовал? Ну, есть такие, кто никогда не завидует черной завистью, а только белой и только иногда. Есть такие?

А таким хотел бы задать вопрос: чем, по сути, отличается белая собака от черной? Если белая укусит за правую ягодицу, а черная тяпнет за левую — вам с какой стороны легче? Только что на черной грязь не так видна. А так — никакой разницы!

Значит, уважаемые лгуны, обжоры, матершинники и завистники...

А кто ни разу не гулял? Я не говорю «с собакой».

Понятно? Понятно! Смотрите, какая компания собралась!

Значит, дорогие мои, никто не имеет права ни на кого обижаться. Все одним миром мазаны.

Но раз вы захотели стать лучше, раз вы взялись за себя, раз вы сделали усилие в сторону самого себя — значит, вы сегодня уже не тот, кем были вчера. Вы сегодня не та и не тот, которые когда-то ошиблись. Вы — другой человек.

Зачем за проступок Маши должна отвечать Даша? Почему за поступок Коли будет отвечать Толя? Простите себя, вчерашних, отпустите с Богом.

Значит, что нужно делать? Что нужно делать, чтобы стать Победителем? Надо победить и эти наши обиды, победить своего внутреннего врага — нелюбовь к врагу и нелюбовь к себе.

Когда вы изводите себя, когда вы казните других, первой страдает ваша интуиция. Она — штучка тонкая, любит свободу, в неволе не размножается. Ей особый душевный микроклимат нужен. А когда ваши злые мысли туда-сюда снуют, она прячется. Да и вам тогда тоже не до нее.

Значит, придется прощать. Прощать врагов, прощать себя, отпускать свое прошлое. Прощать и отпускать для того, чтобы расчистить место для будущего, для любви, чтобы освободить свою дремлющую силу.

Вспоминаем Октаву! Вы есть сила, вы есть любовь, и вы умеете прощать!

Простите всех ради Бога.

Простите всех ради себя.

Вот об этом поговорим. Хорошо? Как всегда — по-восточному — начну издалека.

Встретимся у экзаменационной КОМИССИИ _____

Дорогие мои, когда-то мне пришлось четыре года возглавлять лабораторию по изучению клинической смерти.

Как туда попал? Да просто надоело все. Вдоволь наигрался в богатенького Буратино. Нахлебался «уважения» оравы халявщиков, сидевших у меня на шее. И в результате — депрессия, опустошенность, отсутствие интереса к жизни. Это образное выражение. Буквально не понимайте!

Но что-то нужно было делать-то!

Однажды в голову бабахнуло: дай-ка займусь наукой, напишу что-нибудь умное, например диссертацию, получу звание.

По лени выбрал самую легкую область — психологию. Ну, проще же всего свою пустую арбу с треском и грохотом взад-вперед катать, рассуждая о невидимых процессах, якобы протекающих где-то там в душе. Согласны?

Это была первая причина, почему я в психологию ударился.

Да и что еще делать, когда Ниагарский водопад уже не впечатляет? Как быть, если сороковые широты у мыса Горн с их вечными штормами уже наскучили? Пресыщение. Ведь все, кажется, перепробовал.

Адреналина не хватает, а где ж его взять? А самый мощный выброс адреналина знаете, где бывает? Рядом со смертью, вы согласны?

Всеми нашими действиями управляют два рычага, два инстинкта: желание жить и страх умереть. Что в общем-то одно и то же.

Вот и выбрал себе тему кандидатской диссертации. Упрощенное название ее таково: «Галлюциногенные факторы при кислородном голодании, вызванном агонией мозга».

Легче всего писать о чужих галлюцинациях. Вы согласны?

Если честно, у меня были серьезные причины этим интересоваться... Хотел проверить некоторые свои догадки относительно смерти, основанные на словах Наставников. Но это — слишком сложная тема, ее лучше опустим.

Вот так я оказался в лаборатории клинической смерти и застрял там на четыре года. Искал на собственную... голову приключения, а нашел опору в жизни.

Пришел туда отъявленным материалистом, а ушел — глубоко верующим человеком, точно зная, уже как ученый, что существует Высший Разум, Высшая Совесть, Высшая Любовь. Знаю это точно — проверил!

За четыре года через эту лабораторию прошли пять тысяч человек, а это пять тысяч исследований! Можете себе представить? В день четыре-пять вылетов в разные районы.

В каждом институте, в каждой клинике был тогда секретный отдел. Они нам звонили, и мы вылетали.

Через час-полтора после выхода из состояния клинической смерти человек еще помнит, что с ним было. Потом все исчезает, одни огрызки остаются. Через пару дней спрашивали у того же «путешественника»:

— Помните, вы говорили то-то и то-то?

— Нет, не помню, не было этого!

Ставим ему кассету с записью.

— Да, правда, мой голос. Неужели это я говорил?

Мы спрашивали обо всем: что видел, что слышал, что ощущал, как ощущал. И наша задача теперь была — проверить.

Если человек говорил о каком-то месте, нас интересовали детали: где что стояло, лежало, двигалось. Понимаете? И сейчас же туда отправлялись и смотрели: действительно это находится там, на самом деле была такая ситуация?

И когда факт за фактом, факт за фактом... Мы точно знаем, что этот человек там просто не мог быть никогда в жизни, и не был он там. Но он все в деталях рассказывает, описывает обста-

160

новку... Он элементарно не мог знать, что есть такое здание, что в нем есть такая комната, что в этой комнате такой стол, такие чашки-ложки...

А ваш слуга-то прожженный материалист, особенно когда дело касается таких вещей! Пока руками не пощупаю, словам не поверю. Если скажете, что вчера в лифте валялась пачка из-под сигарет, скажу:

— Извините, мне нужно проверить.

А если эту пачку вы не могли видеть ни при каких обстоятельствах? Ну, не могли видеть — исключено!

И мы в этой лаборатории все проверяли. И место, и время, и ситуации — все! И получали подтверждение. За то время завели почти пятьсот дел. В трехстах восьмидесяти семи из них — неопровержимое доказательство отсутствия смерти.

Как быть, дорогие мои? Как быть?

Мой напускной материализм разлетелся по швам. И с каким еще треском! Смерти-то, оказывается, нет! В очередной раз убедился!

Смерть отсутствует!

Как мы свою одежду изношенную бросаем, так же оставляем и свое тело. Верите — не верите, мне глубоко начхать на ваше мнение. Все равно там встретимся у входа в экзаменационную комиссию.

Хотите одну историю из архивных материалов лаборатории расскажу?

Однажды мы выехали по вызову. Приезжаем.

Мужчина 37 лет, ростом больше двух метров, как телефонная будка — махина. Геолог-забулдыга.

Вернулся из экспедиции, в городском парке перед пивным баром с кем-то там подрался, получил четырнадцать ножевых ранений. Пока его везли в больницу, наступила смерть. Его отвезли в морг. Дело было в пятницу.

А через два дня в понедельник, когда патологоанатом пришел на работу и приступил к изучению тела, вдруг это бездыханное тело зашевелилось, схватило его за руку, и он услышал отборную брань.

Через несколько дней, после операции, мы общались с этим ожившим геологом.

— Была, — говорит, — пьяная драка. И вдруг почувствовал очень сильную боль. А потом начал падать в канализационный колодец. Не помню, как долго падал, помню, хватался за стены, упирался руками—ногами. Чувствую, если до низу долечу — в живых не останусь.

Я начал выкарабкиваться, цепляясь за склизкие стены... Вонючие до невозможности! До того мерзко было — человеческих слов не хватает! От этой вони, от этого дикого смрада пришел в себя. Выполз наружу.

Выхожу, а там машины стоят — «скорая», милиция. Люди собрались. Осматриваю себя — нормальный, чистый. Через такую грязь полз, но почему-то чистый. Подошел посмотреть: что там, что случилось?

Людей спрашиваю, они на меня — ноль внимания, гады! Вижу, какой-то мужик лежит на носилках, весь в крови. Подумал: «Так тебе и надо». Что-то в лице этого мужика меня привлекло. Где-то виделись, что ли?

Носилки втащили в «скорую», и уже машина стала отъезжать, как вдруг чувствую: с этим телом меня что-то связывает.

Крикнул:

— Эй! Куда вы без меня? Куда моего брата увозите?!

И тут вспомнил: а никакого брата у меня нет! Сначала растерялся, а потом понял: это же я!

Если это тело — я, то я-то кто?
Я за ними побежал, кричу:

— Сто-ой! Куда меня увозишь?

А потом чувствую, что я не бегу,
а лечу за машиной, чуть выше
нее. Тело находится в «скорой»,
а я лечу сзади...

И т. д.

Он нам рассказал,
по каким улицам
летел, что на этих
улицах было.
В одном мес-
те, оказывается, пожарные стояли и пожар был, маленький такой. Это помнит. Мы потом проверили — оказалось правдой.
Было такое.

«Скорая» приехала в больницу, хирург посмотрел, сказал:

— Умер.

А я подбегаю к этому хирургу и матом:

— Ты что, твою мать? Как я умер? Давай, там это, трам-та-
рарам, штопай! Я приду в себя, я еще не умер!

Собрались увозить в морг. Я в отчаянии туда хожу, сюда хожу.
За телом пошел.

Стали каталку вталкивать в лифт, а тело-то огромное — не
влезает. И, когда двери закрывались, ноги прищемило.

— Твою мать! — говорю. — Ты что делаешь?! Мне это тело
еще пригодится!

Обращаюсь к санитару — не слышит.

Та-ак! Тут курить захотелось. Смотрю, в лифте лежит скомо-
канная пачка сигарет, и бутылка из-под кефира стоит. Кефира
там, ну, так примерно на одну треть осталось.

Отвезли меня в морг. Два дня я там ходил, среди этих ска-
фандров, без хозяина.

(Обратите внимание — «без хозяина»!)

Я туда сходил, сюда сходил — везде и всюду был. Домой пошел — жена плачет. Уговариваю свою жену, успокаиваю: «Ну,
что делать?».

Но тело все равно меня не стпускает. Возвращаюсь, брожу
вокруг него.

А в понедельник меня как-то затянуло обратно. И так мне туда неохота было, так было больно, так грязно все это.

Когда патологоанатом пришел на работу... я понял, что на этом у меня все закончится. Начал метаться вокруг него, и вдруг в какой-то момент меня затянуло...

Очнулся в палате через четыре дня.

Обратите внимание: «затянуло». Этот момент возврата в тело редко кто помнит.

После того, как его выслушали, мы стали проверять: пачка сигарет на месте лежит, в лифте. А тело-то было накрыто — он не мог видеть! Бутылки нет. Стали искать. Оказывается, уборщица утащила.

Нашли бутылку из-под кефира, но мытую. Спрашиваем:

— Сколько было кефира?

Уборщица говорит:

— Да на треть было, но он был такой... сгнивший.

Испугалась, почему такую никчемную бутылку ищем. Проверили улицу — был пожар. Маршрут проверили.

А вот канализационного колодца не нашли. Во всем городском парке, где это случилось, не было ни одного колодца. Даже специальное прочесывание добровольцами не помогло.

И таких случаев мы собрали почти четыреста.

P.S. Иногда Мирзакарим Санакулович проводит в зале опрос слушателей, переживших состояние клинической смерти. Интересно, что на каждом курсе обязательно находятся несколько таких человек. Вот стенограмма одного из опросов.

— Есть кто-то в зале, кто был в состоянии клинической смерти? У кого была остановка сердца, врачами подтвержденная... Поднимите руку, у кого? Пожалуйста.

(Несколько человек поднимают руки.)

— Есть еще кто-нибудь? Один, два, три, четыре, пять, шесть. Да нет, пятеро вас. Я же чувствую. Таких людей всегда сразу видно. Идемте, пожалуйста, можно вас сюда пригласить? Я вас прошу.

(Слушатели выходят на сцену. Мирзакарим Санакулович подходит с микрофоном к первой слушательнице.)

— Пожалуйста. То, что вы сейчас расскажете, — это жалкие огрызки того, что было. Когда это было? Как это было, и что вы ощущали?

— Это было, когда я рожала. У меня были очень тяжелые роды...

— Закройте глаза.

Стоящие на сцене закрывают глаза. Мирзакарим Санакулович обращается к аудитории:

— Запоминайте вот эту траекторию.

(Показывает рукой сначала по диагонали вверх, потом по горизонтали, потом по диагонали вниз.)

— И потом оттуда... Понятно, да?

Стоящим на сцене:

— Открываем глаза.

(Продолжается диалог со слушательницей.)

— Ну, были очень тяжелые роды, и, значит, принимали их отдельно, не в родовой, а в операционной. Хотели делать прерывание. В общем, потом я не знаю, что произошло. У меня было... Ну, я потеряла сознание или что-то. И вдруг полетела куда-то, в какую-то огромную трубу.

— Траекторию скажите: вниз полетели, вперед, вверх?

— Нет, вот так вот. *(Показывает по диагонали вверх.)*

— Вверх, да?

— Чуть вверх. И стояла я как бы...

— Потому что только во время родов погибшую женщину Господь лично сам туда принимает. Вверх уходит...

— Да, и я как бы стояла впереди летящего на большой скорости... паровоза, что ли. И вдруг влетаю из темного туннеля куда-то. Ну, в такое пространство, где... Я даже вот сейчас говорю — у меня мурашки по телу. Потому что там была такая необыкновенная красота! Это было огромное солнце. Это была огромная какая-то поляна, где было так прекрасно!

И я даже слышала какие-то звуки, я слышала голоса. Но я была там одна. Вот. И вдруг мне какой-то голос говорит: «Ну ладно, лапушка, возвращайся, возвращайся». А мне так не хотелось! А когда я вернулась, то мне было очень тяжело. В общем, вот... У меня...

— Вот какой-то огрызок вы услышали, дорогие мои. Это огрызки. Но, между прочим, у вас самой желания вернуться не было, да?

— Нет, я очень хотела остаться.

— Но вас выгнали оттуда.

— Да, мне сказали, что пора возвращаться. У меня же дочка родилась. И такая желанная, и такая долгожданная. Мне запрещали рожать, потому что я была сердечница. Но я все-таки отважилась. И когда я узнала, что беременна, то от всех тщательно это скрывала. Я никуда не ходила, к врачам не обращалась, только в роддоме мне сделали анализы... И, в общем, роды были тяжелые.

— Спасибо.

(Подходит к следующей слушательнице.)

— Ну, у меня клиническая смерть была лет двадцать назад. То есть, у меня был обычный аппендицит. Когда разрезали, там оказался перитонит.

— Давайте так, будем говорить с того момента, когда вы вышли из своего тела.

— Вот, на операционном столе наступил этот момент. И что в этот момент я видела? Ну, я не знаю, это было очень давно, но я помню...

— Вы себя со стороны видели?

— Я видела? Нет, себя я не видела со стороны. Я видела, где я летела, то есть видела туннель типа метро... Такой туннель и свет... Я не видела, было там солнце или нет, но откуда-то шел свет... Весь туннель был яркий-яркий, настолько яркий... И свет был такой сочный, что... Такое тепло, такое излучение нежное-нежное. Сейчас даже чувствую это.

И вот я лечу с бешеной скоростью, но я не ощущаю ветра. Я знаю, что лечу, я просто знаю, что лечу. И вдруг вижу какую-то белую стену. И голос мне говорит: «Тебе еще рано туда». И всё...

— Выгоняли...

— Выгоняли, да...

— Рано еще. Спасибо.

(Переходит к следующей слушательнице.)

— Вы знаете, мне особенно нечего сказать, потому что я действительно помню только отдельные отрывки. Это было тоже во время родов.

Первое, что я увидела, когда мне стало плохо, это был огромный круг, по которому мне надо было идти. И я вдруг осознала, что не могу ни в сторону сделать шаг, ни вперед, ни ускорить, ни замедлить — ничего. И вот здесь я сделала что-то не так, и у меня... Я просто стояла около вот этого света, а туда не прошла. Я стояла только на пороге этого света...

— А хотелось туда идти?

— Хотелось.

— Рано еще! Спасибо. Всем спасибо, садитесь, пожалуйста. Дорогие мои! Другой актив надо зарабатывать, другой актив... Но материальный актив тоже не забывайте! Ни в коем случае!

(Поворачивается к следующей слушательнице).

— Ну, у меня это случилось во время полостной операции под наркозом.

Я очень боялась этой операции и очень нервничала. В общем-то я не помню, как ее делали. Только я вдруг обнаружила, что откуда-то из угла комнаты сверху смотрю, как лежу на столе. Вокруг меня что-то хлопочут, бегают, что-то делают. И мне так интересно!

Думаю: «Я так боялась этой операции, а ведь совсем не больно...». А потом... Я не видела никакого туннеля... Я очутилась будто на дне какого-то большого колодца, длинного, глубокого... А впереди мерцал свет... И потом я по спирали поднималась... С трудом, с болью какой-то. И очнулась уже от того, что мне говорят: «Слава тебе, Господи, она вернулась...».

Мирзакарим Санакулович обращается к аудитории.

— Понятно, да?

(Показывает рукой по диагонали вниз.)

— Я не летела туда, я поднималась снизу, из глубокого колодца...

Слушательнице:

— Постарайтесь, пожалуйста, в свою зачетную книжку побольше пятерок получать... Хорошо?!

Дорогие мои! Есть особая группа переживших клиническую смерть. Когда думаю о них — каждый раз такая боль!

Мы все время от времени страдаем. Согласны? Сегодня радуемся, завтра страдаем, потом опять радуемся. Это — процесс. Это — движение жизни. И если мы помним, что все течет, то сегодняшнее несчастье окажется не таким уж страшным, не таким злостным и неразрешимым. Потому что завтра будет иначе.

А кто такой самоубийца? Это тот, кто свое крошечное сиюминутное страдание раздувает до размера трагедии, мировой катастрофы. И если, не дай Бог, он осуществляет свое намерение...

Он почему руки на себя накладывает? Потому что думает, что там ему будет лучше. Он мечтает попасть туда, где нет боли, а есть одно сплошное блаженство.

А ничего подобного!

Мы опрашивали неудачных самоубийц, которых успели откачать. Те из них, кто пережил состояние клинической смерти, потом смерти боятся, как черт ладана, потому что они-то знают, что их ждет!

Знаете, почему? Потому что все их страдания при жизни — только капля, ничто по сравнению с тем, что они испытали там.

Оказывается, там самоубийцу ждет страшнейшее из наказаний: его мучения умножаются на бесконечность. И эта бесконечная боль, этот бесконечный ужас никогда не заканчивается! Это за то, что он посягнул на самое святое, что было ему дано, — на жизнь!

Недаром во всех религиях самоубийство считается величайшим из грехов.

Дорогие мои! Не дано нам с вами право отказываться от жизни, которую дал нам Господь, Природа, Высший Разум — называйте, как хотите. Дал, как величайший подарок, как благодать, как школу. А есть только право и обязанность учиться. Учиться тому, как усилием своего духа создавать, творить, выращивать в себе добро и радость, удаляясь от зла и страданий.

Вот представьте: двести миллионов человек должны погибнуть, и только одному дается право жить! И должен быть отобран лучший из лучших. Все эти двести миллионов отдают свое право на жизнь тому лучшему, самому сильному, самому совершенному, самому стойкому. Тому, который исполнит мечту всех. И знайте, что этот один — вы!

Потому что в одном выбросе спермы, оплодотворившем яйцеклетку, из которой вы вылупились на свет, содержится именно столько сперматозоидов.

Каждый из них нес в себе потенциальную жизнь, каждый мог развиться и превратиться в человека. Но это счастье досталось вам. Вы — избранный! И каждый из нас, живущих, является единственным из многих миллиардов, заслуживших право Быть.

Так будьте же достойны этой наивысшей награды — Жизни!

Теперь понимаете, почему перед вами я тут, как макака, прыгаю, чтоб хоть в чем-то быть вам полезным?

Чтоб вы в «зачетной книжке» моего духа поставили хоть плюс, хоть троечку — «удов». Чтобы я мог показать, когда туда приду: «Вот. Ну, пожалуйста, примите меня и отправьте дальше на учебу! Очень прошу! Я так старался! Я так старался! Ну-у, пожа-а-луйста!».

СТИМУЛ,

или
палка для осла

о если смерть отсутствует, если нам всем встречаться там, у экзаменационой комиссии...

Давайте так. Для чего существует зло? Для чего существует тьма? Для чего существует боль?

А что бы мы делали, если б не было зла? В этом сплошном добре мы бы давно уже умерли, потому что некуда стремиться. Тогда вообще ничего делать не нужно. Нечего тогда человеку делать на этой Земле.

Как бы мы различали свет, если б не было тьмы?

Если летите в мути облаков, начинаются глюки — тоже теряете ориентацию. Когда нет зла, ориентация теряется. Между злом и добром есть точка, на которой вы стоите и смотрите, куда идти.

Куда бы вы двигались, если б не стимул боли?

Кстати, знаете, что такое «стимул»? По-моему — это остроконечная палка, которой били по попе упрямого осла, чтобы сдвинуть его с места. Намек поняли?

Ну, хорошо. Сейчас вы работаете душой, и я обязан отвечать тем же. Расскажу вам о своих обидах.

Где бы я сейчас был, если б не те люди, которые истязали меня в армии? За что? Не знаю.

За то, что не пил с ними бормотуху? Но если их убрать из моей жизни, я бы стал специалистом в другой области. До армии был художником, специалистом по настенной росписи.

Их было девять человек на меня одного.

До сих пор помню: лежу на цементном полу, кирзовые сапоги летят прямо в лицо. Сплошная боль и гудение в голове. Ночью не могу двинуться, тело ватное, все болит. Потом они вернулись, и все началось сначала.

И так ежедневно по нескольку раз.

Каждый раз пытался отвечать ударом на удар, а это их еще больше злило, и перевес силы был на их стороне.

В конце концов выбросили с третьего этажа. Я-то не почувствовал, как они к ногам незаметно привязали трос. Когда втащили обратно, мой дух был уже сломлен.

Потом поставили на ноги. Самый маленький, мерзкий, как шакал, размером с гнома, сказал:

— Дерись со мной! Один на один.

Он меня колотил, а я стоял и терпел. **Потому что я боялся.**

Они мне не только отбили почки и другие органы. Они искалечили мой дух. Они меня растоптали как мужчину. Я стал трусом. Как вы думаете, можно такое простить?!

Внешнее страдание тела было просто царапиной в сравнении с глубоким надрывом духа.

Если бы вы знали, сколько лет и сколько труда ушло на то, чтобы реабилитироваться перед самим собой!

Из армии меня комиссовали как инвалида. Пришел домой сломленный, растоптанный, уничтоженный. И вдобавок еще эти поганые болезни. Когда окончательно понял, что времени почти не осталось, решил хотя бы отомстить.

Родителям сказал: «Уезжаю в город, поближе к больнице». А на самом деле поехал учиться драться.

Поехал в город, снял небольшой домик за сорок пять рублей. Записался в разные секции каратэ. Стал заниматься рукопашным боем. Свой маленький дворик превратил в спортзал. Тренировки, тренировки, тренировки. И во время этих самоистязаний постоянно перед глазами стояли морды моих палачей.

Я бил не груши и макивари, то есть бревна, а колотил каждого из них по очереди. Научился ломать до семи кирпичей разом. Ломал не кирпичи, а кости этих подонков. Занимался все свободное время между лечением и зарабатыванием на жизнь.

Познакомился с соседом, он оказался мастером спорта по боксу. Попросил его: «Потренируй меня и поколоти хорошенько». Хотел получить иммунитет к предстоящим ударам. Через несколько тренировок он сказал:

— Ты натуральный псих! Ты дерешься по-настоящему! Я не санитар из психбольницы!

Через год и два месяца понял, что дальше тянуть нельзя. Время, отпущенное мне врачами, уже прошло, а я все еще был жив. И болезнь не то чтобы отступила, но состояние не ухудшалось.

Кто и как помог мне окончательно вылечиться, я уже написал в предыдущей книге. Не буду повторяться.

Потом ездил по Советскому Союзу, искал каждого обидчика. Они уже окончили службу и разъехались по домам.

Каждого спрашивал:

— Помнишь меня, мразь?

Вот теперь хочу знать, за что вы приговорили меня к смерти? Ты должен знать, что ты — убийца!

Вот я перед тобой. Я умираю. Ты превратил мою жизнь в ад! Я пришел, чтоб твою несправедливость вернуть с процентами.

Тогда вас было девять, ты был храбрый, ты был героем, пиная лежачего. А теперь покажи свое геройство, когда мы с тобой один на один! Покажи, что ты — мужчина! Но я тебя не убью. Ты до конца своей жизни должен помнить, что ты — шакал, подлый убийца.

Эти слова потому до сих пор наизусть помню, что каждую тренировку повторял их при каждом ударе. По очереди вычислял, ловил и наказывал каждую из этих свиней в мужском облике.

За мной уже по пятам шла милиция. На меня началась законная охота. Меня превратили в дичь, но я был хищником. Мне нужно было одно — успеть добраться до следующего мерзавца и растерзать.

Но после каждого наказания следующего моего палача во мне стало возникать ощущение страдания.

Что-то было не так. Я бил не тех. На шестом понял: они — не та озверевшая свора в солдатской форме, потерявшая человеческий облик. С шестым мы пошли в ресторан. Поговорили по душам. Поговорили, и он сдал меня в милицию, посадил в следственный изолятор, как это принято.

А мне начхать, уже поздно! Слишком давно не ходил на очистку крови. Началось самоотравление. Я умирал.

Очнулся в больнице. Оказалось, попал в кому. Допрос за допросом. Кажется, они поняли, что я и без их человеческого суда приговорен к смерти. Отпустили на все четыре стороны.

До троих я так и не добрался. Понял, что простил их. Понял, что во мне нет больше ярости. Нет ничего, кроме пустоты.

Вернулся. По привычке продолжал тренироваться. Но теперь мой враг был — болезнь! От всей души хочу на этих страницах сказать спасибо им, **друзьям.** Когда называю их друзьями, говорю это искренно!

Благодаря им я стал обладателем серебряной медали чемпионата СССР по каратэ. На сегодня у меня черный пояс, третий дан. Они меня сделали единственным обладателем черного пояса девятого дана по Сам Чон До.

Именно благодаря им у меня появился навык: когда у всех опускаются руки, во мне просыпается воин.

Друзья, если вы однажды, выйдя из дома, обнаружите свой бронзовый бюст с благодарственной надписью, знайте — это моя работа! Знайте! До конца моих дней я благодарен вам за урок мужества.

Я мог бы стать художником и не стал им. Благодаря моим обидчикам я тот, кем являюсь, и мне это нравится. Оглядываясь в прошлое, вижу: оказывается, каждая моя обида есть кирпичик в фундаменте моего роста.

Количество обид у меня **было** не меньше вашего.

Через двадцать два года встретился с еще одной моей страшной обидой. И от всей души поблагодарил ту взрослую женщину, бывшую некогда глупой девчонкой, обидевшей меня.

Когда родители окончательно достали меня своими бесконечными вопросами: «Ну, когда же ты, наконец, женишься?» — решил жениться. Начал присматриваться к девушкам как к потенциальным невестам. Выбрал одну. Поговорил. Она согласилась. Торжественно объявил родителям:

— Отправляйте сватов! Женюсь!

Через несколько дней узнал, что она просто поиздевалась надо мной. Сказала, что не пойдет замуж за бедного маляра без высшего образования.

173

Почувствовал себя оплеванным. Понял, что снова во мне проснулся хищник.

Поехал в город, где она училась в своем медучилище. Встретил ее, сказал:

— Знаешь, пришел сказать тебе спасибо. И я благодарен Господу Богу, что Он помог мне узнать тебя и твою семью раньше, чем я на тебе женился. А вдруг бы я женился на тебе?

Запомни: я не беден, я просто не нуждаюсь в богатстве. Благодаря вам я решил исправить это упущение, на которое вы мне указали. Образование?

Я учусь, и между прочим, давно!

Ваше высшее образование мне не нужно. Но благодаря вам принял решение поступить в институт. Образование и богатство, которые ценят обычные люди, у меня будет. Я так решил! Слава Богу, что тебя в моей жизни не будет.

Через полтора месяца поступил в институт. А через четыре года был уже миллионером. Через пять лет — мультимиллионером. А вот профессором и академиком стал уже не от обиды.

Через двадцать два года ехал мимо того города. Вспомнил, заехал к ней, еле узнал ее... А ведь сколько раз за это время ездил мимо и не вспоминал! Сидели, смеялись, шутили. Оказывается, она в курсе моей жизни. Она сказала: «С тебя причитается за то, что я была музой всех твоих достижений».

А если, Боже спаси, убрать эту обиду из моей жизни?

За каждую учебу мы должны быть благодарны. Пинки этих людей заставили меня сделать в жизни лишних два-три шага.

Давайте прощать с благодарностью!

Ехал Грека
через реку...

З наете, отчего возникают онкологические заболевания? Много лет наблюдал за раковыми больными, исследовал их душевную жизнь, их житейские ситуации и могу сказать со всей ответственностью: один из корней этой страшной болезни — **непрощенная обида** или обида на самого себя, то есть чувство вины.

А вы знаете, что каждый человек в течение дня тысячи раз заболевает раком и тысячи раз выздоравливает?

Раковые клетки, то есть неправильные, выродившиеся, враждебные организму клетки, рождаются во множестве. Но организм сейчас же распознает их и высылает боевой отряд камикадзе, то есть особые клетки, чья задача — защищать организм. И они тут же восстанавливают порядок.

Одни из них — лейкоциты. Эти клетки совершают необходимую работу и погибают с чистой совестью. Но если иммунитет нарушен...

Как отъявленные материалисты, вы все еще не видите связи с обидой. Верно? И не увидите никогда, если будете думать, что тело живет отдельно, а его фундамент — душа — отдельно. Но они-то живут вместе, не считаясь с вашим невежеством.

Поэтому каждому состоянию нашей души соответствуют абсолютно материальные биохимические процессы нашей физиологии. Мысли материальны! Чувства материальны!

Так вот, обида, состояние неудовольствия, угнетенности и нелюбви вызывает такие процессы, которые резко снижают иммунитет — защитные функции организма. Именно тогда и начинается бесконтрольное размножение клеток-нарушителей.

Теперь понятно?

Как расправиться с ВРАГОМ ——

Мы к какому вопросу подошли? Искусство побеждать.

Ученикам по рукопашному бою всегда говорил: «Вы знаете, ребята, самая великая победа — когда кулаками не машешь».

Самая большая победа — это когда врага сделаешь своим другом. Вот если он к тебе лезет драться, а ты его сделаешь другом, это значит — ты его победил окончательно.

Недавно мы ехали по городу, а у нашей машины стоп-сигнал не работает. И вдруг рядом «вольво» выезжает и — раз — пытается остановить нас. Мы проехали — снова догоняет и останавливает.

Выскакивают два бугая, и один идет на нас. Вижу, сейчас будет

176

драка — прямо посредине центрального проспекта. Пришлось тоже выйти.

У них, разумеется, мат-перемат. Ну и что мне делать? Ну скажите, пожалуйста! Что я должен сделать? Сказать ему: «От такого слышу! Сам ты козел!»? Драться с ним? Он же не знает, что за себя и за друзей могу постоять!

Чувствую его состояние, и мне, если честно, стало просто смешно. Но улыбнуться-то нельзя — не так поймет. Специально не улыбался. Просто говорю:

— С праздником тебя!

Он слегка опешил, говорит:

— Какой праздник?!

Говорю:

— Тебя увидел!

Он на меня так посмотрел... Говорю:

— Брат, ты хочешь драться? Ты хочешь меня уничтожить?

— Да, хочу!

— А я не хочу. Почему? Потому, что у тебя нет никакого шанса.

Ну, вытащил такую ксиву, где написано, что у меня черный пояс по каратэ и что я тренировал по рукопашному бою представителей одной очень известной государственной организации. Говорю:

— Ну? Как быть? Как быть?! Ты — мужчина, я — мужчина. Предлагаю тебе самое большое — прошу у тебя прощения. Короче, решим это дело.

Он улыбается, другой тоже. Обменялись прямо там визитками. Договорились через пару дней встретиться где-нибудь в ресторане... Посидели, поговорили... Вот и все.

Вот так прямо посреди дороги нашел себе друга.

Он оказался юристом, кандидатом юридических наук. У него своя фирма. И мы решили, что он будет писать мне устав одной организации, которую я тогда создавал. Как ни настаивал, он наотрез отказался от оплаты.

Мы оба вышли победителями. Вместо фингала под глазом получили каждый по другу.

Значит, в любом месте любого врага можно сделать другом. Постарайтесь, хорошо?

Вы покопайтесь, покопайтесь, покопайтесь в этом человеке... И обязательно найдете что-нибудь хорошее. Обязательно! А потом это хорошее раздувайте, раздувайте — помогайте ему. Пожалуйста!

Три правды, которые являются ГРЕХОМ

Дорогие мои! Постарайтесь простить, отпустить каждого.

Если вам в храме отпускают грехи, почему вы не отпускаете? Кто дал вам право судить? Накопление ненависти — удел дьявола. Прощение — привилегия Бога.

А мы что думаем: «Но мы не можем и не должны прощать. Мы же не Господь Бог, чтобы прощать! Бог простит!».

А, дорогие мои бесы, кто против?

Если против, тогда вам придется прощать. Понимаете?

Какие бы тяжелые обиды не нанесли вам, придется прощать.

Знаете ли вы, что три правды считаются грехом?

Первая — это правда жены или правда мужа, приводящая к разладу в семье, к скандалу. Такая правда ангелами пишется как грех.

Вторая — та, сладострастно рассказываемая вами правда, приводящая к вражде двух друзей или подруг. Она, оказывается, стирает вашу семилетнюю праведную жизнь.

Если даже семь лет вы пост держали, а потом говорите:

— Знаешь, Петя, Ваня говорит, что ты сволочь!

А потом к Ване приходите и говорите:

— А Петя говорит, что ты дурак.

Ваня с Петей скандалят, становятся врагами. И ваша семилетняя жизнь в монастыре перечеркивается и записывается как семилетний грех.

Третья — правда, приводящая к кровопролитию между двумя городами. Господь Бог за такую правду проклинает всех потомков до седьмого колена!

А вот три лжи, которые, оказывается, считаются добрыми деяниями.

Первая — это ложь, святая ложь мужа или жены, которая говорится, чтобы сохранить семью в благодати.

Вторая — та ложь, которая приведет двух враждующих людей к дружбе. Ваша семилетняя жизнь, по уши в грехе, засчитывается тогда как семилетняя праведная жизнь.

Третья — та ложь, благодаря которой два воюющих города остановят братоубийство, между ними появятся уважение и любовь друг к другу. За такую ложь Господь на семь будущих поколений списывает все грехи и отправляет в рай!

Значит, агрессия, вражда, обида, настороженность — это все от дьявола.

Везде, во всех священных книгах написано, что даровать прощение присуще Господу Богу.

Человек создан по образу и подобию Божьему, так попробуйте на деле подняться, стать хоть немножко ближе к Господу Богу.

Поехали! Сейчас над чем будем работать? Именно над отпусканием грехов. Прежде всего своих.

Будем прощать тех людей, которые вам причинили боль, нанесли обиду.

Будем прощать себя, грешных, себя прежних, себя обижавших, себя обиженных.

Слово о полку РЫЦАРЕЙ,

или Компьютерная игра «Меч и ключ»

Вы играете иногда в компьютерные игры? Да? Значит, вы сами не раз были тем героем, тем рыцарем, который со всеми сражается и должен всех победить. Вы определяете ход событий, сами выбираете, куда идти и что делать.

Ну, если не играете, то наверняка хотя бы раз видели, как играют другие.

Представьте: вы купили новую такую игрушку, поставили диск, запустили программу. Поехали!

На мониторе появляется мрачный лес, дикая чаща. Гигантские стволы — вершин не видно. Темный мох под ногами. Славный Рыцарь в серебряных доспехах — ма-аленький такой, похожий на светлячка-кузнечика среди чащобы.

Узнаете? Кто этот Рыцарь?

Конечно, ты, а кто же еще?! Уж извини, на «вы» тут никак не получится. Женщина ты или мужчина, семьдесят тебе или семнадцать — не важно. Да и какая разница?! Сейчас ты — Рыцарь.

А я в данный момент программист, который придумал эту игру. Я веду тебя, направляю, объясняю задачу, даю подсказки. Экран монитора — просто зеркало, в котором ты видишь себя.

Ну что, сыграем?

В этой игре задача Рыцаря, то есть твоя, — достичь света, блуждающего света. Он то появляется, то исчезает за деревьями. Ты за ним — а он прячется. Потом откуда ни возьмись появляется, как нечаянная радость, как нежданное счастье. Иди за ним. Что ж тебе еще делать? Такая игра.

Но сначала вооружись до зубов!

Выбирай. Одно оружие — память, другое — мысль, третье — чувство. Какое тебе больше подходит?

Если выберешь память... Память твоя — рычаг. С ней пойдешь шаг за шагом, поднимая пласты времени — дни, месяцы, годы, вспоминая встречи, события, людей.

Если выберешь мысль... Мысль — это стрела. Она полетит, как на крыльях, унесет тебя ввысь. С ней увидишь причины и связи.

Если выберешь чувство... Оно, как меч, проникает стремительно и бесшумно, само себя направляет к цели и разит наповал.

Вот в руках твоих память-рычаг, мысль-стрела и желание-меч. Ты готов? Отправляйся на поиски света.

Все, как в сказке. Все, как в жизни.

Ты идешь сначала по дороге, потом по еле заметной тропинке, а теперь уже и она пропала. Ты — Рыцарь и в поисках света идешь, продираясь через бурелом. Тьма сгущается. Похоже, за время существования мира ни одному солнечному лучику не удалось проникнуть сюда. Уже давно не слышно щебета птиц.

Ты заметил, какая зловещая тишина воцарилась вокруг? За каждым деревом снуют тени. Берегись, Рыцарь! Кто там?

Прятаться поздно, назад повернуть стыдно. Не забывай, ты же все-таки Рыцарь! Нужно не укрываться, а идти навстречу опасности. Ну что, пошли? Не трусь, мы же с тобой вместе!

Приглядись: что там, за теми стволами? Укрупняем картинку. Огромные валуны, железная дверь, решетка. Боже мой, да это ж темница! Кто там страдает в неволе?

За решеткой двое — мужчина и женщина. Подойди-ка поближе, может быть, им нужна твоя помощь?! Господи! Да это ж они! Да. Точно они.

Наконец-то! Наконец, ты нашел их — тех, кого искал. Искал так долго!

Это те, о которых Господь говорит: «Вот Апостолы Мои для тебя». Те, которых Он выбрал быть началом твоим. Они по воле Божьей стали причиной твоей жизни.

Готов ли ты отдать им все? Готов ли ты быть им слугой? Гордишься ли ты этим высоким служением? Принося им малейшую радость, достигаешь ли сам радости тысячекратно?

Это же твои Мать и Отец!

Но почему... Почему они в темнице?! Почему у них скованы руки?! Господи, они совсем старыми уже стали! Это к тебе перешла их жизнь, а что ты сотворил с нею?!

Посмотри внимательно на скорбную складку вокруг маминого рта... Полнота и яркость ее молодых, красивых губ досталась тебе. А ты превратил ее в страсть, которую щедро расточаешь направо-налево.

Как потускнел взгляд твоего отца! Блеск его молодых глаз ты забрал себе, превратив в ненасытную алчность.

Седина, морщины, скорбь на лице... Никогда они не были так стары, как сейчас! Ты и сам едва узнаешь их. Конечно! Все эти раны не твоих ли рук дело? Не твоих ли усилий плоды?

Ну что, подойдешь или тебе страшно? Страшно, потому что многое между вами было. Была боль непонимания, нетерпимость, горечь, обиды. Много горечи, много обид.

Из обид, нанесенных тобой, из страданий, из боли ты сложил высокую стену. Теперь она вас разделяет. Помнишь, как ты ее строил? День за днем, день за днем, день за днем. Торопился тогда построить ее и хотел, чтобы она была повыше. Ну что ж, ты добился того, чего хотел!

И тот камень, помнишь? Самый большой, самый тяжелый, самый страшный, когда ты сказал им...

Этот камень лег между вами, завалил все входы и выходы. Им завалена и железная дверь, за которой томятся самые близкие твои люди. Он остался лежать у тебя на сердце.

Ведь родители только любят. Для тебя у них нет ничего, кроме отчей любви. И когда бы ты ни пришел — их объятия всегда распахнуты настежь.

Хочешь историю про другого Рыцаря? Тогда читай.

Жил-был Рыцарь. Однажды он влюбился. Влюбился до беспамятства в красавицу без души и без сердца. Страдал и таял от страсти, мечтая завоевать эту бездушную куклу. Не знал он тогда, что в груди у нее не сердце, а камень.

Дни, месяцы, годы прошли в напрасном томлении, в пустых терзаниях.

И однажды, желая избавиться от него, она сказала: «Принеси мне сердце твоей матери, тогда я буду твоей. Принеси сердце той, которая любит тебя, и я стану твоей женой».

Влюбленный Рыцарь в глубоком замешательстве вернулся домой. Он долго мучился, сопротивлялся, страдал и проклинал себя, но животная страсть все-таки взяла верх. Он вошел в комнату и убил свою мать, вырвал ее сердце и, держа его в руках, побежал к бессердечной красавице.

Мечтая о ней, он бежал, не глядя себе под ноги, и вдруг споткнулся, упал, выронив сердце из рук.

И вдруг он услышал голос: «Сынок, сынок, ты не ушибся? Тебе не больно, сынок? Были бы у меня руки, подняла бы тебя, стряхнула бы пыль с твоей одежды, прижала бы к себе. Ну, вставай же скорей, неси меня к своей возлюбленной и будь счастлив!».

Это говорило сердце его матери.

Ты помнишь? Эта история о другом Рыцаре, а может быть, о тебе?..

Но зачем-то же Господь дал тебя твоим родителям, а тебе дал именно этих Отца и Мать? Ты не знаешь, зачем? И почему именно этих? Для чего, зачем, почему так неразрывно соединил вас навеки?

Рыцарь! Где твой меч? Достань же свой меч-желание! Одного твоего желания будет достаточно. Подойди, ударь, разрушь эту стену!

Обратись к ним без слов. Просто сердцем скажи сейчас все, что хочешь сказать. Они обязательно тебя услышат, они все поймут, потому что любят тебя. Если в сердце своем захочешь — рухнет стена, откатится от двери камень.

Попроси прощения у этих старых людей! Они любили тебя, любят и будут любить всегда. Они всегда жили и продолжают жить ради тебя. Как они хотят, чтобы ты был счастлив, чтобы стал лучше них. Вдумайся: лучше них — Апостолов Господа Бога!

Они хотят, чтобы ты не блуждал впотьмах своего сердца, хотят, чтобы вернулся к свету. Как было в детстве? Помнишь? Проси прощения у них! Прости и себя за боль, причиненную им! Получается?

Смотри, смотри — открываются двери.

Смотри — стены рассыпаются в пыль.

Рыцарь, ты молодец! Но еще остаются цепи. Еще не свободны те, кому ты обязан жизнью. Еще ты сам не свободен. Нужен ключ, чтобы снять оковы. Где он? Загляни в свое сердце, и ты найдешь его там.

Просто стремись, попробуй, скажи им: родные мои, спасибо, что вы есть, что вы были и будете вечно!

Подойди к этой старой, усталой женщине, прикоснись к ней. Выдохни с благоговением: «Мама!». Постарайся вложить в это короткое слово всю нежность, всю любовь, все тепло своей души!

О, как трудно бывает сказать это слово, но, может, это и есть тот ключ? Попробуй, ты ничего не теряешь! Ты сможешь, я верю в тебя, мой Рыцарь!

Повтори это снова и снова! Ты уже чувствуешь себя снова малышом-топотушкой? Как давно это было, и как давно тебе хотелось вернуться в эту чудесную страну!

Еще, еще раз скажи «мама»! Почувствуй щемящую боль освобождения! Почувствуй, как в каждом повторе душа твоя стонет и оживает, как с сердца отпадают огромные куски толстого панциря, в котором оно все эти годы находилось...

Ты видишь: с каждым повтором становится светлее, светлее, светлее... Ты чувствуешь ветер благоговенья... И трепет возврата... И слезы любви...

Скажи этому старому, но не потерявшему достоинства мужчине «папа»! Повторяй снова, снова и снова! Произнеси это столько раз, чтобы душа запела и откликнулась эхом!

Смотри, смотри, смотри — падают цепи! Они молодеют прямо на глазах! Твои родители распахнули свои объятия для тебя, они хотят обнять тебя, прижать к себе, передать тебе свою любовь, тепло, силу, красоту души, мудрость!

Смотри: они — совсем молодые! Смотри: они смеются и плачут! Подойди же к ним, обними их. Побудь с ними вместе. Ты видишь? Лес уже не такой мрачный...

Мой Рыцарь! За каждым деревом этого леса — темница. В каждой темнице находится тот, кто еще не прощен тобою. Сколько их?

Натяни тетиву и пусти стрелу! Поднимись выше пыльных дней. Огляди с высоты свою жизнь. Что ты видишь?

Ты шел по дороге жизни, и к тебе приходили люди. Много-много людей. Что ты дал им? Что взял у них? Что осталось?

Кто-то свернул, кто-то ушел, кто-то остался с тобой навсегда. А кто-то — вот он — идет рядом, а в действительности находится далеко-далеко.

Найди каждого, отыщи всех.

Не препятствуй им появиться перед тобой.

Пусть каждый сам расскажет свою обиду, поделится своей болью.

На каждого посмотри с позиции сегодняшнего дня.

Прошлое никогда не вернется. Оно сослужило свою службу и ушло. Отнесись к нему с благодарностью и отпусти его с миром. Потому что в лесу этой жизни никто не приходит к нам зря. Каждый, кто приходил к тебе, — твой Учитель. Каждая встреча — урок и одновременно подарок.

Выслушай всех по очереди, поговори с каждым.

Сам выскажи все, что болит до сих пор, и отпусти. Отпусти с Богом! С любовью...

Освободи каждого из темницы, мой добрый Рыцарь! Вызволи и себя из горького плена, плена вражды, неприязни, глупых ссор, жестоких, ненужных слов, из плена прошлых обид.

Если можешь, коснись его, если можешь, шепни ему слово любви. Поцелуй, если можешь. Ты можешь, я знаю это! Пусть не сразу, не вдруг, но постепенно ты сможешь это сделать!

Ты заметил, что с каждой встречей в твоем лесу все светлее? Хорошо. Ты на верном пути, мой Рыцарь!

Цитадель в самой чаще леса. Ее стены уходят глубоко в землю. Ее стены уходят высоко в небо. Не объехать, не обойти. Это крепость твоей души, это тюрьма твоего собственного сердца.

Столько раз ты сам загонял туда свои боли, столько раз отправлял туда страдания, ссылал туда горькие мысли, мешавшие жить? Ты сам, упрекая себя, укреплял эти стены, кто их разрушит теперь?

Только ты!

Вот циферблат на высокой башне. Эти часы показывают время в годах. Их стрелки сейчас показывают столько времени, сколько тебе сейчас лет. Если ты только сможешь их повернуть назад...

Воспользуйся рычагом-памятью и отправляйся назад — шаг за шагом, за годом год.

Попробуй прожить свою жизнь в обратной последовательности. Год, два, три, десять лет назад. Что ты видишь?

Вспоминай свои поражения. Вспоминай свои неудачи. Вспоминай, как ты предал себя. А может, ты предал другого? Вспоминай свои боли и раны. Вспоминай и по очереди их отпускай...

Эти раны, предательства, поражения — все, за что ты казнишь себя долгие годы, — просто камни, камни твоей души. Столько лет ты носил их! Каждый из них — это событие, которое ты вспоминаешь.

Приготовь все свое оружие: рычаг, стрелу и меч. Разбивай камни! Пусть они падают, разбиваясь на осколки, разлетаясь в песок. Пусть проваливаются и уходят в землю, в преисподнюю, в тартарары, в бесконечность.

Двадцать, тридцать лет назад сколько их было? Вот начало любви. О, как больно любить безответно! А ты думал — прошло и забылось?

И снова назад. Помнишь? Школа. Какие раны?! Ты себя презирал за что? Ты за что себя ненавидел? Отпусти...

Вспоминай и прощай. Отпускай без оглядки. Швыряй без разбору. Вот еще один камень в бездну летит. Вот другой. Вот десятый. Потому что прощаешь, прощаешь.

И смотри! Поддается стена! Расширяется брешь!

Теперь ты можешь войти в цитадель.

Как здесь тихо, волшебно... только журчит вода и нежнейший ковер цветов распространяет чудный аромат.

Отдохни, мой бесстрашный Рыцарь! Отдохни от печалей и бед. Отдохни от прожитых лет. Отдохни от боли и смуты. Отдохни от всезнания и скуки.

Это ты, мой Рыцарь? Я не узнаю тебя. Где твои доспехи?

На ладошке — перышко.
На щеке — снежинка.
На носу — веснушки.
На губах — смешинка.
Ты бежишь и падаешь, плачешь и смеешься.
Сколько лет тебе, малыш? Как зовут тебя?

Посиди на веселой травке, поболтай с этим мудрым кузнечиком. Что ты жмуришься, как котенок? А, это солнышко целует твои глазки? Ох, смотри, как переливаются бабочкины крылья! Вырастешь, и у тебя такие же будут. А пока...

Вот и сказке конец.

А может быть, это только начало?

Ты выиграл, если:	**Ты пока** проиграл, если:
в груди легкость,	в груди тяжесть,
глаза мокрые,	сухие глаза,
уголки губ вверх,	уголки губ вниз,
хочется обнять всех,	хочется забиться в угол,
на сердце светло.	на сердце мрачно.

ПРОЩАТЬ
три раза в день
натощак_____

Дорогие мои! Вы знаете, что мы сейчас сделали?.. Можно тысячу лет говорить о Боге, а можно реально один раз сделать один шаг в сторону Бога. Если вы верующий, попробуйте сейчас прочесть молитву. Но только более прочувствованно, с бóльшей отдачей душевной силы, света, доброты, нежности, трепета — всего, что для вас является высшим источником Истины, Добра и Любви!

Если не получилось, попытайтесь еще раз. Если вы ничего не почувствовали, значит, вы — чудесное творение рук искуснейшего мастера читающих машинок.

А в храм вы приходите для чего? Может, для того, чтобы попросить: «Господи, дай мне пару килограммов колбасы»?

Или вы говорите: «Дай мне то-то и то-то... Но только сначала докажи, что Ты есть! Тогда поверю... когда-нибудь... может быть... наверное...».

Не знаю, как вы, а я туда прихожу именно для того, чтобы прочувствовать состояние великой опоры, великой вечности, великой гармонии, великой чистоты и ощутить время, где сама великая жизнь — это только еле уловимый шепот ветерка. И открыть в себе высшую Любовь. И, если позволит жадность, поделиться с другими.

А если я приду в храм, а у меня за пазухой камень с надписью, что люди — сволочи? Какая уж тут благодать? Если вы полны ненависти, полны зла и желаете зла другим, то как будете просить для себя прощения, добра? Несоответствие получается, батенька!

Основа всякого храма, будь то церковь, синагога, мечеть или буддистский храм — есть Любовь. Мне глубоко начхать, к какой конфессии вы относитесь, какие ритуалы соблюдаете. Форма меня не интересует.

Мне начхать на вас, если в отношении других верующих вы испытываете враждебность, если несете в себе не-любовь.

Я преклоняюсь перед вами, готов целовать ваши ноги, к какой бы религии вы ни относились, если внутри себя вы находите, чувствуете, выращиваете любовь. Любовь — это суть, объединяющая все храмы, все религии.

Важно только одно: вы творите Добро, созидаете Любовь.

Чаще всего мы все это знаем, но, извините за грубость, ни хрена не делаем.

А представьте: ваши родители знали бы, как делать детей, но не делали? Где бы вы сейчас были, родные мои? А еще представьте: Господь знает, как вас любить, но не любит? И где бы вы были сейчас, злобные вы мои?

А вам, милая моя, вам вообще рекомендую делать клизму из прощений.

Как вы сказали? Не слышу? «Я уже давно всех простила»? Давно простили? Тогда почему вы не ангел? Это у вас глюки.

Так что еще прощайте, еще отпускайте. Каждый день, если... Ну хорошо, не каждый день. Тогда хотя бы три раза в неделю будете прощать трех обидчиков...

Много, говорите?

Тогда, чтобы всех простить, вам понадобится минимум тысяча лет жизни. Если сейчас книжку закроете, как раз через тысячу лет дочитаете.

Каждому из вас назначаю: прощать три раза в день. И обязательно натощак.

Дорогие мои! Ну давайте ускорим процесс. Договорились? Хорошо?

Пусть глаза ваши смотрят вперед, чтобы не пропустить главное.

С чего начнем?

Облака
из морковки _____

Чем различается механизм работы глаз у оптимисток и у пессимисток, у хохотушек и таких мымр, как вы, например? Чем различаются их глаза по своей физиологии? Ничем. Согласны?

Желудок у мужчины и женщины чем отличается? Ничем. Хорошо.

А мозги англичанина и русского чем различаются? Ничем. Они расположены там, где должны быть. Согласны?

Значит, мозг работает у всех по одному принципу. Функция языка — передача информации — одна и та же. Согласны?

Ну тогда какого хрена у нас разные языки?!

Когда я говорю «облака», я думаю об облаках. Вы воспринимаете: «облака». Но ваши облака совершенно другие! Понимаете?

Когда я говорю «морковь», я представляю морковь. Какого она цвета? Оранжевая? Красная?

А у меня желтая. Потому что в тех местах, где я живу, красной моркови почти не бывает. Ее не едят. Она называется кормовой.

Ваша морковь, например, по-другому пахнет, и она у вас конусообразная, а у нас — как огурчики. Значит, когда я сказал «морковь», мы вместе подумали о морковке, но у кого-то она красная, у кого-то оранжевая, а у меня желтая.

Передаваемая словами информация имеет свойство изменяться. Существует языковой барьер между моим и вашим мозгом. Импульс информации, переходя в слова и — через уши, через область дешифровки — добираясь до вашего мозга, иногда приобретает вообще противоположный смысл. Потому что слова — это вторая сигнальная система.

Заметьте, вторая, а не первая!

В мозгу находится запись, скажем, звука, вкуса, объема, веса, запаха, температуры вашего здорового тела.

В какой-то несловесной форме там все это находится. А слово «здоровье» имеет объем, вес, запах, вкус и т. д.? Нет, конечно! А если и имеет, то это объем, вес, запах и вкус самого слова «здо-ро-вье», а не того, что оно обозначает. А если так, то, значит, мозг просто не понимает наших желаний, наших приказов, когда они поступают в словесной форме.

Значит, нам надо хоть чуть-чуть научиться несловесному языку мозга, чтобы на этом языке мозга общаться с нашим организмом, чтоб организм нас понимал и реагировал, как он имеет обыкновение реагировать на бессловесные импульсы наших желаний.

Что это за язык?

Предположим, хотите вы пойти прогуляться. Вы же не говорите мышцам ног: «А ну, сокращайтесь! Правая, левая, правая, левая».

Нет, вы просто подумали, представили себе, как фланируете по парку, и ноги сами понесли вас: правая, левая, правая, левая.

Или увидели вы конфетку, рука сама тянется к ней безо всякого письменного или устного приказа с вашей стороны.

Здесь связь между вашим желанием и мозгом осуществляется через первую сигнальную систему.

А вы знаете, что от сильнейшего переживания у молящихся иногда на ладонях, на ногах, на лбу возникают стигмы?

Почему такие случаи бывают? Как люди достигают такого состояния, что их тело начинает ярко реагировать на душевное переживание?

Этот механизм запускается, когда чувства сильнейшей любви и высочайшего вдохновения, душевные силы огромного накала вырываются вперед. Чаще это происходит на уровне инстинкта, в минуты опасности — при спасении детей, при спасении жизни и т. п.

Вы скажете: это случайно. Это же почти мистика! Согласны?

И вам предстоит обучаться тому, как получить доступ к этим силам и как их мобилизовать.

Прошу заметить! Черпая из чистого источника силу, совсем не обязательно получать стигмы. Можно «читать» мысли, чувства другого человека, «читать» будущее, получать подсказки, ответы и решения.

Врач, например, пробудив в себе эту силу, может чувствовать организм пациента, то есть диагностировать на расстоянии и, не спрашивая больного, лечить его.

Понимаете?

Почему у психиатров мозги «сдвигаются» с места____

В каких случаях мы можем увидеть скрытый потенциал человека, заложенный природой? Например, в психбольнице.

Вам не приходилось наблюдать, как высохшая буйнопомешанная старушенция обращается с парой дюжих санитаров? Она их, как щенков, туда-сюда бросает. Почему? Потому что в этом состоянии она использует свои силы на сто процентов.

У вас есть знакомые психиатры? Ну и как у них с головой? Крыша едет? Сильно они отличаются от своих пациентов? Не очень. Согласны? А почему?

Потому что «с кем поведешься...».

Вы замечаете, что я временами как-то странно выражаюсь? Это потому, что слишком долго общаюсь с вами.

Почему у психиатров мозги «сдвигаются» с места? Потому что в психбольнице мы видим спонтанный выброс силы. Психически больные выбрасывают хаотичные энергетические сгустки, попадающие врачу прямо по голове.

Представьте себе, что психиатры вечно находятся в том месте, где мусоровоз выбрасывает мусор. Или зимой там, где на улице машины соль в разные стороны разбрасывают. А каждый психически больной точно так же, как центрифуга, разбрасывает разные хаотические мысли.

Поэтому психиатр, долго работающий по специальности, не может остаться психически здоровым. Психоэкологически это самые опасные места работы.

Волосяные луковицы в глубоком трансе

Теперь мне придется повторить кое-что, о чем я уже писал в «Опыте дурака...». А повторение, вы знаете, мать ученья. Но когда много раз повторяешь, то хочется сказать «мать его учения».

Как всегда, прогуляемся с вами в прошлое, где ваш слуга изучал техники и возможности гипноза. И, как считают многие специалисты, очень даже в этом преуспел. Как-никак на эту тему у меня есть маленькая книжонка.

Но в конце концов понял, что это не для меня. Когда пациент пассивен и сам палец о палец не ударяет, а только ждет помощи со стороны, именно это и не соответствует моему принципу. И я вынужден был отказаться от применения гипноза в своей медицинской практике!

Хотя, должен вам сказать, что есть такие заболевания человека, при которых гипноз является просто палочкой-выручалочкой! Чтобы проиллюстрировать это, напомню вам один случай из практики.

На что способен человек в состоянии гипноза?

Во время гипноза мы показываем человеку докрасна раскаленный металл и сообщаем, что сейчас приложим его к спине. А к спине прикладываем палец или бумажку — не имеет значения. Там возникает волдырь, там возникает ожог, там возникает шрам на всю жизнь.

Это говорит о том, что подсознание вспомнило процесс реагирования на ожог, подсознание направило такой импульс в этот участок, что возник натуральный ожог с настоящим шрамом.

Проходит определенное время — два, три месяца, может, год. Приглашаем этого человека, вводим в состояние гипноза и говорим: «В тот раз мы клали туда бумагу, ожога не может быть». Шрам исчезает в течение нескольких недель.

Как-то мы проводили работу в ожоговом центре. Мы приглашали для эксперимента в основном женщин. Почему?

Потому что женщины — они по части красоты все чокнутые. А мужчины к своим шрамам очень часто относятся по принципу «шрамы украшают мужчин» — как к своему достоинству или своему второму достоинству.

Мы выбрали группу около двадцати человек. Десять, двадцать, двадцать пять лет пациенты ходили все в шрамах. Выбрали тех, у кого были повреждены 30—40% поверхности кожи.

У одной рекордсменки было обожжено 75% поверхности тела. Врачи знают, что при такой степени ожога человек не может выжить. И то, что она выжила, — это феноменально. Значит, у нее что-то с характером и головой тако-о-е, что позволило ей выжить!

Группу добровольцев мы ввели в состояние транса. По временнóй линии в их памяти дошли до момента ожога. И в этом временнóм участке мы заменили реальный ожог сном о нем — словно этот ожог был у них во сне. То есть сделали так, что подсознание реальный ожог стало воспринимать как сновидение.

И что вы думаете? Почти у всей группы ожоги исчезли. Исчезли шрамы, рубцы, страшные красные узлы, но в этих зонах ожога уже не было волосяного покрова.

Так вот, кожа бархатная восстановилась, волосяной покров восстановился, волосяные луковицы воскресли. Как это объяснить?

Где что должно быть у нас на теле, что и как и в каком участке — это записывается на **генетическом** уровне. Оказывается, человек может получить доступ к генетической памяти, к глубокому подсознанию. Понятно, да?

 Оказывается, человек способен сознательно управлять бессознательными процессами! Для этого не нужен гипноз! В состоянии гипноза вы пассивны, гипнолог активен.

Но вы собственноручно можете вкладывать себе в подсознание нужную вам информацию. Во время этой работы вы активны. Вы сами работаете, вы сами управляете оркестром своей жизни.

Осталось всего ничего: догадаться, почувствовать, как это сделать. И сделать!

Попробуем?

Здрасссьте!
Всем встать и поклониться —
Я — КОРОЛЬ _____

Вопрос к дамам: вы верите, что вы женщина, или не верите, что вы женщина? Или сомневаетесь, или надеетесь, или знаете, или... Если вы гордо заявите: «Я знаю, что я женщина!» — то я скажу, что вы глупая, потому что если вы умница-разумница, то скажете: «Не задавайте глупых вопросов!».

Вопрос был изначально глупым, потому что здесь вообще вопроса быть не может. Ощущение себя женщиной или мужчиной — это заложено у вас в душе, это данность, не подлежащая обсуждению.

Вот такой пример. Перед вами тридцать человек из одной организации. Все — одна команда. Но один из них директор, остальные — его подчиненные. Вопрос: вы этого директора сможете узнать, вычислить? Мгновенно! Если, конечно, он не новоиспеченный, не только что «сожрал» своего предшественника.

Кто из этих людей руководитель, кто подчиненный?

Если он настоящий руководитель, руководитель по праву, по силе духа, то во всех его действиях, в одежде, в поведении, в голосе это будет сквозить. Потому что он лидер. Согласны?

Если сейчас скажу: «Здрасссьте, я король такого-то государства».

Помните, я обещал вернуться к этой теме?

«Иди, — скажете вы вежливо, — не мешай нам заниматься нашим геморроем, который у нас между ушами».

Согласны?

Но так вы скажете только, когда я попытаюсь влепить вам то, чего нет, преподнести себя таким, каким в душе не являюсь.

А если впереди ковровая дорожка на пять километров, а глашатай трубит: «Его Величество, король такого-то государства»? Сзади меня идет свита, да еще стая вертолетов с флагами, кортеж автомобилей — вы просто вынуждены встать и поклониться.

Так же как этот глашатай, впереди вас всегда идет ваше отношение к себе, ваше уважение к себе, ваше чувство собственного достоинства.

Сначала идет ваша внешность, ваша мимика, осанка, идут ваши чувства, мысли, ваше душевное состояние. И все они что есть мочи трубят: «Его Высокопревосходительство работник ЖЭКа № 6».

А что произойдет, если однажды ни с того ни с сего вы признаете в себе личность? Что произойдет, если будете вести себя как лидер? Что произойдет, если почувствуете себя по-королевски?

Не слышу. Говорите, «это глупо»?

Дорогие мои! Да разве глупее, чем сейчас, может быть?! Самое глупое с вами уже случилось.

А такое видели? Женщина, точнее сказать, колобок с веснушками, но все мужчины почему-то за ней бегают. Встречали?

Определите свое место в этом ряду на данный момент.

Почему так? Да потому, что кто-то ей однажды лапшу на уши повесил, сказал, что она — самая красивая. И она, дурочка, поверила.

И теперь все это чувствуют!

Вот представьте: утром встаете и заявляете себе, что вы хорошая, хороший, очень хорошая, очень хороший (нужное подчеркнуть).

Смотрите на себя в зеркало, улыбаетесь себе королевской улыбкой и силой воли вводите себя в состояние абсолютной уверенности, что вы самая такая, самый такой — ну, ващще...

Вопрос: напяливать на себя что попало теперь будете? Нет! Вы даже вспомните, куда пятьдесят лет назад положили свою расческу после того, как последний раз причесались.

Ваши осанка-мимика начнут меняться. Вся ваша внешность изменится. Манера поведения изменится, изменится ваш лексикон. Слова какие-то странные, непривычные начнут сами собой изо рта выскакивать, приспосабливаясь к новому состоянию.

И если у вас, Ваше Величество, случайно ноги кривые, то этого уже никто никогда не заметит.

А если и обратит внимание, то не посмеет усмехнуться. А если не совсем глупый, то еще на заметку возьмет тот непреложный факт, что внутреннее достоинство сильнее любых физических недостатков. Потому что вы и кривыми ногами будете гордо и прямо стоять на своем: Я — КОРОЛЬ!

Так что равнение на кого? На себя. На свою лучшую часть, которую вы когда-то закопали глубоко-глубоко, на уровне мечты. Вот это будем с вами тренировать.

Хорошо?

Что тренируется — то развивается.

Наверное, онанисты меня поняли мгновенно!

Внимание!

ГРАНИЦА ХАОСА!

**Неподготовленному читателю
с ограниченным восприятием и без
необходимой экипировки проходить
опасно для понимания!**

**Переступая границу, вы сами отвечаете
за свои мысли и выводы!**

ОКТАВА против чемпиона по бодибилдингу

Вы знаете все, что знаете. Умеете все, что умеете. Весь ваш жизненный опыт — при вас. Ваша высокая вера, ваша любовь, все богатство вашей души — при вас. Но представьте! На улице моросит скверный дождичек. Кто-то очень близкий, очень любимый сказал недоброе слово, обидел. Еще пара-тройка паршивых случайностей, глупых совпадений, нелепых обид... И все!

Стресс, настроение резко падает, и возникает депрессия. Ваша сила идет на спад. Весь опыт, все знания, вера, любовь — вся ваша возвышенность разлетелась в прах и разметалась по разным углам души без всякой надобности. Вы оснастили свой дом первоклассной техникой, но когда нет электричества она не работает.

Согласны?

Вопрос.

Можете ли вы усилием воли вывести себя из состояния депрессии?

Можете ли усилием воли сделать себя счастливым?

Да, можете!

Теперь самое главное. Как?

ОКТАВА!

У нас это так называется. Что это такое?

Октава — это тренировка состояния сверхмобилизации.

Как мышцы тренируются при физической нагрузке, точно так же тренируется ваш дух во время Октавы.

Октава — это тренировка признания в себе Личности.

Октава — это точка отсчета вашего нового поведения, новой самооценки.

Октава — это идущее впереди вас ваше внутреннее чувство, которое заставит других признать вас тем, кем вы являетесь.

Октава — это выход из железобетонной скорлупы, в которой пребывает нормальный человек с нормальной психикой, с нормальным образованием, короче говоря, нормальный член общества инвалидов. Или вы вылупляетесь из этой скорлупы, трясете крылышками, чтобы они обсохли и покрылись перьями, или вы как были тухлым яйцом, так и остаетесь.

Октава — новый коэффициент полезного действия вашей жизни.

Октава — это не тренировка гордыни. Это тренировка в себе нужных вам качеств.

Октава — выход в другое пространство восприятия.

Поймите, дорогие мои, мир состоит не только из таких, как вы. Да и сами вы не такие, как думаете, как вам кажется. У вас искаженное восприятие мира.

Ваше восприятие в пятилетнем возрасте было одним, в данный момент оно у вас другое. Согласны или нет? Тогда почему оно не может снова измениться?

Есть люди с другим восприятием. Есть люди с другими возможностями. И вы тоже можете перевоплотиться в еще лучшего, лучшую!

Основной механизм действия Октавы — воображение. Но это не простое воображение. У вас, уважаемые дамы, кроме воображения и так ничего нет. Что вы уставились в книжку? Ждете, что я наконец-то умные слова скажу?

ОКТАВА — это тренировка силы воображения с помощью воли. От этой силы желания резонирует каждая волосинка, каждая клеточка тела, и все ваши мыслительные процессы устремляются за этим желанием, за этой внутренней созидательной силой.

Разрешите, пример приведу.

P.S. Дорогие читатели! Извините, но тут мы опять вынуждены вмешаться. Позволим себе заменить скромный пример М. Нор-

«Однажды Мирзакарим Санакулович объяснял Октаву и показывал, как действует сила духа. Обычно он просит выйти на сцену двух крепких мужчин и предлагает им схватить его за руки так, чтоб руки нельзя было развести. В этот раз против него вышли двое.

У одного 104 кг веса, у другого — 112. Оба оказались чемпионами республики по бодибилдингу. Две горы чистых мышц, никакого жира. Через пару минут оба оказались на полу. Один даже со сцены свалился и там лежал, видно, ударился обо что-то.

Я потом спросил, зачем он их так сильно раскидал — это ведь позор для таких ребят.

Он сказал:

— Я до того испугался, что слишком мобилизовался. Когда я их увидел, чуть не описался от страха, потому что не ожидал, что в зале сидят такие.

Они меня держат — каждый двумя здоровенными ручищами за руки. Вошел в состояние отрешенности и руки развел слишком резко. Обычно-то я медленно это делаю. Руки развел, из состояния Октавы вышел. Смотрю — нет их».

Поймите, дорогие мои, эта сила у вас есть. Октава открывает доступ к вашим великим силам, которые вначале надо разбудить, обуздать. А потом вы повеление даете и просто-напросто спокойно наблюдаете за действием этих сил. Например, наблюдаете, как болезнь уходит.

Или наблюдаете, как ваши груди, которые давным-давно ушли в эмиграцию, возвращаются, наконец, из области колен на свою историческую родину.

Значит, когда мы с вами будем тренироваться с помощью Октавы, то будем иметь доступ куда? Именно к невостребованной силе, **вашей Великой Силе!**

Как найти чуточку

У одного султана, славившегося своей справедливостью, был визирь, который всегда ходил с улыбкой на лице, всегда в настроении, и всегда ему было хорошо. А это, понятное дело, у людей вызывает зависть. И вот, по дворцу поползли слухи, что что-то тут не так. Доложили султану, что, мол, визирь-то шпионит в пользу другого государства.

Каждый вечер он запирается в дальней комнате и сидит там, а чем занимается — неизвестно. Видать, неспроста это. И как-то раз султан со свитой внезапно нагрянул в ту комнату.

Дверь распахнули, а там — пусто, только на стене висит старый трепаный халат, весь в заплатках, да стоптанные сапоги рядом стоят.

Удивился султан, говорит визирю:

— Ты что тут делаешь? И зачем тебе это старое тряпье?

Ответил визирь:

— Я прихожу сюда, чтобы смотреть на этот халат и эти сапоги. В них я когда-то пришел к тебе, о, великий султан, и ты сделал меня визирем. Я вспоминаю, откуда я вышел и сравниваю с тем, что сейчас. И улыбаюсь, и радуюсь, и жизнь кажется мне прекрасной. Вот основа всех моих решений.

О чем эта притча? О том, что все познается в сравнении. Если вам сейчас плоховато, то ведь когда-то было еще хуже. А кому-то сейчас, в эту секунду, совсем хреново.

Нам всегда не хватает чуточку чего-то. Но когда эта чуточка появляется, мы опять несчастны, и опять для полного счастья не хватает другой чуточки.

Сделайте сейчас вдох-выдох. А теперь попробуйте, пожалуйста, этот вдох и выдох назад вернуть. То, что ощущали в этот момент, уже — всё-е! — не вернете. Сделайте еще вдох и выдох.

Представьте, следующего может уже не быть. Когда жизнь заканчивается, каждый миг ценен. Каждый вдох — целая жизнь. Каждый выдох — вечность. Давайте, попробуйте жить здесь и сейчас. Позвольте себе быть счастливыми!

— Это как ЭТО?
— Путем оргазма

С уществует много способов активизации интуиции. Например, во время ужаса, во время стресса, во время
опасности тоже резко возрастает интуиция. Но если я
вас сейчас напугаю, и вы прямо здесь описаетесь... Да и столько
ужасов для вас мне найти сложновато. Этот путь исключается.

Мы возьмем более приятный путь — путь экстаза, путь удовольствия, путь наслаждения. Это для нас более приемлемо и
приятно. Согласны?

Вы оргазм когда-нибудь получали? Испытывали? Так вот,
физический оргазм — только маленький кусочек того наслаждения, которого нам надо достичь. Где бывает оргазм, мужчины? В голове? Да, в голове!

Значит, кроме оргазма, есть еще много всяких удовольствий
в этой жизни. Нам надо собрать их все вместе и, достигая состояния высочайшего наслаждения, активизировать центр удовольствия мозга.

Нам нужно достичь состояния высочайшего наслаждения.
Это — задача.

— Это как? Ну как это?

Хорошо. Начнем сначала.

Расправляем плечи. Сбрасываем с плеч груз прожитых лет.
Отправляем свои проблемы туда, откуда они пришли, то есть
под хвост чертовой матери. Натягиваем на лицо дурацкую, фаль-
шивую улыбку. Да-да, сейчас. Не потом, а прямо сейчас.

Даже если вы читаете это произведение, сидя на унитазе. Хотя это еще что! Сейчас скажу самое страшное: даже если вы сидите в метро. И все на вас смотрят.

Ну, хоть один раз покажите этим мрачным мордам, что вы — не такой, как они, что вы их не боитесь, что вам чихать на их мнение!

Расправляем гордые плечи! Смело и решительно, всем назло, достаем из кармана улыбку: «А это видели? Видели? Ни у кого нет, а у меня есть!».

 А теперь упражнение. Поднимаем настроение! Поднимаем своей волей! Поднимаем, несмотря ни на что! Поднимем его так, чтоб аж мурашки по всему телу!

Мысленно собираем в кулак все, что мешает радости — все прошлые беды и глупости своей жизни, все несчастья и обиды. И со страшной силой опускаем Кулак Решимости на Стол Бед. (Не путать с обыденным обеденным столом.) Чтоб треск на всю деревню столбом стоял. И выдыхаем, что есть мочи: «Ну и хххррен с ним!!!».

Если вы правильно выполнили упражнение, то неминуемо чувствуете сейчас легкость, прилив бодрости и прояснение зрения, как внешнего, так и внутреннего.

Это — кратковременная вспышка того состояния, которое нам нужно. Оно станет постоянным, если вы будете соблюдать нижеследующее предписание.

Данное упражнение выполнять регулярно, не менее трех раз в день, за пять минут до очередного хныканья по поводу окончательно неудавшейся жизни. Не пугайтесь! Пошутил. Конечно, не в день три раза. Но хотя бы в неделю.

Кое-что о ШМЕЛЯХ в штанах принца _____

Когда мы в Октаве?

Например, когда вспоминаем что-то очень хорошее — момент счастья, момент успеха, свою победу. Что-то такое, что сейчас, сию секунду, в момент воспоминания вызывает восторг, бурю прекрасных чувств, смех, может быть, слезы, но слезы радости!

Один наш слушатель — уже пожилой человек — долго не мог ничего такого вспомнить. Тяжелые годы юности, война, лишения... Но потом он все-таки вспомнил. Вспомнил, как однажды, уже в мае 1945 года, он перемещался по окопу, а навстречу ему пробирался его командир, весь в слезах.

И когда они встретились, тот только и смог вымолвить:

— Войне конец!

Рыданья вырвались наружу. И двое взрослых мужчин, воинов-героев плакали, как маленькие, но плакали от счастья! Вот такая у него была Октава.

Но вам-то нужно вспомнить свое самое-самое яркое переживание в жизни. И чтобы аж дрожь пробежала по всему телу!

Тело обязательно должно откликнуться, это очень важно.

 Когда вспомните, постарайтесь запомнить все малейшие детали, запомнить эти ощущения. Отследите и запомните, где и как ваши воспоминания, ваши переживания откликаются в теле и что происходит в вашей душе. Вот это состояние, этот оттиск, отпечаток в теле обязательно запомните.

Воспоминание — это один вариант Октавы.

Другой — воображение.

Да, то самое воображение, те самые «сны наяву», та самая фантазия, которую вы иногда проклинаете за то, что она не соответствует реальности. А реальность проклинаете за то, что она не соответствует вашим фантазиям, да?

Так вот, это воображение мы должны теперь сделать двигателем, инструментом, мощным орудием вашего пробуждения. Орудием осуществления вашей мечты. Орудием вашего преображения!

Представьте! Конечно, с вами этого никогда не случалось, но давайте войдем в роль и попробуем разыграть такую сценку.

Обычный ваш день начался. Плететесь, как всегда, на службу. В голове всякая хмурая плесень — чепуха, серое марево. Настроение, как всегда, противное.

Да и чему радоваться-то? Денег нет. В семье каждый день склоки, разборки. На службе и того хуже. Вообще жизнь как-то не складывается. А лет вам уже... Ну, в общем, достаточно. Впереди — ничего веселого. Хотелось бы поездить, повидать свет. На худой конец, на дачу... Но не сезон. А надо еще купить то да се. Ах, да. Денег-то нет. И семья, и работа, и денег нет, и семья...

И вроде вы идете куда-то, а мысли кружатся все в том же противном круговороте.

Вдруг!

Какое-то странное щекотание в носу. Что за дела? Какая-то свежесть, прохлада. Непривычный, давно забытый запах дурманит голову, будоражит и волнует кровь. Что-то теплое, нежное прикасается к щеке и как будто гла-а-адит. Что это?

Оказывается, солнце, оказывается, ручьи, и дремучий прошлогодний шмель выполз и силится взлететь. Птички деловито копошатся на голых ветках, чего-то там ищут, пересвистываясь. И уже пахнет, раскрываясь и греясь на солнце, земля...

Э-э, да это Весна! Сумасшедшая, невыносимая, щемящая.

Это жизнь, не спросивши вас, не сочувствуя вашим страданиям, позволяет себе быть, продолжаться и обновляться. Как всегда. Как во веки веков.

А вы и не знали! Вы забыли о ней, закопавшись в хлам своих мелких проблем, забившись в нору своих глупых несчастий.

Дышите глубже.

Дышите еще.

Позвольте волнению жизни, этому трепету весеннего утра проникнуть внутрь и разбудить ваше дремлющее сердце.

Еще вдох... Еще... Еще... Еще... Выдох... Свет солнца, дурманящий аромат, неповторимое чувство.

Почему щеки вдруг стали мокрыми? Дождя вроде нет.

Ну чего реветь-то?

Вспоминайте бурную радость в детстве. Как вы, задыхаясь, бежите по лужам, по этим звенящим потокам. Фонтаны брызг, ноги мокрые, и не только ноги.

Карманы, полные камней, — драгоценная ваша добыча из самой глубины ручьев. От мамы, конечно, влетит, но это потом. А сейчас...

Весна во всем теле, прекрасная, чарующая, волшебная.

Еще вдох, вдох, вдох... выдох... И больше ничего не нужно...

С ОКТАВОЙ вас, родненькие вы мои!

Я сейчас просто показал вам, как случается в нашей жизни Октава, случается сама собой. Но можно ведь немножко потрудиться, заставить себя поработать и вызвать эти ощущения **искусственно**.

Вы попробуйте **искусственно** вызвать чувство, что вы есть личность, что вы есть совершенство. Да, я понимаю, что это вам тяжело. Да, я понимаю, вам кажется, что это неприлично. Что-то в этом непонятное, неудобное... Вы согласны?

— Ну-у, да-а, конечно, но ведь это все искусственное, не настоящее, неправда, — это говорите вы — величайшие з-з-зануды всех времен и народов!

Все равно попробуйте!

Если ваша правда не дает никакого результата, а эта неправда, выдумка, ложь — дает?

Ваша победа, ваш конечный результат нас рассудит.

Знаете, что сказал принц Гамлет своей мамаше, когда та ударилась в самобичевание? Он сказал ей:

— Наденьте маску добродетели, она привьется, прирастет к лицу.

Вот что он ей сказал. Маску! Понимаете? То есть метод искусственной мичуринской прививки положительных качеств к скверному характеру, особенно женскому, был известен уже во времена Шекспира. А вообще-то еще гораздо, гораздо раньше.

Итак, в детство будем впадать. Даже не в молодость, а в детство. Вспомните, как поступает ребенок!

Вы подарили ему машинку или куклу. Он может часами сидеть, играть, песни петь, что-то сам себе рассказывать. А может и без куклы, и без машинки. Вокруг хлам какой-то валяется — пробки, пуговицы, фантики.

Со стороны смотришь: сидит, не пойми чем занимается. А в этот момент ваш ребенок находится в величайшем из миров, где царствует добро, где добро всегда берет верх над злом. И в этом мире он учится, он тренируется. А мы сейчас чем занимаемся?

Значит, забываем, что мы дедушки, забываем, что мы бабушки, забываем, что мы мамаши, папаши. Забываем свое образование, свою должность. Постепенно уходим в мир детства, из которого мы с вами давным-давно незаметно ушли. Или нас вышвырнули оттуда? Куда? В ту серость и обыденность, которая называется «взрослость».

Все это забываем и входим в новое состояние своей жизни.

Вы увидите, как начнут меняться ваша жизнь, ваши мысли, ваше ощущение реальности. И вы увидите, как на это ваше новое состояние будет эхом откликаться все, что вас окружает! Да, именно так. Предупреждаю: это так и будет.

И никакой мистики.

Октава Мирзакарима

P.S. Однажды Мирзакарим Санакулович рассказывал на занятиях о своей Октаве. Мы записали и считаем нужным опубликовать эту стенограмму.

Что такое Октава, я на своей шкуре первый раз почувствовал знаете когда?..

Кажется, в тот момент я и стал тем, кто сейчас есть. Мой отец и мой брат приехали меня забирать из армии. К тому моменту меня уже выписывали из госпиталя, где я пролежал целых полгода. Одним словом, комиссовали.

Врач передал отцу конверт, в котором, как оказалось, были выписка из истории болезни и мой диагноз.

Мне врач сказал: «Иди в коридор, погуляй», — а отца и брата завел к себе в кабинет. Мне было интересно, что у меня за болезнь такая. Понимаете? И я пошел в ординаторскую, чтобы послушать, о чем они там говорят.

И вдруг слышу, как врач говорит: «Мы сделали все возможное, но ему от силы осталось несколько месяцев жизни».

Первая реакция знаете, какая у меня была?

Как будто сразу я оказался в какой-то белой, матовой емкости, совсем отдельной. Там была абсолютная тишина и одновременно ужасное одиночество.

Опомнился уже на крыше. Оказывается, пошел в лечебный корпус, поднялся на пятый этаж, потом на крышу, перелез через бордюр и стою. Я хотел броситься с крыши. Зачем мне три месяца? И вдруг вспомнил.

У отца бронхиальная астма. Трое уехали, один вернулся и с ним два гроба — мама не выдержит. Я подумал: поеду. Поеду домой. И там уже это сделаю. А что? На один день позже, на один день раньше...

Трое с половиной суток мы в поезде ехали.

Я лежал, смотрел на людей...

Дорогие мои!

Мы все думаем, что кто-то обязательно умрёт, но только не я. Все мы так думаем! Что кто-то заболеет по-настоящему, но не я!

Я буду жить сто лет, воняя и отравляя окружающую среду... Мыслями. А вы о чем подумали? Это вы все так думаете, дорогие мои.

Все вы, многие из вас, дурью маетесь. Когда у вас останется месяц жизни, все ценности у вас поменяются. И вы увидите, вам будет глубоко начхать, что думают о вас люди. Вам будет глубоко наплевать, кем работает ваш лучший друг. Вам будет глубо-ко... на все людские ценности. Я это пережил.

Приехал домой. И с каждым днем мне становилось все тяжелее, тяжелее, тяжелее.

Примерно в двенадцати километрах от нашего дома начинаются Памирские горы. И там есть три высоченные скалы, высотой где-то до трех километров с отрицательным уклоном. Называются «Три девушки».

Решил привести свое желание в исполнение — хотел именно оттуда броситься. Ушел в горы, где-то часа в четыре вечера добрался.

Но желание и исполнение — это разные вещи. Согласны?

Я просто на краю сидел. В том месте, где мы на дельтаплане в своё время летали. Это выше Останкинской башни.

Сиде-ел, смотре-ел на эти скалы... И с этой вершины жизнь человека вдруг показалась такой маленькой, незначительной, как одна песчинка! А столько амбиций! Выше гор!

Сижу, думаю: «Мне всего 19 лет! Почему я умираю? Ну, почему? Как я дошел до этого?».

Вспомнил школьные годы. Вспомнил всех своих педагогов, которые говорили: это — белое, это — черное, учили уму разуму, вдалбливали знания...

Я так ушел в воспоминания, что не заметил, как взошла луна. Наверное, была уже полночь. Да и какая разница?

В это время пошел снег. Внизу была такая лёгкая весенняя дымка, а тут — снег. На ногах одни сандалии.

Вдруг меня пронзила мысль, и мощная волна озарения прошла по всему телу!

А этот врач, сказавший, что мне осталась жить всего ничего, он кто — Бог, что ли? Он, что ли, Господь Бог?!!

С тех пор, когда я слышу слова:

— А мне врач сказал, это неизлечимо, — я отвечаю одно и то же:

— Да я чихать хотел на твоего врача! Плевать хотел на его мнение!

Ведь только истинный врач скажет:

— Я не знаю, как это вылечить, но ищите, и вы обязательно найдете.

Это случается очень редко. Зато вот истинную сволочь в белом халате сразу можно узнать по словам: «Э-т-т-то неизлечимо!».

Хочется такому сказать:

— Ты почему не можешь сказать, что просто не знаешь, как вылечить?! Ты что, Господь Бог, что ли? Где твой нимб? Нимба нет, а хвост твой я вижу!

Вот там, в горах, во мне, кажется, умер нормальный человек, который оперирует общепринятыми понятиями и ценностями.

Я смотрел на звезды и вдруг понял, что буду жить! Буду жить вопреки всему этому! Я буду побеждать вопреки всему этому! Знаете, что я там делал?

В тех горах очень сильное эхо. Я вспоминал всех моих педагогов, которые делали из меня марионетку. Вспоминал всех людей, которые корили меня за то, что я не был похож на них. Я выкрикивал их имена и матерился, и горы со мной вместе матерились.

Потом шел назад, можно сказать босиком, потому что снега оказалось по щиколотку. Промок до нитки, но мне было абсолютно начхать! И если бы я тогда, идя по дороге, куда-нибудь в ущелье улетел, я бы умер счастливым.

Дорогие мои, когда я начал вести оздоровительные занятия, то стал обращать внимание на болезни, которые считаются неизлечимыми. Там есть лейкоз, там есть онкология четвертой степени, там есть болезнь Паркинсона, там есть ВСЁ! Даже тропическая лихорадка есть. И кто-то от них обязательно вылечился! Чудом? Нет! **Силой духа!**

К 1985 году этот список у меня пополнился. Вначале по одному случаю было. На сегодняшний день там сотни и тысячи выздоровевших наших слушателей. Понимаете? Сотни и тысячи больных себя вылечили от неизлечимых болезней!

Вот с этого момента, дорогие мои, я плюю на все общепонятые истины.

Сегодня вы начинаете путь Личности! Сегодня вы делаете первые шаги Человека с большой буквы! Пускаетесь в путешествие в мир волшебников, где вы — главный волшебник, и вы увидите, до чего велика ваша сила!

ВАША Октава

Дорогие мои! Нам нужно сейчас создать образ себя — всемогущего человека. Создать свой образ, образ человека с побеждающей волей, проникающей мыслью, яркими ощущениями. Образ Себя-Лидера, образ Себя-Победителя, образ Себя-Того, кем вы хотите стать, того, кем вы себя в своих мечтах видите, кем всю жизнь откладывали быть, вздыхая: «Ах... не в этой жизни!».

Вот это и будем создавать. Это будет одна из многих ваших заготовок.

Если вы женщина, используйте в этой работе свою впечатлительность. Если вы мужчина, напрягите свое упорство.

Дайте желание, внутреннее повеление быть таким, каким вы хотите стать. Быть уже сейчас, сию секунду. И чтобы от этого желания пошли мурашки радости, мурашки истомы.

Усиливаем! Еще. Еще наращиваем. Полностью внутри себя.

Внутри себя создаем очаг — очаг радости, очаг счастья, очаг внутреннего стремления.

Стремления к здоровью.

Стремления к красоте.

Стремления к юности.

Стремления к силе.

Стремления к бодрости.

Стремления к гибкости.

Стремления к доброте.

Стремление, стремление, стремление к своему идеалу!

И по всему телу пропускаем резонанс. По всему телу отправляем — волна за волной — истому созидания, истому радости, истому утверждения. Истому внутреннего могущества!

Силу своего духа в виде резонанса отправьте каждой клеточке! Свет, тепло своей души в виде поддержки, как весеннее солнце, отправьте каждой клеточке...

Чтобы каждая клеточка, как весенний бутончик, выпрямилась, раскрыла свои маслянистые листики в свете вашей души. Вот это повеление отправьте.

Повеление за повелением. Приказ за приказом. Приказ любящего, любимого человека.

Еще! Волна! Усиление. Увеличение. По возрастающей.

Голова ясная, полностью контролируем себя. Полностью осознанное поведение. Повеление сильного духом.

Берем свой идеал и в виде доброго, чистого, ясного, уверенного утверждения отправляем каждой клеточке.

Отправляем каждой волосинке.

Отправляем в каждую мышцу.

Отправляем каждому сосудику.

Отправляем всем участкам своего тела.

Чтобы там возник резонанс — резонанс перевоплощения, резонанс перерождения.

Усиливаем. Увеличиваем. Наращиваем.

Еще. Еще. Еще.

А теперь попробуем усиливать, усиливать свое воздействие. Увеличивать свое воздействие.

Наращивать свое воздействие.

Наращивать утверждение, что вы есть СИЛА!

Вы есть МОГУЩЕСТВО!

Вы есть КРАСОТА!

Вы есть ЛЮБОВЬ!

Вы есть СОВЕРШЕНСТВО!

ВСЁ, что вы желаете!!!

Усиливаем. Наращиваем. Наращиваем.

И признаем в себе СИЛУ.

Признаем в себе всё свое ВОЛШЕБСТВО.

Признаем!

А теперь попробуем в более сильном варианте.

По возрастающей!

Дайте желание быть таким, каким вы хотите стать.

Дайте повеление, что будете таким, каким намерены быть.

Дайте утверждение, что вы это ЕСТЬ!

Внутренним взором проходим по всему телу. Навязываем ту цель, которую вы носите в себе, ту созидательную силу, созидательное стремление и желание, повеление, приказ...

Все время по возрастающей.

А теперь вспоминаем тот свой Образ совершенства. Вспоминаем юность, прекрасные времена, в которых вы — сама гармония, сама красота. Вот это все сейчас отправьте в виде ПОВЕЛЕНИЯ по всему телу.

И теперь опять, спокойно и уверенно глядя на свой идеал, видим СВОЕ БУДУЩЕЕ и этот идеал НАВЯЗЫВАЕМ!!!

Навязываем, зная свою цену.

Навязываем, зная свою силу.

Навязываем, зная, что вы это можете!

Вы Человек с большой буквы.

Вы — Личность!

Дайте ПОВЕЛЕНИЕ!!!

Повеление, что вы есть ЗДОРОВЬЕ.

Повеление, что вы есть РАДОСТЬ.

Повеление, что вы есть ЛЮБОВЬ.

Повеление, что вы есть СЧАСТЬЕ.

Повеление, что вы есть ОПОРА для своей семьи.

Повеление!

Просто дайте себе сейчас свой завтрашний день!

Навязываем с любовью, с радостью.

Состояние счастья, которое вы создаете в каждой клеточке...

Ощущаем в себе великую силу, имя которой Господь Бог.

Познавая себя, раскрывая себя, узнавая себя, узнаём Господа своего.

Познайте в себе СЧАСТЬЕ!

Познайте в себе СИЛУ!

Познайте в себе ВЕЛИКОГО СОЗИДАТЕЛЯ!

и ВЕЛИКОЕ СОЗИДАЕМОЕ!

МОГУЩЕСТВО — равнение на него!

Пропустите силу по всему телу,

направьте резонанс, резонанс ВЕСНЫ,
резонанс ПЕРЕВОПЛОЩЕНИЯ,
имя которого ЮНОСТЬ,
имя которого ЗДОРОВЬЕ,
имя которого СИЛА.

Направьте в каждый участок свою любовь. Направьте в каждую клеточку свою радость. Направьте каждой клеточке свое будущее.

И свою великую внутреннюю СВОБОДУ!!!

Флакончик из-под духов и пудовая ГИРЯ ____

Вы создали состояние ОКТАВЫ.

Сила жизни, живая радость растекается по всему телу, возбуждая кровь, наполняя блаженством все ваше существо.

Вы смогли!

Получилось!

Браво!

Но титанические усилия этого подъема истощили ваши силы? Вам не кажется? Я говорю о вашем страхе потерять это состояние, о ваших сомнениях, о недоверии к себе, которые могли возникнуть как реакция на первый успех.

Что тут делать? Как реагировать?

Представьте: однажды в яйцевидную часть вашего тела пришла светлая мысль позаниматься спортом.

Представьте совсем невероятное: вы это сделали. На другой день что происходит с вашими мышцами? Ой, как все болит!

И вы, проявляя недюжинную сообразительность, навсегда отказываетесь от дальнейших попыток. Хотя знаете прекрасно, что именно движение быстрее всего спасет вас от боли.

То же и с Октавой.

Повтор, повтор, повтор, повтор!

Тренировка духовной мускулатуры!

И постепенно тело вашей души набирает силу, упругость, гибкость, обретает свободу движения.

Обязательно следите, чтобы эмоциональное состояние постоянно повышалось. Вчера вы поднялись к вершине радости за десять минут, сегодня того же уровня вы достигаете уже за пять. А потом стремитесь еще выше!

Красивая музыка, трогательная песня, волшебный танец, возвышенные стихи, теплые воспоминания, любимая картина, прогулка по местам счастливых дней... А может быть, чтение священных книг. Подключите на полную мощность свое воображение.

А еще, разгребая свалку вашей жизни, вы можете наткнуться на несколько полезных вещей.

Старый флакончик из-под духов с едва заметным ароматом, полный воспоминаний, или излучающий свет клочок бумаги с детскими каракулями, или воспоминания, которые хранят ваши губы о первом, чистейшем, нежном прикосновении первой любви. Добавьте сами.

Все это — ваши истины и ваши помощники, проводники в мире Октавы.

P.S. Особо одаренным упрямицам, которые на занятиях хнычут, что у них не получается вызвать радость, Мирзакарим Санакулович помогает очень своеобразным способом.

Он приглашает такую слушательницу на сцену, а потом несколько раз довольно сильно ударяет по спине. Она, как правило, не знает, когда «экзекуция» закончится, и каждый раз ждет очередного удара. Зато, когда все прекращается, у нее возникает така-а-я радость!..

Для слушателей-мужчин — свои методы!

«Надо, Федя, НАДО!»

Искусство принуждать себя, искусство повелевать собой — вот к чему мы подошли.

Повелевать для чего? Чтобы достичь желаемого, достичь цели. Именно это достигается Октавой.

Теперь самое главное — ваша цель. Для чего вы тренируетесь? Для чего делаете усилие?

Поставьте цель!

Но ваша сегодняшняя цель, какую бы вы себе ни поставили, поставлена кем? Среднестатистической изуродованной личностью. Согласны или нет?

Значит, эта цель может быть слишком пустой, как желания ребенка: «Вот вырасту и буду космонавтом. Космонавт — это тот, кому все дарят. Конфеты дарят, куклы дарят, машины дарят».

Такими же смешными будут сейчас ваши цели.

Значит, если вы никогда музыкой не занимались, а вам семьдесят лет, цель стать рок-звездой перед собой не ставьте. Если в свои семьдесят вы захотите снова пойти в ясли — это уже... Реально, но придется подождать.

Ищите реальные цели, действительно нужные и важные именно для вас, те, осуществление которых **в вас вложено**. Понимаете?

А как найти истинную цель? Как ее определить? Ведь их может быть много. Которая из них истинная?

Хорошо. Отвечу.

Чего вам больше всего не хватает на сегодняшний момент? Вам, именно вам! Я, например, сейчас не могу говорить с вами о цели, главной для меня. Моя цель вам не подходит. Вам нужно найти собственную.

Вот, представьте, что жизнь — это путь. Когда вы идете по снежным равнинам, у вас цель какая? Найти тепло, согласны? Или вы сидите, скажем, в яме. Ваша цель — выкарабкаться из нее.

А я иду по пустыне. У меня единственная цель — сейчас, в данный момент — глоток воды.

Если я в пустыне и у меня в голове единственная цель — глоток воды, а вы начнете мне рассказывать о тепле — мы друг друга не поймем.

Но вот я дошел до родника, нашел воду, выпил. И что? Единственная цель моей жизни достигнута?! И я начинаю думать: «Поесть бы». Это следующая цель. Поел. А теперь начинаю думать: «Поспать бы». Поспал. Следующая цель...

Итак. Сейчас, в данный момент, главная ваша цель какая? Вот ее и поставьте. По мере того как вы воду будете пить, вы почувствуете: что-то эта вода слишком режет живот, потому что живот пустой.

Но все равно нужно двигаться поэтапно.

Будьте готовы к тому, что каждый новый шаг к цели будет менять не только ваши возможности, но и ваши желания, не только достижения, но и саму цель. Имейте в виду, что по мере движения к цели сама ваша цель начнет меняться.

Самое главное — научитесь, как идти, как искать, как чувствовать этот родник. А когда у вас возникнет чутье на воду, чутье на хлеб, когда вы насытитесь, у вас появятся другие цели.

Голодный сытого не разумеет, вы согласны?

Когда я иду за водой, я говорю себе: как воду найду, выпью, а потом пойду через весь материк искать своих детей, искать возлюбленных. Конечная цель — найти источник своей любви.

Но если я воду не найду, не научусь чувствовать родники, все мои планы могут рухнуть.

И еще необходимо создать амбиции. Дорогие мои! Будьте немножко амбициозными. Амбиции не по отношению к другим людям, а по отношению к своей жизни. Возьмите такую планку, чтоб она была выше реальной. Если вы перед собой поставили цель быть миллиардером — это для вас реально.

Ваша сегодняшняя цель? Вы хотите быть лучше. Потому что сегодняшняя ваша действительность не устраивает вас. Согласны или нет? Тогда начнем с самого простого, ладненько?

Вы приготовьте план, от которого будет плясать ваше сознание, ваши мысли. И этот план берем и постепенно будем уносить в глубину подсознания. Там находится что? В каком городе находится эталон метра и килограмма? В Париже, да? Или в Лондоне? Значит, в нашей голове есть участок, где находятся эталоны действия.

Вот туда путем Октавы мы заносим этот план. Путем Октавы приступаем к подключению спящих, невостребованных участков мозга.

Закон ЖЕМЧУГА

Хорошо. Вы поставили перед собой цель, скажем, на год, или на пять лет, или на десять лет. Предположим, вы поставили цель: построить свой дворец на Багамах. А что вы имеете, кроме дырки в кармане?

Теперь. Что нужно, чтобы построить то, что вы хотите? Думаете: денежки нужны.

Не-а.

Нужно сдать анализ на педикулез характера. Что такое «педикулез», знаете? Не знаете? Посмотрите в словаре.

Почему предыдущие ваши мечты не реализовались? Почему вы не смогли приступить к их осуществлению? Какая черта вашего характера помешала? Перечисляйте все помехи своего характера. Все. Почему «хотели, как лучше, а получилось, как всегда»?

Всё внутри вас.

Эти отрицательные черты вашего характера и служат точкой отсчета. Они являются точкой отсчета в вашей работе над собой.

Как с ними быть?

Подумайте, какая именно сторона вашего характера будет препятствовать вам сейчас, в достижении вашей цели? Не даст реализоваться. Хорошо?

Теперь найдите черту, противоположную ей. Нашли?

Знаете, как образуется жемчуг?

Когда в нежное тело моллюска попадает грубая песчинка, он, защищая себя, обволакивает это инородное тело слоями перламутра. Отрицательные черты вашего характера — это и есть раздражающие песчинки, которые вы можете превратить в драгоценный жемчуг.

Вторая ваша заготовка — взять психофизический оттиск той положительной черты характера, необходимой для достижения цели.

Как этого достичь? Нужно съездить на Ниагарский водопад, или прыгнуть с парашютом, или пройтись по улицам в таком шикарном наряде, какой вам и во сне не снился, или пройтись, в чем мать родила. Только буквально не делайте, пожалуйста, а то... Понимаете?

Нужно совершить какое-то **действие**, на которое вы никогда не могли осмелиться раньше.

Нужно реально прожить, прочувствовать, про-волноваться, про-бояться, про-восхищаться собой, про-радоваться. И почувствовать, убедиться, что вы это можете. Необходимо совершить действие. И вот от этого нового чувства, от этого нового убеждения взять оттиск — запомнить это состояние, запомнить это ощущение.

Зачем поедете на Ниагарский водопад? Чтобы посмотреть? Чтоб пописать там или поесть? Не-ет!

За новым желанием! За самоуважением! Чтобы ваша заочная любовь, заочная вера в свои силы стала очной, стала реальностью.

Если вы станете брать заготовки, оттиски только в своем сознании, то опять будете возвращаться к исходной точке, от которой хотите уйти.

Понимаете?

Реализуя маленькое желание, вы готовите почву для осуществления главной мечты. Вы перевоплощаетесь!

И необходимо заставлять себя. Долбить, долбить, долбить себе, что вы именно тот человек, который может осуществить вашу мечту, достичь вашей цели. Нужно перевоплощаться.

Итак, закон жемчуга. Вам предстоит — строка за строкой — написать новую вашу конституцию. Собственную конституцию поведения, конституцию действия. Конституцию, которая обеспечит ваш успех. Главный успех вашей жизни!

Мы с вами сейчас подошли именно к тому рубежу, дальше которого начинается ваш самостоятельный путь. Как вы пойдете — зависит от вас. Этот путь только ваш, лично ваш и больше ничей.

Дама в возрасте ТРЕТЬЕЙ молодости,
в стоптанных башмачках

Здесь у меня есть свои личные рекорды. О некоторых расскажу.

Как-то на Оздоровительный курс одна дама пришла. Стояла такая растоптанная... Такая аккуратная, чистая, почищенная, но... Бывают такие старушки, они очень... сладкие. Могут быть плохо одеты, но чистые, выглаженные. Понимаете? Нос от старости аж бахромой.

На ногах белые туфли, подаренные товарищем Сталиным, и каждый генсек-президент еще по одной заплатке прибавил.

Она подошла и очень культурно сказала:

— Может быть, дадите мне какую-нибудь работу, чтобы я могла ходить на эти занятия?

Мне аж кровь в голову ударила. Говорю:

— Обязательно. Вот вам абонемент. Всегда, — говорю, — можете...

Закончила Оздоровительный очень хорошо. Но потом опять подошла и снова:

— Мы уже с вами близкие стали, я поняла, что вы людей по внешности не судите. У меня, — говорит, — денег нет, но я хочу на Основной курс.

Эта просьба меня смутила. Основной курс рассчитан на людей молодого, активного возраста или, на худой конец, более зрелого возраста, но таких, у кого есть мечта, наполеоновские замашки. На тех, кого не устраивает материальная зависимость, на тех, кто хочет оставить свой след на этой земле.

Я ей говорю:

— Милая моя, для какой цели вы хотите? Вам шестьдесят четыре. Шестьдесят четыре года вы были «слепой». Ну, открою вам глаза, ну, восстановим мы с вами шишковидную железу. Для какой цели будете использовать? Дети взрослые, мужа вы отправили в командировку... бессрочную.

— У меня, — говорит, — мечта. Единственная мечта: хочу умереть в своей квартире. Я, — говорит, — сорок лет живу в этой коммуналке поганой, и что такое жить в собственной квартире, не знаю. Но это моя мечта.

— Хорошо, — говорю.

Я разрешил ей заниматься, а сам думаю: «Пусть сидит. Одним человеком больше, одним меньше — какая разница».

Обратите внимание!

Логика, как всегда, выступает вперед и болтает: «Ну, что из нее может получиться?..». Хотя где-то в глубине души интуиция подсказывает: «Что-то выйдет из этого человека».

Она прошла Основной курс, мы позанимались. Худо-бедно, с горем пополам она начала... Ну, что-то начала.

Через шесть месяцев я приехал в Санкт-Петербург, чтобы второй Основной курс провести. Она подходит.

— Я, — говорит, — вас всех сегодня хочу пригласить на чай в **свою квартиру**. Но вы все не разместитесь там, потому что она маленькая. Я, — говорит, — эту квартиру **купила**.

И еще она сказала:

— Я, когда пришла сюда, у меня денег не было. На сегодняшний день я живу в своей квартире. Однокомнатная, хоть маленькая, но своя.

Вот эту свою историю рассказала. Почти все в зале плакали.

Я понимаю, для многих из вас это может показаться... ну, слишком маленькое достижение. Мелочь какая-то. Но учтите возраст. Учтите, что у нее не было ни одной копейки лишней. Учтите сложившуюся жизнь, сложившийся характер. И она смогла достичь!

Для меня, например, сотни миллионов долларов некоторых моих учеников ломаной монеты не стоят перед ее однокомнатной квартирой. Почему с такой гордостью говорю? Я, как педагог, горжусь такими выпускниками. Понимаете?

Сообразительный
СОБУТЫЛЬНИК

Несколько лет назад я часто выезжал в другие города для проведения занятий. Однажды в очередной поездке меня встречает у трапа кортеж машин. Мужчина элегантной внешности подходит ко мне, здоровается и просит час для короткой экскурсии. Думаю: «Кто такие? Что за честь мне оказывают? Почему сразу какие-то экскурсии?».

А потом решил: «Время как раз есть. Чем торчать в гостинице до завтрашней встречи с группой, погуляю с ним». Говорю: «Ладно, поехали!».

Мы приехали в супермаркет. Хочу сказать, магазин очень неплохой, рассчитан на богатых клиентов.

Идем по магазину. Он, окидывая все взглядом, с таинственным видом сообщает: «Этот магазин мой».

Выходим на улицу, переходим дорогу, заходим в другой магазин. Там опять: «Этот магазин мой». В третьем магазине, где находились самые дорогие спиртные напитки, кофе, табак и прочее, снова: «Этот магазин мой».

Тут я окончательно убедился, что передо мной «новый русский», спятивший с ума от своего внезапного богатства.

«Ну, блин, — думаю, — влип! Что ты кичишься своим богатством, придурок!? Тем богачам, с которыми я не сел за один стол, потому что уж очень примитивные, ты даже в подметки не годишься!».

Для меня богатство не имеет значения, потому что я через это прошел. Главное, какой человек.

А в ресторане он уже довел меня до полного бешенства. Как попугай: «это мое», «это мое», «это мое»...

«Ну, — думаю, — твою мать... Может, мой кулак тоже принадлежит твоей морде?!».

Последняя его выходка меня окончательно добила.

Заходим в большой зал. В середине огромный стол. Чего там только нет! Сидят люди, явно кого-то ждут. Оказалось, нас.

Этот попугай подводит меня к одной даме: «Это моя собственная жена, на которой я заново женился».

Как будто жена может быть общественной! Впрочем... Потом показывает на двух мальчиков: «Это мои собственные дети, для которых я заново родился». И все «мое, мое, мое»! Ну, не мое же, е-мое!

Хотя как знать...

У него еще и мания величия. Взял слово и произносит тост в мою честь: «Благодаря Вам...». И вот тут у меня вначале возникло недоумение, потом интерес, а затем глубокий стыд за свои мысли. Боже мой! Он же феномен, который, как феникс, заново возродил себя в рекордный срок!

Оказывается, этот человек лет семь тому назад жил в операторской у своего друга-собутыльника, тогда заведовавшего у нас динамиками и микрофонами.

Постоянно там собирались компании и устраивали себе, вежливо говоря, праздник. В эту помойку войти было невозможно — вонь, грязь, полно консервных банок, набитых окурками, засаленная одежда, объедки, немытая посуда.

Мы просили администрацию навести там порядок. Реакции — никакой.

Моему герою тогда негде было жить. Он, оказывается, пропил все и, попросту говоря, стал бомжем. Нашел своего друга-алкаша и поселился в этой каморке. Проводил время — от похмелья до похмелья — уже в компании единомышленника. Открывал мутные глаза, чтоб отыскать бутылку и стакан.

Однажды его друг так надрался, что нашему герою пришлось за него поработать. Потом это стало повторяться все чаще и чаще.

Волей-неволей он начал прислушиваться, следить за ходом занятия. Постепенно у него проснулся интерес. Стал даже пробовать кое-какие упражнения на себе. Так он втянулся и, по его словам, ждал уже каждого следующего моего приезда.

Так продолжалось примерно год. За это время интерес к водке пропал — как отрезало. Теперь уже он занимался тайком от всех, но **сознательно**.

Что из этого вышло, вы уже поняли.

О чем думает
ЖЕНЩИНА,
во время
«политзанятия»
лежа на спине

А при чем тут интуиция? Не кажется вам, что мы ушли куда-то в сторону?

Нет, никуда мы не ушли. Я показал вам путь к интуиции. Начало этого пути. Показал, как активизировать вашу шишковидную железу. Показал, как пробудить вашу способность мыслить путем озарения.

Для чего нужна эта активизация?

Зачем вы печку топите? Для того, чтобы что-то делать: обогреть дом или что-то сварить... Хотя у многих печки, конечно, уже нету. Хотя бы в кино-то видели? Ну, хорошо! Газовую плиту вы зажигаете? Тоже нет?

А-а, я забыл — вы же рабочие лошади. Лошади готовить не умеют. Ну, разве не так? Где вы видели, чтобы лошадь на своем сеновале что-то готовила? Там же все сгорит.

Пошли дальше. О чем я говорил? Об улучшении памяти. Или об оргазме, который у вас в голове? О, это вы помните!

Вот этот экстаз, который вы будете создавать, это состояние высочайшего удовольствия и есть фон. Только фон! Это — чистая скатерть на столе.

Именно в этом состоянии вы задаете себе нужную программу, навязываете себе программу. Именно навязывание!

Зачем это нужно?

Внимание! Для осознанного управления неосознаваемыми процессами. Для осознанного навязывания себе нужных черт характера, нужных своих способностей.

Во время этого упражнения мы будем тренировать в себе нужные качества и способности, навязывать их и шлифовать.

Всё-е-е-е!!!

А если уберем это состояние экстаза, что произойдет? Вы думаете: «Медленнее пойдет»? Не-ет. Вообще ничего не пойдет!

Почему «ничего»? Потому что если во время Октавы вы будете думать о том, как бы картошка не подгорела, или о том, что вам завтра сдавать балансовый отчет, то будет, как в том анекдоте, который вы все знаете.

— О чем думает женщина, занимаясь сексом лежа на спине?

— О ремонте потолка.

А вы хотели что-то умное от меня услышать? Ошиблись!

А экстаз — это когда **нет никаких мыслей**, а есть чувства и стремления. Высоченное ощущение! Высоченное до того, что в этом состоянии время останавливается. Именно в этом состоянии зкладывается основа основ — те черты характера, которые вам нужны, чтобы стать победителем.

Да, парадокс: для восстановления функции полноценного мышления нужно научиться отключать мышление. Как раз во время состояний экстаза оно и отключается.

Вы во время оргазма о чем думаете? А думаете ли о чем-нибудь вообще? Ни о чем не думаете, вы согласны? Потому что вы чувствуете! А мыслей нет. Пустота.

Вот в эту пустоту и ляжет фундаментом ваша цель, ваше знание, что так есть. Это и называется «перепрограммирование».

Что это даст?

Обратите внимание, какие прекрасные, какие щемящие до боли слова: «Что дают?». Что я получу за свой труд, если свои же глаза открою?

Что даст? Если скажу: решение всех вопросов — это будет преувеличением. Слишком большим преувеличением.

Но если скажу: решение не всех вопросов — это будет преуменьшение. Понимаете?

Это своего рода заготовка, тропиночка к истине внутри себя.

ЭТО
в нас вложено _____

*Я умею
говорить «гав».
А вы?*

Dля чего мы с вами работаем над собой? Для чего сейчас тренируемся? Для чего очищаем себя путем прощения?

Для того, чтоб облегчить два своих грузных, обвисших, как курдюк, полушария. Согласны?

Ну да, мы же хотим, чтоб наши добрые, светлые желания и стремления исполнялись. А для этого придется приподнять свои изящные курдюки с кресла.

А что, если каждое полушарие заполнено ограничениями размером примерно с футбольный стадион? Шансы двигаться в нужном направлении есть? Ваше мнение? Маловато?!

А нам нужно добраться до скрытого в нас могущества и активизировать для этого надо не только интуицию. Нужно распознать себя в более широком диапазоне.

Вот интересный вопрос, волнующий многих двуногих в период скуки!

Как вы думаете, вы умеете левитировать? Ой, кажется, очень умно выразился. Короче говоря, летать умеете?

Вот голова, точно, умеет. Когда вы опираетесь на пятку, голова левитирует, когда опираетесь на голову — левитирует пятка. Значит, у нас всегда что-нибудь левитирует.

Вывод: если на что-то опираться всем телом, душой, духом, разумом и совершать какие-то хитрые манипуляции, неизвестные другим, вы можете взлететь, как пробка от блохи.

Всякая информация о том, что человек умеет левитировать — бред! Просто бред! Вы согласны? Ни больше, ни меньше.

Я тоже, точно так же, как вы в данный момент, на всякого человека, который говорил, что это возможно, всегда смотрел как на больного. До тех пор, пока жизнь не столкнула с одним случаем.

Знаете, почему я не могу левитировать? Да потому, что у меня есть умище, а в нем знание о том, что этого не может быть, потому что не может быть никогда по законам сегодняшней физики, которая в свое время точно знала, что полет в космос — это бред собачий.

А вот та бабулька, которая однажды с этим делом загнала меня в угол, наверняка этих законов не знала. И по физике у нее, как пить дать, двойка была. Ну, бывают же такие ненормальные!

Если сейчас кто-то из нас усилием воли оторвется от земли, что это значит? Значит, эта способность в вас тоже вложена. В каждого из нас! Значит, эта способность и у вас есть, глубоко почитаемый читатель!

Вот, например, я умею говорить «гав», а вы можете это повторить. Значит, эта способность у каждого из нас есть. А если вы никогда не слышали этот «гав»? Значит, «не может быть»?

Это — принцип обычных людей — мой, ваш. Он работает в зонах, где мы себя не знаем. Отвергать — самый оптимальный вариант. Отвергли... Это наши мозги размером со стадион отдыхают, удобно расположившись в кресле.

Вот один случай расскажу.

Много лет назад проводил оздоровительные занятия в одной из многочисленных столиц нашей необъятной родины.

Представьте: аудитория на девятьсот мест, заполненная до отказа. Пятый или шестой день занятий.

Один из элементов занятий для развития фантазии — упражнение «воображаемый полет», где слушатели, закрыв глаза, фантазируют на тему полета. Летать-то не всем хочется, но во время этого упражнения приходится.

И вот, закрыв глаза, сам мысленно летаю, кайфую, свои фантазии перевожу в слова, говорю в микрофон. Сидящие в зале тоже мысленно летают, глаза у них тоже закрыты. Одним словом, групповой полет или групповуха в полете.

Вдруг! Кто-то трясет меня за плечо. Вздрогнув, с яростью оборачиваюсь: как это так, прямо во время полета, то есть работы... отвлекают.

Мой ассистент такой бледный стоит, одной рукой меня трясет за плечо, а другой в зал тычет, неотрывно уставившись на что-то. И глаза у него такие... Не иначе, кто-то умер. Испуганно смотрю в том направлении. О, Боже!!! Неужели?

Продолжаю бубнить в микрофон, сам не помню чего, наверное, что-то на тему полета.

Оказалось, там старушка, лет семидесяти, удобно, расслабленно сидит в кресле, руки на подлокотниках... Только кресло на три метра ниже, а сама она висит в воздухе.

Сначала с испугу хотел остановить занятие, но если она с трех метров грохнется людям на головы?! Если упадет?!

Кости-то у нее в этом возрасте хрупкие!

За это время она успела немножко отлететь в сторону от своего законного аэродрома, то есть кресла.

Продолжаю бормотать: «Летим над луга-ами, среди облако-ов и прочая, и прочая...», а сам лихорадочно думаю, как ее вернуть на посадочную полосу, как организовать ей посадку.

Закрыв руками микрофон, шепчу своим ассистентам:

— Бегом туда! Как-нибудь, что-нибудь сделайте, но только так, чтобы она не очнулась! И как-то притяните ее... Вы что, уснули, что ли? Проснитесь же! Быстрее! Какого хрена на меня уставились? Это не сон! Заводите мозги! Быстро! Марш!

Они, очутившись около нее, обнаружили, что стоят под ней, а дотянуться не могут.

Мои помощники быстро к указке приделали крючок из алюминиевой проволоки и эту бабусю пытаются притянуть к посадочному месту, а я продолжаю без остановки лопотать в микрофон.

Это был самый длиннющий полет в упражнении, какой когда-либо удалось пережить. Вместо двадцати минут почти час летали. Весь зал сидит с закрытыми глазами. Если глаза откроют, пол-зала с ума сойдет в самом прямом смысле! Представляете, какой шок?!

Пока крючок делали, легкий сквознячок в зале эту старушку еще дальше отнес. И она, как паутинка, начала свое путешествие по залу. Гонялись за ней, гонялись, и в конце концов мы ее поймали за каблук.

Осторо-ожно, потихо-оньку, шаг за шагом, очень медленно ассистенты начали ее перемещать в сторону кресла. Заметил, что уже в третий раз заставляю группу то под водопадом купаться, то по лугам бегать. У людей уже насморк начался, а мы все летим, летим навстречу грозе...

Как воздушный шарик за веревочку, доставили эту бабулю до ее места, прихватив крючком на указке за край платья, и осторожно подтянули к креслу. Наконец еле-еле посадили!

На этом занятие закончилось, потому что дальше уже никто работать не мог. До утра потом сидели, обсуждали.

И теперь, если какой-нибудь высоконаучный ум скажет, что человек усилием воли не может от земли оторваться, какие бы научные степени он ни имел, сразу ставлю диагноз: осел в последней стадии старости.

Дорогие мои! Это реальный случай! Хотя проводил тысячи таких упражнений — никто не летал, а она полетела.

Мы потом с этой бабулькой говорили. Когда я рассказал ей, как она летала, она не поверила! Сама она в тот момент ничего такого не чувствовала. А когда попытались повторить полет, у нас ничего не вышло.

Видимо, вот этот первый ее порыв, первое чистое желание дало такой результат. Но что интересно, после этого случая она полностью выздоровела от всех своих болячек, и что самое интересное, у нее произошло чудо омоложения.

После всего этого каково должно быть наше мнение о наших возможностях?

Значит, это в каждого из нас вложено!!!

Теперь маленький намек для вас. Вы можете сами себе смастерить «наставника», который научит вас левитировать: как учиться, что напрягать, что подключать, в какое состояние входить. Этот наставник — весы.

Делаете себе весы, чтоб они показывали граммы... Нет, не килограммы и не тонны, уважаемые дамы, а граммы, чтоб на них можно было лежать и видеть перед глазами шкалу делений.

Постепенно, лежа на этих весах, начинайте перебирать и различать в себе разные желания взлететь. Ищите какое-то внутреннее состояние, при котором ваш вес — вы увидите — вдруг начнет уменьшаться.

Играючи в течение нескольких месяцев, занимаясь по полчаса в день, любой из вас может научиться килограмм на десять—пятнадцать свой вес уменьшать. Эти весы — наставник, индикатор. Они показывают, как правильно себя настроить, чтобы научиться левитировать. Даете желание и смотрите: если все правильно делаете, стрелка ползет к нулю. Вот так.

Значит, первое домашнее задание. Если хотите распознать внутри себя сверхмогущество, возьмите в учителя весы.

После технического оснащения своего дома приступайте к упражнениям. Не менее трех раз по пятнадцать минут в неделю.

Знаю, уважаемые читатели, сейчас вы полны желания тут же приступить к выполнению задания. Но знаю также, что вы все равно никогда не станете этим заниматься. Ведь надо сначала весы подобрать, потом каждый день тренироваться, что-то там непонятное в себе искать. И все это вы отложите на потом, которого не будет никогда.

Места СИЛЫ _____

А теперь расскажу вам, что могут высшие Мастера. Каждую пятницу они должны собираться на пятиминутку в определенных общеизвестных местах, как у врачей принято.

Каким образом, находясь в разных точках земного шара, они в определенные дни собираются в местах для обмена опытом? Как вы думаете?

За счет каких своих навыков они умудряются быть в двух-трех местах **одновременно?**

Почему для них знание того, что **будет происходить** завтра — обычное явление?

Откуда они черпают эти **силы и возможности**, во много раз превосходящие силы и возможности обычного человека?

На Земле существуют так называемые места силы. Наставники тысячелетиями пользуются ими, интуитивно отыскивая подобные оазисы, где сконцентрирована естественная и чистая энергия Земли.

Применяя эту силу, Мастера активизируют спящие участки мозга.

Что это за сила?

Бывают природные родники, которые накапливают, аккумулируют распыленные в окружающем мире, в пространстве, в воздухе и под землей частицы силы. У китайцев она называется «ци». У суфиев это называется «барака» — «благодать». Очень часто такие очаги силы связаны с родниками целебной воды.

Другие источники, очень мощные, встречаются на вершинах гор, хотя и не всяких.

Редкое сочетание геометрических и геологических особенностей горной местности приводит к вертикальному выбросу энергии. Гора в этом случае играет роль фокусирующей линзы, которая направляет силу в одну точку. Эти вулканы силы образуются только в устоявшихся горных массивах.

Не путать с действующими вулканами! Там возникают крайне опасные, разрушительные, неуправляемые силы. Мастера их тоже используют, но очень редко и крайне неохотно.

Этими грязными, ядовитыми источниками пользуются только в случаях крайней необходимости, когда поблизости нет никаких других. Их используют при решении вопросов жизни и смерти, сознавая всю степень риска. На такой риск могут пойти только высшие Мастера.

Следующий источник силы — самый желанный, самый изысканный, самый благодатный, потому что притягивает как очень чистых, так и кое-кого с не слишком чистыми намерениями. Эти места невозможно точно определить словами...

Хотите — назовем это «воротами в другое измерение». Хотите — скажем «тоннель между мирами» или «транспортер», «подъемник» — как хотите.

Между прочим, название «лампа Аладдина» тоже подходит. Только роль доброго джинна здесь отведена вам.

Больше всего этим местам, на мой взгляд, подходит название «Портал в Академию при аппарате Всевышнего». Извините, шутка не к месту!

Но наши с вами нынешние занятия проходят еще очень далеко от мест силы.

Об этом более подробно расскажу в книге под рабочим названием «Секреты кузькиной бабушки, или Азбука к тайным знаниям».

Думаю, на этом блиц-экскурсия к местам силы окончена. Идем дальше.

P.S. Э, нет! Предлагаем вам, дорогие читатели, небольшой привал. У нас в загашнике есть кое-что интересное о местах силы и о том, какие возможности там проявляются.

Вот что рассказывали ученики Мирзакарима Санакуловича после одной из поездок в Узбекистан.

К тому месту добирались долго и трудно. От Москвы до Ташкента лету четыре часа, потом около пяти часов на машине, еще около трех часов стояли на границе.

Фургон, где нас было десять человек, качало из стороны в сторону, как пустую кубышку. Качало от ураганного ветра, дувшего с гор. Стоять было невозможно, ветер пронзительный, со свистом, валил с ног.

Когда прибыли на место, было уже темно. Мы сразу зашли в дом.

По дороге к месту силы Мирзакарим сказал:

— Ребята, вот мы с вами столько занимались, тренировались. Теперь у вас есть шанс попробовать свои силы, реально узнать ваши новые возможности.

Вне того места я — обычный человек, не сильнее слесаря. Но там достигаю пика своих возможностей, своей высшей силы. То же ждет вас в будущем. При случае постараюсь показать вам ваши будущие возможности.

У любого человека, который там оказывается, активизируются некоторые его способности, словно к мозгу добавляется лишняя пара рук и ног, плюс карьерный самосвал!

Будьте начеку! Есть опасность, потому что здесь очень быстро начинается материализация ваших мыслей и желаний.

Но этот ураганный ветер сводил на нет все наши замыслы. Пропадал весь смысл нашей поездки. Ведь для того, чтобы почувствовать эту силу, нам надо было хоть какое-то время провести на улице, посидеть, а лучше переночевать на грубом деревянном помосте под простым навесом. Как раз над тем местом, где фонтан силы выходит на поверхность земли, образуя своего рода энергетический «гейзер».

Мирзакарим Санакулович обратился к старцу — хранителю того места:

— Люди столько дней добирались. Специально сюда приехали, чтобы переночевать на улице, но как быть с ветром?

Старейшина ответил:

— Вмешательства в дела природы у нас не приветствуются. Приспосабливать окружающий мир к своим желаниям — это не задача для отрешенных.

На Востоке отец — самый почитаемый, самый уважаемый человек. Отца на Востоке боготворят! Но тем не менее у нас есть пословица: «Гость в доме более почитаем, чем отец».

Водитель переводил нам кое-что из их разговора. Оказывается, наш Учитель просил своего Наставника остановить ветер. А старец ему отвечает:

— Конечно, когда ишак рядом, зачем пешком ходить? Тебе надо, ты и останавливай!

Мы сидим в доме, только освоились за дастарханом (накрытым столом), еще не успели согреться.

Мирзакарим вышел и почти сразу вернулся. Вошел, сел и как-то странно улыбается, видно, что доволен. И тут мы заметили: что-то изменилось. Гул ветра, сопровождавший нас последние часа три, стих. На нас опустилась необыкновенная, благостная тишина. Полный штиль.

Прошло примерно полторы минуты.

Мастер говорит Мирзакариму:

— Ты что так грубо работаешь?! Пару таких глупцов-недоучек, и мой сад погибнет! Я останусь без урожая!

И действительно, от резкой остановки ветра в саду по деревьям пошел треск.

Он стал оправдываться:

— Вам-то легко говорить, Вы здесь каждый день пользуетесь потоком, а я давно за руль не садился. Ну, не рассчитал и газанул, потому что захлебнулся.

Сердце с Богом, руки в труде

ЕСТЬ ТЫСЯЧИ, сотни тысяч, миллионы путей, которые ведут к одной цели. Свои тайные школы существуют во многих направлениях: в иудаизме и в христианстве, в буддизме и в исламе и еще многие-многие разные школы. Каждая из них по-своему прекрасна, каждая из них несет истину.

С глубоким поклоном, с великим уважением отношусь ко всем Мастерам этих путей. Я тоже выбираю для себя свой. И даже на этом пути есть свои разновидности, свои направления, свои школы.

Одна из них — школа Накшбанди. Ее суть отражается в основном принципе: «Сердце с Богом, руки в труде».

Это означает, что, стремясь к высокой цели, человек должен в миру жить обычной естественной жизнью. Путь великого Накшбанди не обязывает человека надевать специальные одежды и соблюдать какие-то ритуалы. Главное — не атрибуты, не внешняя форма. Главное — суть!

Господь дал нам желание пить, дал нам желание есть. Все желания, которые Господь нам дал, дал именно Он! И задача заключается в том, чтобы научиться всегда внутренне оставаться свободным.

Встретились два дервиша и решили найти Наставника, чтобы он научил их перемещаться в пространстве, научил их левитации, научил их из первозданного света создавать материю. Они пошли в одном рубище пешком искать Мастера, отрешившись от всего суетного.

Шли год. Дошли до города, где жил один великий Мастер. Когда увидели, что он живет в огромном дворце, где тысячи и тысячи слуг обслуживают его, один из дервишей сказал:

— Чтобы идти этим путем, я отрекся от трона. Как он может быть Мастером, приближенным Господа Бога по могуществу и состоянию души, если живет в такой роскоши?! Я не могу признать в нем Наставника, потому что его дворец лучше, чем был у меня.

И пошли они в другой город, где жил не менее известный Мастер.

Шли сорок дней и ночей. Пришли в лачугу с кривыми стенами. Когда постучали, дверь открыл седобородый старик. Он встретил их со слезами на глазах:

— Эх вы, эх вы! Эти сорок дней, что вы идете ко мне, я сижу в слезах и печали. Вы отвергли моего Наставника и теперь пришли ко мне.

— Как?! Это Вы — Мастер! Вы — отрешенный! Вас знает весь мир! Когда мы увидели Ваше жилище, мы поняли, что Вы — настоящий отрешенный: глиняный кувшин, убогое убранство....

— Мне не на что вас посадить. Но...

Он сделал взмах рукой, и появился стол, накрытый яствами. Второй взмах — и появился дворец.

— Садитесь. Если я каждый день буду находиться среди этой роскоши, то не смогу сохранять состояние отрешенности. А мой Наставник, находясь среди роскоши, среди богатства, владея всем этим, остается вместе с Богом. На него это не влияет, а на меня влияет, так что идите обратно.

Понятно, что такое отрешенность?

Мастера не привязаны к телесным потребностям, как вы, дорогие мои желудочно-кишечные тракты, но ни в коем случае не являются аскетами.

Они обладают Властью, Знанием, Могуществом, Любовью, Богатством и при этом не забывают о простых сторонах жизни. Им глубоко наплевать, кем работать, потому что все они достигли отрешенности! Среди них можно встретить врачей, торговцев, министров или мусорщиков.

Вот, например, на днях я познакомился с легендарным суфийским шейхом из одной европейской страны. Он обыкновенный ученый с обычной внешностью, в скромной одежде.

Первый раз
в первый класс _____

Вам интересно, чего реально достигают Мастера путем тренировок?

Тогда расскажу вам о нашей школе.

Когда я первый раз приехал туда, меня привели в небольшую комнату и сказали:

— Сейчас идет занятие. Посиди, посмотри, потому что тебе тоже придется освоить это.

Внешне здание школы очень невзрачное. Оно специально построено так, чтобы не привлекать лишнего внимания со стороны. Но тренировочные залы внутри уходят в глубь скал. Эти залы существуют уже много-много столетий.

Зашел. Тренирующихся было человек двадцать. У всех, кроме инструктора, глаза закрыты, и все делают какие-то синхронные движения: поднима-а-ют руки, опуска-а-ют руки и ногами разные движения делают.

Чтобы не терять времени, я начал запоминать: правую руку поднима-а-аем, левую руку поднима-а-аем, теперь сюда, сюда, сюда...

Через две минуты появилось сомнение, а через пятнадцать минут я понял: для того, чтобы запомнить это, нужно полгода.

А посидев еще немного на занятии, пришел к окончательному выводу: никогда в жизни мне этого не запомнить!

Через час я впал в состояние глубокой депрессии, в отчаяние, потому что там тысячи движений, которые идут без остановки и почти не повторяются. Чтобы запоминать последовательность, нужно иметь память гения! Это был кошмар!

А пото-о-м узнал!

Оказывается, все они делали эти движения впервые в жизни! Это была са-а-мая простая, са-а-мая примитивная тренировка способности чувствовать тело другого человека. Это было упражнение на восстановление ощущения другого тела для того, чтобы потом научиться настраиваться на чувства другого человека, обмениваться информацией и т. д.

Наставник сказал:

— Доверься мне. Вначале научись доверять свое тело. Доверь мне обе руки. Отдаешь мне свои руки?

Ничего не понимая, я сказал:

— Отдаю.

— Тогда сиди, — дал задание Наставник, — просто наблюдай за руками.

И вдруг моя рука помимо моей воли начала подниматься!

А в душе появилось ощущение такой наполненности, такого блаженства, что никаких слов не хватит описать!

У нас в сознании есть участок, который и в радости, и в печали, и в тревоге, и в страхе всегда остается цельным, незыблемым, безучастным, спокойным. Вы там всегда один. Его трудно описать — можно только почувствовать.

И представьте: в тот момент вдруг впервые я ощутил, что там, глубоко внутри, как будто со скрипом разошлись стены и участок, который постоянно находился в темнице моей души, вдруг заполнился нежностью, любовью, чувством защищенности, ощущением безграничного счастья.

Это похоже на то, как будто вы вырвались из темницы на свет и оказались на высоченном холме. Перед вами открылись небо, леса, горы, моря, бескрайние весенние поля, которых раньше в той темноте я просто не видел. Понимаете? Это ни с чем не сравнимое чувство свободы, гармонии, совершенства!

И потом, когда после тренировки я вышел на улицу, — а там горы, прохладный ветер — чувствую, что-то холодно. Смотрю, а у меня вся футболка спереди и даже джинсы — мокрые. Оказывается, я в этом состоянии плакал от счастья!

Представляете, что значит после долгих лет скитаний вернуться домой, когда из каждого уголочка души доносится вселенский крик восторга:

— До-о-ма! Наконец-то Д-О-М-А!!!

Значит, постепенно тренируясь, можно научиться передавать чувства другому человеку точно так же, как перчатке передаются все движения руки. Но главное — во имя чего вы будете развивать эту способность!

В нашей школе обучение построено таким образом, что вы можете овладеть необходимыми навыками только во имя любви, добра, света, поэтому и я могу вас направить только по Пути Света!

ХОРОШИЕ
люди есть везде_____
В уголовном розыске тоже!

В свое время, когда приходилось работать тренером по каратэ, познакомился я с одним интересным человеком. И постепенно, как-то незаметно наши тренировки перешли на другой уровень.

Со временем узнал, что он работает старшим следователем уголовного розыска. Что меня еще больше удивило: такая высокая образованность и высокая духовность, и на тебе — полицейский!

Благодаря ему мое отрицательное мнение о копах изменилось так, что сам чуть не стал его коллегой.

По его просьбе несколько раз приходил к нему на работу — проконсультировать, проверить его чувствительность.

Он был единственным человеком в отделении, который каждого старался понять, почувствовать. В каждом преступнике он видел прежде всего личность, которой надо помочь распутаться, разобраться в себе.

И когда именно его, одного из всего отделения, отправили на войну в Афганистан, я был потрясен! Одного его из всех и... Он погиб! А он был единственным сыном у своих родителей, единственным кормильцем семьи! Почему так в жизни происходит?! Это для меня до сих пор загадка!

Перед его отъездом долго спорили, ругались, чуть не до драки дело дошло. Он тоже знал, что погибнет, но все-таки поехал.

Но я немного отвлекся, я ведь хотел рассказать о Наставнике. Так что...

В то время, когда я познакомился с тем человеком, он, несмотря на зрелый возраст, все еще был капитаном.

Как-то мы разговорились, и он спросил, кто я, что я, откуда родом, кто мой Наставник. Услышав ответ, аж подпрыгнул:

— Твою мать! Из-за твоего Наставника я до сих пор в капитанах хожу! Из-за него я всю свою судьбу исковеркал. Уйди от меня подальше. Не трогай меня! Даже не думай близко ко мне подходить!

Мне стало очень интересно, что же произошло?

Он, оказывается, раньше работал в КГБ, и его вместе со всеми, кто с ним работал, отстранили в связи с тем случаем. И он после этого, оказывается, пошел в милицию.

Мой Наставник, английский дипломат узбекского происхождения, в возрасте девяноста пяти лет решил вернуться на родину, чтобы его кости легли рядом с прахом его предков.

Когда ему стало скучно, он собрал соседских детей и стал их обучать арабскому языку. Какой-то добрый человек написал в КГБ донос, что он распространяет религию. За ним приехали и забрали.

Этот капитан милиции тогда был молодым специалистом КГБ. Оказывается, им было приказано: «Приведите его, напугайте, сутки держите, а потом отпустите. Старик все-таки!». Ну и привезли.

— Я, — говорит, — тогда был дежурным.

Побеседовали со стариком и посадили его в камеру.

— Мне, — говорит, — стыдно было, но приказ есть приказ. Начальник сказал:

— Отнеси старику чашку чая, чтобы он не умер.

— Я, — говорит, — вскипятил, иду, смотрю... Батюшки! В камере не только никого нет — задняя стена повалена, просто лежит! И, что самое неприятное, за этой поваленной стеной идет огромная свадьба на тысячу человек. Самые знаменитые в республике артисты поют, и дед среди них сидит. Я не знал, что делать. Подойти? А там знаменитости...

Я — бегом назад к замначальника: «Товарищ начальник! Там стена свалилась, а задержанный сидит среди таких-то артистов».

Услышав фамилии артистов, начальник тоже переполошился. И все толпой через дверь камеры, через упавшую стену выбежали туда.

Там, оказывается, хозяин свадьбы стоял:

— Проходите, проходите!

Нас пригласили за стол. По восточным обычаям отказываться нельзя. Смотрим, а там дед сидит на топчане среди гостей. Мы ему знаками показываем, мол, давай обратно... А он будто и не видит.

И тогда начальник приказал:

— Отправь сообщение в областное управление.

А потом распорядился отвезти его домой. Подошли, и он говорит:

— Дед, мы отвезем вас домой.

— Да нет, сынок, артисты хотят меня отвезти.

— Да нет, мы сами отвезем.

Ну и отвезли его домой. Вернулись.

Начальник:

— Быстренько... если свадьба закончилась, поднимите стену. Чтобы к утру она была на месте!

— Я, — говорит капитан, — взял из соседнего вытрезвителя алконавтов, ну, которые керосинят. Привел, камеру открываю, говорю им: «Вот сейчас срочно завал разобрать!...».

Вхожу с ними, смотрю — а стена стоит!!! Все стены на месте! Опять иду к шефу:

— Начальник! Стена на месте!

Все опять прибежали. Стена метровая, обвалиться никак не может.

— Давайте, — говорит, — посмотрим оттуда. Наверное, свадьба закончилась.

Приходим. А там нет никакой свадьбы... Там гараж стоит, большой гараж автопарка!!! Никакой свадьбы в помине нет и быть не могло!

Вот вам!

Из-за этого всю их группу вместе с тем начальником из КГБ уволили.

Вы что-нибудь поняли? Что за упражнение-то надо выполнять? Если поняли, приступайте! Очень внимательно! По шесть-семь минут, как всегда, три раза в неделю.

Како-о-е? Не скажу!!!

Внимание!

ГРАНИЦА ХАОСА!

**Неподготовленному читателю
с ограниченным восприятием и без
необходимой экипировки проходить
опасно для понимания!**

**Переступая границу, вы сами отвечаете
за свои мысли и выводы!**

Как булыжник превратить в ПЫЛЬ _____

В одном месте в горах находится один из классов нашей школы. Вот уже в течение тридцати лет время от времени прихожу туда, чтобы немножко обновить свои чувства.

Для чего? Там, в горах, совсем другой мир! Когда я долго нахожусь среди «спящих» людей, то чувствую себя стоящим одновременно в двух лодках. Есть же такая пословица: «Кто стоит на двух лодках, всегда тонет». Вот время от времени у меня возникает такое состояние.

Там в горах Мастера собираются и проводят специальные тренировки — они тренируют свою способность менять материальный мир.

Что это такое?

Каждый раз там собираются двадцать три Мастера и один Наставник. Две группы по двенадцать человек.

В радиусе десяти-двенадцати километров от этогс места вы не найдете ни одного булыжника, ни одного камешка размером меньше кулака и больше куриного яйца. Почему? Потому что каждый мастер приносит с собой для тренировок по булыжнику.

В том месте громадный грот. И вниз почти на сто метров идет скала с отрицательным уклоном. Под ней находится обсидиановая тренировочная площадка, такая ро-овная, гла-адкая, как стекло. На ней круг диаметром, примерно, пятнадцать метров — такой ровный вал песка высотой около трех метров, как будто циркулем сделали.

Там очень сухо. Такое впечатление, что за последние сто тысяч лет и капли дождя не упало, из-за чего песок сохраняется в первозданном виде.

Когда я все это увидел, то подумал: как смогли привезти сюда столько песка? Автомобильной дороги нет, на десятки километров нет вообще никаких дорог. Только тропиночка по горам идет — туда можно добраться только на осле или на лошади.

Но когда мне показали, на что способны Мастера, то...

Они меня посадили на гранитную плиту, формой похожую на скамейку, и велели следить за тем, чтобы в определенный момент дать им команду и вовремя остановить тренировку.

Знаете, как на академической гребле? На корме сидит мальчик и кричит: «Ра-аз, два-а». Помните?

Вот это была моя задача.

Они встали в круг, в середине каждый положил свой булыжник, а мне сказали: «Когда камни начнут распадаться, остановишь». Я воспринял это, как шутку, поэтому даже не смотрел на камни.

И вот они начали постепе-е-енно делать движе-е-ения. Шаг в сторону, вперед, назад. Шаг в сторону, вперед, назад... Просто сиде-е-ел, смотре-е-ел, как на танцы аборигенов в Африке или в Австралии.

Через полчаса уже попа замерзла сидеть на камне. Потом поднялся ветер, захотелось укутаться. Думаю: «Сколько же можно ждать?!», — а когда ветер усилился, я открыл глаза. Оказывается, я уснул от скуки. Ну, чуть-чуть вздремнул, самую малость.

Стал искать, откуда задувает. Небо чистое, солнце светит, уже давно взошло, а ветер дует навстречу. Но оттуда он никак не может дуть, там карниз! Вдруг вижу, что булыжников нет. И ветер дует во все стороны одновременно от центра того места, и сверху воздух идет. Но больше всего меня удивило, что группы нет! Начал искать.

Что вижу? Они с закрытыми глазами медленно кружатся в воздухе на высоте трех-четырех метров, вся эта группа! Почти на одной высоте — один чуть выше, другой чуть ниже, но строго по кругу...

У меня челюсть отвисла, понимаете?

Когда все они входят в одно состояние, возникает как бы их внутреннее соединение друг с другом. Они тренируются достигать определенного состояния концентрации, пробуждать внутреннюю силу и направлять её на эти булыжники, которые прямо на глазах начинают таять, рассыпаться в песок.

Тренировка продолжается до тех пор, пока последний камень беззвучно не превратится в горку песка. Вот, оказывается, откуда взялся песчаный вал! А ведь это у них — только разминка. Когда разминка закончена, они переходят к внутренней тренировке, во время которой у них идет мощнейшее раскрытие внутренних способностей.

Вот тогда все мои взгляды, навязанные обществом слепых, обществом носителей телесного культа, как те самые камни, разлетелись в пух и прах, понимаете?

До-о-олго я потом не мог прийти в себя. Весь мир для меня тогда в очередной раз перевернулся!

Не хочу сказать, что стал кем-то другим, нет! Я остался тем, кем и был, но вместе с тем приобрел что-то новое, новый взгляд на жизнь, на реальность.

Все человеческие слабости, которые есть у вас: у меня, может быть, их еще больше! Но я для себя открыл другую реальность! Понимаете?!

Когда нас приняли в школу, наши Наставники взяли с нас слово: не стремиться к богатству, не стремиться к власти, не участвовать в политике, не принимать участия в войнах.

Другими словами, чтобы власть, богатство и т. п. не были самоцелью, чтобы не убивать живое, во имя жизни нужно внутренне отказаться от привязанностей, от слабостей и рабства. Только потом, став свободным, вы познаете в себе властелина. Это и есть состояние отречения, это и есть состояние могущества.

В мире не существует ничего более высокого, чем сама жизнь. И всем, что есть в тебе, нужно служить добру, жить во имя добра, только добра! Жить — во имя любви. Это одно из главных условий постижения силы.

«Сумасшедший» с двумя ведрами

Т еперь об одном ученике нашего Наставника. Кто бывал в Самарканде?

Если когда-нибудь еще туда поедете, спросите, был ли в начале 70-х годов в Самарканде такой святой — нищий с двумя ведрами? Это был один из старших учеников нашего Наставника, который... Ну, об этом позже.

Наш Наставник регулярно отправлял меня в Самарканд с целью найти его и под любым предлогом отвести в баню, чтобы его помыли, одели и накормили, особенно в зимнее время.

Искать его — сущий пустяк! Все равно, что иголку в стоге сена! Но со временем у меня появились навыки Шерлока Холмса, где и как его находить.

Он все время ходил с двумя оцинкованными ведрами и гремел булыжниками, которые там лежали, весь обросший, и зимой, и летом босиком, в одних полотняных штанах, когда-то белого цвета. Первый раз я поймал его в Старом городе, на рынке... Мне тогда было всего шестнадцать лет.

Ловить его всегда было целой эпопеей. Лучше очень коротко расскажу.

Идешь за ним, идешь, и, когда до него остается всего шагов десять, он за угол заворачивает и — раз! — исчезает. Он не любил баню!

Но иногда все-таки удавалось поймать его и уговорить выполнить некоторые просьбы Наставника. В таком случае удавалось его накормить и передать в руки банщика, который, в свою очередь, был мюридом, то есть учеником Наставника.

Время от времени у него проявлялось странное хобби состязаться в скорости передвижения с машинами.

И вот представьте: знойное лето, улица, горячий асфальт с исходящим от него маревом, полно машин.

Он пристает к водителям на автовокзале: «Давай наперегонки, кто быстрее?! Давай наперегонки!».

И, как правило, чтобы ему понравиться, они соглашались.

Водители, которые давно его знали, приходили в трепет от одного его появления. И каждый из них старался чем-то ему угодить, чтобы получить благословение для себя и своих близких.

И вот таксист уезжает. А он сначала рядом с машиной бежит, бежит, бежит, в руках два оцинкованных ведра с камушками — грохот стоит на всю улицу! Машина уходит вперед, и он постепенно убегает за нею.

Когда водитель приезжал в тот город, то из беседы с другими таксистами всегда выяснял одно и то же: старик давным-давно сидел в привокзальной чайхане в углу на матрасе и пил чай. Уставившись в угол, общался с невидимым собеседником.

Люди с благоговением подходили к нему и старались подсунуть под край скатерти немножко денег, чтобы дела их шли лучше. А он, уходя оттуда, даже никогда не заглядывал под скатерть, тем более деньги не забирал.

Хозяин чайханы всегда жаловался: «Как быть с этими деньгами? Они лежат в кулечке». И каждый раз, когда этот святой появлялся здесь, хозяин подсовывал ему прямо в руки этот кулек. А он, в свою очередь, первому, кто ему понравится, отдавал этот кулек и уходил, даже не оглядываясь. И эта история повторялась регулярно.

А вот другое его «развлечение».

Он заходил на базар, подходил к кому-нибудь из взрослых и говорил: «Что тебе подарить, нищий?».

Представьте себе: зима, мороз, снег и лед. К вам подходит босой человек, ноги изранены, весь обросший, грязный и говорит: «Что тебе подарить, нищий?». Что вы скажете?

На улице в вашем городе вот так подойдет и скажет: «Что тебе подарить?». Огрызнетесь: «Пшел вон!». Согласны? И ему тоже так говорили, те, которые его не знали. А вот кто его знал...

Расскажу первый случай, который оставил неизгладимое впечатление в моей памяти на всю жизнь.

Он пристал к крестьянину, который привез на рынок картошку:

— Что тебе подарить?

Тот, схватив его за руку, с радостной алчностью прощебетал:

— Ковер!!! Я хочу своей дочери в счет приданого ковер.

А чтобы вам было понятно, в то время в Советском Союзе был вечный дефицит всего.

Мой «преследуемый», которого я с твердым намерением собирался проводить в баню, берет одно ведро, вываливает камни в другое, пустое ставит на землю, а потом руку сует куда-то выше головы прямо в воздух.

Руку видно, но как-то смутно, как в легком тумане. И потом он прямо из воздуха бросает на прилавок с картошкой свернутый в рулон ковер метра три—три с половиной.

Картошка фонтаном разлетелась в разные стороны.

Вот, что меня до сих пор удивляет и умиляет: люди всегда воспринимали и воспринимают такие явления абсолютно спокойно, словно так и должно быть. Продолжают копаться в морковке, капусте, что-то выбирать, покупать, а на ковер, свалившийся с неба рядом, на расстоянии вытянутой руки, ноль внимания!

После этого он берет свое ведро, опять начинает эти булыжники перекладывать. Он всегда так делал.

И всегда говорил одно и то же: «На! Подавись своим желанием!».

А после этого всегда с ревом уходил. Горько плакал, просто навзрыд!

Если бы он хоть раз меня спросил: «Что ты хочешь?», — я тогда знал, что хотел, но ни разу не попросил!

А вот на сегодняшний день я знаю, что он опять бы заплакал от того, о чем я его попросил бы. И если бы сейчас он поинтересовался, что я хочу, то точно знаю, что и теперь, через двадцать лет, он опять заплакал бы.

Он обязательно заплакал бы от моих сегодняшних желаний! Почему? Потому что с каждым годом чу-у-точку начинаю понимать, о чем он тогда рыдал. Это действительно очень больно!

Если ту малость знаний, с которыми я соприкоснулся на сегодняшний день, сравнить с тем, чем овладел он, то для меня до сих пор остается почти загадкой, как он вообще остался в живых.

Он увидел мир в целостности, а не был к этому готов. От этого он с ума сошел, не выдержал. Он не был готов к этому. Человеку нужно постепенно, постепенно, постепенно, медленно готовиться к встрече с самой сутью, с истиной жизни.

И здесь, как говорил мой Наставник, человека ждет великое счастье и великая печаль. Если ученик не готов к озарению, он может не выдержать нахлынувшего океана знаний и эмоций.

Чтоб вам было легче понять, о чем говорил мой Наставник, в тысячи, тысячи, в миллионы раз упрощу.

Вот представьте себе, что вы всю жизнь жили в своей квартирке. Для вас основа — это пол, верх ограничивается потолком, горизонт начинается и заканчивается на стене.

Вы никогда не видели и не слышали, что за стенами что-то еще есть. Но в какой-то момент вы начинаете понимать, что настоящий мир не ограничивается мирком вашей квартиры, и вам становится тесно. И вы начинаете осознанно или неосознанно биться об эти стены в поисках свободы!

И вдруг одна из стен разваливается, и впервые в жизни вы видите, что вокруг вас Вселенная и вам нужно ее вместить, впитать в себя все могущество, все знания, все истины, всю доброту, любовь, красоту, гармонию, свет Вселенной.

Упрощу еще больше.

Вы знаете, что где-то живет племя пигмеев. Я сейчас вспомнил рассказ одного журналиста, который недолгое время находился среди этого народа. Однажды он уговорил их посмотреть ближайшие окрестности, находящиеся за лесом.

И когда они оказались в саванне, то пигмеи, показывая на жирафов, которые находились на расстоянии двести—триста метров, начали спрашивать:

— **А что это за букашки?**

Их сознание ограничивалось зарослями джунглей, и самое большое расстояние, которое они привыкли воспринимать, было расстояние до следующего дерева.

Именно поэтому огромные слон и жираф, находящиеся на непривычном для них отдалении, были букашками. Они не чувствовали, не могли оценить размер предмета, который на расстоянии уменьшается.

Во время озарения, когда начинаешь видеть мир целостно, даже у подготовленного ученика временно возникает боязнь высоты, широты, бескрайности.

И он, ученик моего Наставника, оказался именно в этом положении. Справедливости ради надо сказать, что он был готов к тренировкам, но пошел туда без разрешения и сопровождения старших.

Другими словами, в момент шока рядом с ним не было Наставника — успокаивающего, объясняющего, что это, образно говоря, не букашка, а просто предмет, находящийся на расстоянии, или что это не монстр, а просто-напросто муха, которая села на твой нос.

Увидев все добро, все бескрайности в своем величии и все зло в своем ничтожестве, человеческое сознание не готово это воспринять, понимаете? Для этого и существует Наставник, чтобы в тяжелые моменты можно было к нему прибежать, обнять за ноги и сказать: «А там под кроватью что-то есть!».

И чтобы он своими мозолистыми руками гладил по головушке и успокаивал: «Ма-а-ленький ты мой! Там всего-навсего тень от лампочки. И то, что тебя в тени пугает, это тень от бабочки, которая вокруг лампочки крутится». Для этого!..

И когда он плакал, он плакал именно оттого, что каждый раз, встречаясь с ничтожными желаниями обычных людей, он еще больше сходил с ума.

Однажды, когда приближался очередной банный день и я уже начал радостно готовиться к своей вылазке в город, Наставник сказал:

— Твоя поездка отменяется, потому что он ушел в путешествие по иным мирам! Я его живым, тем более мертвым в нашем мире не чувствую. Нашел все-таки, паршивец, «дверь», как мы ее ни прятали.

Все, что я сейчас сказал, для обычных ученых может показаться бредом. Я согласен с этими учеными и заранее хочу сказать на этой странице, что они правы!

И мы правы! Обе стороны абсолютно правы! И по ним, и по нам плачет психушка!

Так что вам подарить, нищий?!

Всем желаю ТАКОЙ смерти!

Мы часто говорим, что «это было», а «то будет». У Мастеров «было» и «будет» почти не встречаются. Они разговаривают о времени как о пространстве. В их разговорной речи понятие «человек умер» отсутствует. Для них нет понятия «смерть». И понятие «человек родился» — тоже отсутствует. Он просто «есть».

Они так разговаривают между собой:

— Вот, помнишь ушедшего Ахмеда? Он сегодня мне сказал... А этот Ахмед умер пятьдесят лет тому назад. Или:

— А вот, который придет, — то есть тот, кто еще не родился, — вот о-он, еще молодо-о-й, такой сыро-о-й, а она такая, такая и такая.

Друг с другом они это так обсуждают. Понятие «родившийся», понятие «умерший» у них специфические. Эти люди для них существуют реально. Они общаются с ними.

Потому что по одежде, то есть по телу, они не судят. По внешнему виду не судят, дорогие мои! Понимаете?

Уверяю вас, обычному человеку это понять трудновато.

Однажды мне позвонили и сказали: «Срочно приезжай. Послезавтра Наставник всех собирает». Мы собрались в назначенный день.

А у него было восемнадцать сыновей. Тогда было семнадцать, а через семь месяцев после его ухода родился младший. Между старшим и младшим сыном разница девяносто три года. Ну, не от одной жены, сами понимаете!

И вот, родственники, ученики и близкие съехались из разных городов и стран.

Дед в добром здравии, двухметровый старикан, наказал накрыть огромный П-образный стол во дворе. Мы, человек двести близких, за столом сидим.

Все его просто боготворили. Да и сейчас боготворят!

Он с каждым пообщался. Одному говоря:

— Помнишь, я тебе говорил, вот так-то у тебя будет? И как вышло?

Тот:

— Так и вышло, как Вы сказали.

Другому, третьему. И у каждого был случай, когда старик ему говорил, что с ним будет. И у всех вышло, как он сказал.

— Можете ли вы сейчас усомниться в моем уме?

Все дружно:

— Не-е-т! Что Вы?!

— Значит, так. Того, что сегодня происходит, и того, что завтра будет происходить, я каждому из вас желаю от всей души.

Сегодня за столом сидят почти все, кого я хотел увидеть на своих похоронах. Завтра в одиннадцать часов время, данное мне Всевышним, — так он сказал, — заканчивается. Жизнь заканчивается.

Наконец-то Господь разрешил мне вернуться. Господь забирает меня. К тому завтрашнему дню я пятьдесят лет готовлюсь. Не думайте, что старик от старости мозги свои съел, — я в своем уме. Чтобы завтра вас не утруждать, я хочу сегодня с вами за столом посидеть.

Ну, я-то уже более-менее был готов к этому, чуточку знал, что так и будет, и что примерно в это время. А многие-то его родственники — обычные нормальные люди. И ка-а-к бы он ни доказывал...

Стол был шикарным. Музыканты. Застолье, что надо! Но чуточку было такое чувство — сами понимаете. Люди шептались, что дед, мол, тронулся, но раз застолье сделал — не пропадать же добру!

На следующий день кто-то все равно уехал.

Часов в одиннадцать опять сели за стол. Позавтракали. Он пришел с другого конца поселка — там, оказывается, какая-то недоделанная работа у него осталась.

Зашел, посмотрел на нас с улыбкой. Улыбка с грустью.

261

Говорит:

— Ну что, заждались? Не волнуйтесь, все будет вовремя.

Сел. Сыновья стоят. Он посиде-е-л, посмотре-е-л в небеса, посмотре-е-л на нас, еще раз в небеса.

Последние его слова были:

— Э-эх, жизнь — проститутка! Все равно тобой не насытишься.

И все. Ушел. Прислонился к рукам своих детей и просто ушел.

Каждому из вас желаю, когда придет время, уйти так!

Почувствуйте РАЗНИЦУ!

И нтуиция, интуиция, интуиция... Вы уже все про нее знаете, согласны?

А если я спрошу еще раз: зачем она нужна?

Когда шестое чувство подключается к обычным пяти, они все вместе создают седьмое чувство. Это седьмое чувство называется у Мастеров «нужное состояние», которое поможет постичь свет, исходящий от лика Всевышнего.

Хорошо, сейчас еще раз объясню по-колхозному. У человека, обладающего шестью чувствами, почти автоматически запускается седьмое чувство.

P.S. *Слышали: «почти автоматически». Почти! Мирзакарим опять что-то скрывает!*

Седьмое чувство — что это такое?

Шестое чувство позволяет правильно выбирать путь. А седьмое чувство дает возможность любой из путей превращать в нужный. Вот это и есть начало полноценного мышления. Почувствуйте разницу!

Седьмое чувство. Человек не только выбирает, какой путь ему нужен, он управляет будущим, используя свое знание о том, что находится впереди. Он видит и **управляет**.

Если шестое чувство дает ему выбор из разных вариантов, то человек с семью чувствами не выбирает, а созидает во имя любви то, что ему нужно. Разница есть?

263

ЛИДЕР и ведомые,
или бег без трусцов на заре

Представьте, пожалуйста, дорогие мои, что вы, как листик, плывете по течению.

Вот представьте. Выходите вы поутру на улицу, рядом с вами — тысяча людей, все в спортивных трусах. Бег трусцой на заре. И все бегут в одном направлении. Каков у вас шанс быть первым? Одна тысячная! Согласны?

А если вы бежите в одиночку и сами выбираете путь — нужно ли вам бежать? Да вы можете спокойно спать в дороге! Все равно придете первым. Это называется «Путь Личности». По этому пути каждый идет один.

Когда шестое и седьмое чувства восстанавливаются, появляется главное: человек становится созидателем своей судьбы.

Если вы желаете кому-то добра, ваше желание приносит добро тому человеку.

Иногда это даже пугает, потому что это новое состояние!

Но это — жизнь Личности!

За что бы вы ни взялись, это начнет происходить и получаться. Вы приходите к цели, к решению в нужный момент и в нужное время. То есть вы начнете по-другому планировать свою жизнь.

Это может быть материальный мир, это может быть духовный мир — задача заключается в том, как увеличить ваши возможности в тысячи и тысячи раз.

Как найти такое решение, чтобы ваш КПД жизни умножался каждый раз, за что бы вы ни взялись?

Пневматические штаны на ЯДЕРНОМ топливе

для пустыни Сахара

Какой первый признак того, что у вас начинает работать седьмое чувство, что у вас появилась новая сила? Сначала вы ощущаете в себе какое-то неловкое шевеление, томительное невнятное пробуждение, а потом вдруг — бах! — озарение: «Идея!..». Бывает такое?

И вы носитесь с этой своей новорожденной идеей, на ручках ее качаете, ее попочку целуете, и возникает такое блаженное состояние, состояние полета, восторга от собственной значимости! Такое ликование! Было такое? Помните?

А потом пугаетесь: «Чего это я? Умней меня, что ли, никого не нашлось? Если б такое было возможно, другие давно бы уже сделали». Вот тут-то вы и попались! Попались в капкан вашей ведóмости и благополучно оседаете в состоянии нормального пятичувственника — растворяетесь в быдломассе.

А вот если у вас начинает работать седьмое чувство...

Загоревшись новой идеей, приходите, скажем, на работу. И вдруг находящиеся там люди — ваши коллеги, начальники и подчиненные — подходят к вам с той же идеей и говорят, например:

— А не построить ли нам в пустыне Сахара пневматический туалет для пингвинов на ядерном топливе?

Вы ошарашенно сидите, выпучив глаза, — вот же она, ваша сегодняшняя идея!

На самом деле все гениальные идеи поначалу выглядят смешно, даже нелепо, во всяком случае, невероятно.

Вспомните Циолковского. Ведь современники считали его сумасшедшим, не от мира сего. А что из этого получилось? Всего-навсего новая эра, новая эпоха. Весь XX век потом пережевывал его идеи.

Вот это и означает, что вы стали генератором Силы!

Высшее мастерство заключается именно в том, что вы генерируете силу других людей. Генерируете у других желание созидать. Генерируете в людях желание творить. Это одно из лидерских качеств. Это одно из основных лидерских качеств! Понятно? Что и где генерировать — ваша задача.

У каждого из нас есть стремление, вложенное Всевышним, — желание оставить после себя след в истории, совершить что-то доброе, чтобы человечество помнило о нас еще лет хотя бы тысячу.

Когда у вас открывается седьмое чувство, вы можете создавать. Вы можете создавать все, что захотите.

Когда у вас открывается седьмое чувство, все процессы в жизни принимают форму снежной лавины. Когда приходит идея, она буквально обрушивается на вас, как снежная лавина. Когда приходит счастье — тоже.

Вы становитесь Человеком-генератором, Человеком-магнитом, Человеком-полюсом. Вы притягиваете к себе все, что вам нужно, притягиваете, где бы вы ни находились.

Если у вас есть идея, люди начинают думать с вами в лад, ваши мысли начинают откликаться в их умах, возникает резонанс. Ваши желания — чего бы вы ни захотели — начинают осуществляться как бы сами собой. Понятно?

Если вы любите, вас не смогут не полюбить!

Вы «вызываете» автобус, когда вам нужно, или приходите на остановку именно в нужный момент? Какая разница? От этого суть не меняется. Думайте, как хотите. Может, вы создаете ситуацию, а может, видите этот случай в будущем. Суть не меняется.

Но главное — то, что результативность вашей жизни увеличивается во много, во много со многими нулями раз! Понятно?

Тогда приступайте к упражнениям!

240 *миллионеров*
и 1 рубль

Каково расстояние между зрячим и незрячим, таково и расстояние от вас до тех людей, у которых шестое и седьмое чувства работают. Это расстояние можно измерить даже в денежных знаках.

Дорогие мои! То, что я сейчас скажу, Боже упаси, не принимайте за хвастовство или гордыню! Просто педагог или тренер имеет, наверное, право гордиться своими учениками, в чьих достижениях есть его малюю-ю-сенький вклад.

У меня на сегодняшний день двести сорок миллионеров, образно говоря, собственного изготовления. Конечно, я здесь преувеличиваю свою значимость, но так хочется похорохориться и примкнуть к чужим заслугам.

Многие из них начинали без копейки в кармане, приходили к нам на занятия и просили скидку за обучение. Многие были вообще безработными, хотя сразу хочу оговориться: деньги и для них, и для меня не самоцель! Они вообще не должны быть самоцелью!

Вот спрошу вас: сколько начального капитала вам нужно, чтобы открыть собственное дело? Ну, сколько? Миллион? Сто тысяч? Сколько тысяч или миллионов вам хватит?

Да если даже вы скажете «один рубль», я уже знаю, что ничего у вас не выйдет, потому что не деньги делают голову, а голова — деньги.

Вот эту голову мы с моими слушателями — теперь миллионерами — и «приставляли» на место. А на самом деле просто раскрывали шестое и седьмое чувства.

Я говорил всем им одно и то же: «Когда первый миллион заработаете, позвоните мне».

Почему? Потому что у меня есть такая тетрадка, куда я их всех записываю и смотрю, сколько времени каждому потребовалось, чтобы стать миллионером. Это мой опыт тренера. Это мой «дебет—кредит» — финансовый отчет перед своей Жизнью, перед своей Душой.

Они все разные. Среди них есть бизнесмены, банкиры, спортсмены, люди искусства. На сегодняшний день их материальный уровень исчисляется цифрами со многими нулями в конце. Но не это главное, это — всего лишь следствие.

Деньги — это просто эквивалент силы. Познав себя, эти люди раскрыли себя как Личность. Полюбив себя и окружающий мир, они увидели свои бескрайние возможности, свой талант, свое могущество! Я знаю это в них по собственному опыту.

Каждый из них смог стать Человеком-полюсом. Где бы они ни находились, около них начинает возникать благодать изобилия во всем. Они притягивают людей, как источник света притягивает путника в бескрайней ночной пустыне. И это еще далеко не все, что можно сказать.

Как я вас обидел!!! Еще не то получите, если ничего со своей жизнью делать не будете, но уже не от меня и не в словесной форме. Слово что! Книжку закрыли и забыли!..

ИЛИ — ИЛИ

Третьего не дано!

Родимые мои! Запомните!

Или вы — Генератор. Или вы — пользователь.

Или вы — Лидер. Или вы — ведомый.

Или вы — Личность. Или вы быдло!

Или вы — буксир, или вы — тележка.

Или... или...

Третьего не дано!

Вы думаете, что сами решаете, как жить, как быть? Вы думаете, что сами выбираете, где вам учиться, на ком жениться, что делать, что читать, за кого голосовать? Вы думаете, что вы думаете?

В действительности все ваши мысли есть проекция мыслей других людей — зрячих, сильных, способных видеть будущее, мыслить путем озарения и т. д., и т. п.

Или мысли других являются проекцией ваших проектов. Возможно, что вы резонируете свои идеи и передаете их в пространство.

Миром правят 2% людей. Это они «зрячие», остальные «слепые», которые проводят время между жизнью и смертью в дремотном состоянии.

Хотите ли вы стать зрячим — решать вам!

То, что вам не понравится

ного лет тому назад некоторое время я жил в загородном доме у одного человека.

Если вы до 1989 года учились в каком-нибудь техникуме или вузе СССР, хоть техническом, хоть гуманитарном, то все без исключения сдавали экзамен по его книгам. Или книгам его учеников. Тряслись у вас поджилки, день и ночь вы шпаргалки писали или пи́сали и сдавали экзамен на атеиста.

По его книгам учились педагоги вузов, а эти педагоги учили педагогов школ и так далее. Ведь его учебник со времен Сталина был тем источником, из которого черпали свои знания все атеисты и училки, а те, в свою очередь, потом из детей воспитывали будущее поколение... Вы сказали «уродов», да?..

Давайте не будем оскорблять уродов.

В институте я тоже сдавал экзамены по этому предмету, и у меня тоже были «четверки» и «пятерки» по блату.

Наш заведующий кафедрой научного атеизма так верил в то, что говорил с кафедры, что когда жена его умерла, не допустил ее отпевания в церкви. Он работал в высшем учебном заведении, заведовал кафедрой атеизма и нес в массы атеистическое знание, как абсолютную истину.

И вот этот человек, у которого я жил на даче, как-то вечерком за чашкой чая меня спрашивает:

— Ты в Бога веришь?

Ну что я должен был ответить? Он же был для меня последней инстанцией в области атеизма, а я был у него в гостях! Да и неловко как-то оскорблять его убеждения!

Сразу, как актер, перевоплотился в благовоспитанного студента и бодро ответил:

— Конечно, нет!

Он так странно посмотре-ел:

— Откуда у тебя такое убеждение?

Отвечаю:

— Ну как? Мы же все знаем, что Бога нет.

Он говорит:

— А все откуда знают? Эти «все» искали Бога?

— Так, — говорю, — учили.

На этом наша беседа в тот раз и закончилась.

И каждое воскресенье он на целый день куда-то уходил. Однажды он сказал мне:

— Кажется, ты бездельничаешь, пошли со мной.

И мы пошли... в сельскую церковь. Представляете, в церковь?!

Вошли. Потом он подошел к иконе, встал на колени, да так и остался стоять.

Прошел час. Я походил, посмотрел. Потом еще часа два на улице ходил, уже стало прохладно, как-никак поздняя осень. И когда я уже окончательно замерз и мне порядком надоело болтаться без дела, пошел обратно на дачу.

Наш главный атеист всех времен и народов вернулся затемно. Ужин был уже готов, мы сели за стол, и он сказал:

— Ты удивлен?

Ты думаешь, я хожу туда, чтобы спасти свою душу? Не-ет! Моя душа, сынок, давным-давно в аду! Давным-давно в аду, потому что, благодаря моим стараниям, сотни миллионов людей обрекли себя на адские мучения. Я их, как козел на мясокомбинате, много лет вел на бойню и до сих пор веду.

А эти бараны-атеисты толпой идут за мной и ведут за собой других. Ведут прямиком под нож безверия, а потом козел возвращается за новым стадом. Эти люди стали бездушными тварями, и я их сделал такими, сынок!

Запомни: ты сидишь за столом с самим слугой Люцифера!

А в церковь я хожу не за себя, сынок, не за себя. Нет в мире столько молитв и столько времени, чтоб отмолить мои преступления в отношении человечества. Посмотри на меня: возраст-то ого-го!

И умереть страшно, потому что жутко сидеть с теми, кого отправил туда. Прикрываясь безверием, они врали, воровали, убивали, предавали, подло поступали с другими людьми — думали, что останутся безнаказанными, потому что у них не было в душе опоры, и они думали, что со смертью все унесут с собой в могилу, что их секреты уйдут с ними.

Я в церковь хожу с одной просьбой к Господу — за свою внучку. Я говорю Ему: «Боже, что хочешь делай со мной! Но за меня, за мои поступки не проклинай мою внучку».

Вот его слова.

ЧЬЯ
телефонная станция
ЛУЧШЕ?

ду по дороге, хочу позвонить Отцу. Вижу — «телефонная будка МТС», на ней установлен крест. На другой стороне улицы — «будка Билайн» с полумесяцем. Дальше иду — «телефон Сонет» со звездой Давида.

Если вам нравится розовый комбинезон МТСовца, вы говорите из «будки компании МТС», если зеленая форма билайнца — из другой, если синий сонетовца — из третьей.

Какая разница, с какого телефонного аппарата разговаривать с Отцом?

Какая разница, с какого бугорка вы станете обращаться к своему Отцу? Будет ли этот «бугорок» называться церковью, синагогой или мечетью — разницы нет, потому что все мы обращаемся к Нему.

Бог един для всех, как свет солнца, а уже имена, обычаи, формы — разные, в зависимости от того, чем люди Его наделили. Неуловимое присутствие Бога и Его участие в нашей жизни одинаково невозможно выразить ни на одном языке мира.

Но у каждого человека собственное представление о Боге, а поскольку все люди разные, то и начинаются разногласия. Получается, что человек, живущий на Земле, из дома Божьего сделал коммуналку, где и культивируются ревность, злоба, ненависть, вражда...

Люди витийствуют, толкуют священные книги, переписывают их, как им представляется правильным, как им удобно, как им хочется, а потом читают, кто чего понаписал и спорят — чей Бог лучше, ссорятся, воюют.

Когда иудей обращается «Эйлогим», он обращается к нашему с вами Богу.

Когда христианин обращается и произносит «Господи», «Дэо», «Гот», «Дье», «Бог» — он обращается к нашему с вами Богу.

Когда мусульманин обращается и говорит «Аллах», он обращается к нашему с вами Богу.

Все это имена Всевышнего, сказанные людьми на разных языках. Мы все обращаемся к одному Богу, только на разных языках. Суть одна и та же — наше стремление к Высшему свету, Высшей любви, Высшему созиданию!

Материнская любовь к ребенку, как бы она ни звучала на разных языках, — это одна и та же любовь, вы согласны? Если для вас имеет значение, на каком языке звучит ваша любовь, то это ваша болезнь!

И если у вас внутри нет ощущения Бога, если нет этого стержня, тогда вы ищете доказательств и говорите: «Покажи мне юридический документ, где сказано, что Бог един».

Есть такой документ!

Обратите внимание — и в Торе, и в Библии, и в Коране — во всех священных книгах — общий «коллектив», представлены одни и те же Архангелы и Пророки.

---

* Все религии имеют одно Начало, а значит, каждый приход нового посланника укрепляет и поддерживает одну религию.

Вы не знаете, как звали нашу МАМУ?

В ваших генах заложено ваше происхождение. Ген, образно говоря, — паспорт вашего рода.

Исследуем ваш ген, там «написана» ваша фамилия, предположим, Иванов. И можно точно определить — действительно ли вы потомок того человека, который считается вашим родителем, или нет, потому что всякое бывает. Ну, сами знаете, про эти скандальные истории с наследниками!

Один говорит: «Это мой папаша!». Другие говорят: «Нет, не твой! Он наш!». И тогда папашу выкапывают и по гену все устанавливают. Вот так один только ген способен все расставить по своим местам.

А сейчас можно точно так же сообразить, кто у вас в роду был за тысячи-тысячи лет до вас, какая, образно говоря, у вас фамилия на уровне гена. И вот, когда стали разных людей так исследовать, пришли к ужасающему для вас открытию.

Все мы без исключения, все человечество, потомки одной женщины! Именно женщины, а не мужчины.

Обратите внимание! Женский ген оказался сильнее мужского.

Милые дамы, как вы после этого себя чувствуете? А вы, дорогие мужчины?

Так что иудеи правы, когда ведут свою национальность по материнской линии.

И жила эта дама примерно девяносто тысяч лет назад. Ген этой женщины, оказывается, пересилил все остальные, отвечающие за род.

То есть у нас у всех одна фамилия, уважаемые Ивановы, — это научный факт! И все корейцы, китайцы, индусы, русские, даже украинцы — в действительности все Ивановы!

Значит, нашей с вами праматерью была одна женщина. Интересно, как звали ту нашу с вами общую маму? Как думаете, дорогие братья и сестры?

Срочно, не откладывая на потом, сделайте упражнение-размышление. Чем ваш брат или сестра лучше или хуже вас или ближе к мамочке?!

А ты
ЕГО
*искал?*_____

Итак, у нас есть всего два пути: быть добрым или быть злым, служить добру или служить злу. Для кого-то вы есть ангел добра, а для кого-то — сам сатана. Когда вы будете искать внутри себя свет, искать искренность, искать добро — вы найдете. Но чтобы искать свет, человеку нужно **верить** в то, что этот свет существует.

У вас должна быть элементарная вера в существование света! Это имеет прямое отношение к вашим проблемам.

Помните состояние Победителя, состояние Могущества, которое вы вызываете и пропускаете по всему телу во время Октавы? Это и есть состояние ВЕРЫ!

Состояние, в котором вы способны простить каждого, простить себя? Это тоже состояние ВЕРЫ!

Состояние, в котором у вас все получается, все осуществляется — это также состояние ВЕРЫ!

Вспоминайте! Когда вы в жизни добивались успеха, какое состояние перед этим возникало? Когда цель еще не достигнута, но вы уже точно знаете, что будет так и никак иначе? И это есть состояние ВЕРЫ!

Иисус говорит, что если вы будете иметь веру с горчичное зерно и скажете горе: «Перейди отсюда туда!» — она перейдет и ничего не будет невозможного для вас.

Мы с вами сейчас просто учимся, как этот теоретический постулат превращать в практическое действие. Вот и все!

А вы каким способом собираетесь достичь своей мечты, своей цели?

Поймите, дорогие мои, я специально изучал этих людей и мое сегодняшнее мнение, с которым вы можете не согласиться, таково. Атеизмом можно назвать отрицание света, любви, добра, а это означает быть носителем зла.

Да-а-а, дела-а-а! Значит, у него есть что прятать даже от своей души.

В таких случаях всегда бываю вынужден повторять вопрос мудрецов:

— Ты хоть раз попробовал Его искать?

Внимание!

ГРАНИЦА ХАОСА!

**Неподготовленному читателю
с ограниченным восприятием и без
необходимой экипировки проходить
опасно для понимания!**

**Переступая границу, вы сами отвечаете
за свои мысли и выводы!**

Единственное
начальное упрощенное
УПРАЖНЕНИЕ ——

С ейчас мы начнем тренировать интуицию. Или не начнем? Или не сейчас? Предвижу вашу реакцию. «Ну, наконец-то!».

Дорогие мои! Можно ли напоить заочно? Можно ли накормить издалека? Если вы где-то шастаете, сидите дома или читаете книжку в метро, как я смогу передать вам то, что и на занятиях-то вынужден не каждому передавать, не каждому раскрывать?

Наши слушатели, наши студенты занимаются развитием интуиции на специальном курсе, куда мы отбираем людей по очень хитрой методике, по многим параметрам проверяем их и просеиваем через сорок сит.

Почему?

Потому что сначала человек должен привести в порядок свое тело. И не для того, чтобы просто стать здоровым, — для этого большого ума не надо. А для того, чтобы в этой работе узнать свою силу.

Когда свое тело — мешок с болячками и всякой требухой — вы силой своей воли, силой своего духа превращаете в храм, какое у вас возникает чувство?

Почему говорю «храм»? Для вас-то ваше тело — тяжкая обуза, которую вы волочете за собой по жизни, покрякивая и покрикивая:

— Ну, давай, давай, сволочь!

Вы же его не любите, разве не так?! И оно отвечает вам тем же, то есть болеет, а вы страдаете. А что бы вы без него делали?

Скажете, вы сами себя родили? Нет? Скажете, вот это тончайшее творение, этот искуснейший механизм — ваше тело — вы сами придумали, сконструировали и оживили? Нет? Тогда какого хрена портите работу Мастера?

Как вы отнесетесь к человеку, который на стене храма напишет «Здесь был Вася»? А вы то же самое делаете! И еще кое-что похуже. Сейчас же приступаем: красить, чистить, прибирать в своем доме!

А когда тело начинает подчиняться вашим желаниям, вот тогда вы и узнаете, на что способны. Тогда в вас пробуждается Победитель!

Когда вы сами, своей душой, своей верой, своим духом создаете себя заново — о, какое это сладкое чувство!

Но это — только начало, только первый шаг, только закваска.

Потом мы учимся менять весь эмоциональный климат своей души. Потом — избавляемся от всего, что нам мешает в нашем характере. И только тогда приступаем к активизации шишковидной железы, к тренировке интуиции, чтобы изменить в нужную сторону многие направления нашей жизни, чтобы овладеть своей мечтой, чтобы по собственному желанию менять свою судьбу.

Хотя у многих эти изменения и преображения начинаются как бы сами собой, прежде чем они переходят к высшим упражнениям. Это обычное дело.

«Так что? Неужели этот противный автор так и не откроет свои секреты? Так и не даст никакого рецепта насчет того, как эту самую интуицию разбудить? А как же тогда наш миллион?».

Вы разочарованы? Вы обиделись?

А может, я еще хуже, еще противнее, чем вы сейчас думаете? Вдруг где-нибудь на са-амой последней страничке написано что-то са-амое главное?

Два ведра гороха на вашу ГОЛОВУ

Ну, хорошо!

Чтобы вам было понятно, расскажу, как Наставник издевался надо мной с целью раскрытия восприятия.

Однажды Учитель привел меня в такой неказистый сарайчик и показал странный агрегат — здоровенный медный чан с какими-то непонятными приспособлениями. Грязный весь, в паутине, сразу видно, что им давно никто не пользовался.

Ну, он мне объяснил, что с этим делать. Велел хорошенько его вычистить, потом взять два ведра гороха. Весь горох из одного ведра выкрасить черной краской, а другой не трогать. Все это высыпать в чан и хорошенько перемешать.

А под чаном было специальное приспособление: повернешь — горошина в одну сторону выпадает, повернешь по-другому — в другую сторону.

Сколько, вы думаете, там было горошин?

Так вот, задача заключалась в том, чтобы не глядя распределить весь горох по ведрам так, чтобы в одно попали только черные горошины, а в другое — обычные. Как вам такая задачка?

Первый раз, когда попробовал, в каждом ведре получилась сплошная серая масса — сколько черных, столько же и простых. Короче, ничего не вышло. Стал тренироваться, а сам думаю: «Да разве это возможно?».

А потом постепенно так натренировался, что просто сижу, книжку читаю и автоматически на рычажок нажимаю — горох сам сыплется. На каждое ведро приходилось всего две-три ошибки.

Дорогие мои! Мы все были такими же изуродованными по части интуиции, как вы сейчас. Просто мы очень хотели научиться. И я тренировался, как все. А что тренируется, то... Ну, вы уже знаете.

Вы тоже можете. Но агрегат такой смастерить для вас проблема. Да и столько гороха, понимаю, вам найти будет сложновато. Где ж его взять? В магазин идти, потом красить...

У нас на занятиях мы этот горох заменили картами. Просто карточками, черными и белыми. Потом доберемся еще до черно-бело-серых, цветных и комплектов с цифрами. Но это уже позднее. А пока это для вас рановато, так что и говорить не будем.

Так вот, хорошенько перемешиваем карточки, кладем их «лицом» вниз. А потом... определяем, какого цвета первая карта, какого вторая. Постепенно научитесь все узнавать. Но суть упражнений не в этом. А в чем? Начните тренироваться, и вы познаете!

Как отличить МЫСЛИ от урчания в животе

О-очень научное обоснование!

Первое, что нам с вами нужно освоить, — это **определение внутренней правды**. Отделение правды от выдумки, которая рождается в вашей собственной головушке.

Второе: перемещение своего сознания во времени на несколько секунд вперед и назад.

Третье: генерация чувств и стремлений.

Четвертое: передача лучших чувств и стремлений другому человеку.

Вот эти начальные навыки мы должны освоить.

Как папа Карло, будем пахать и тренироваться, уважаемые Буратины!

Первый путь называется... Если сделать такой буквальный, грубый перевод, получится следующее: «Помоги ангелу добра избавиться от насилия сатаны», то есть «Помешай ангелу совокупляться с сатаной». Это название упражнения.

Когда ваша душа отличает добро от зла, когда ваш дух в состоянии созидать, творить, умножать добро, все ангелы вокруг вас собираются в великую армию. А вы становитесь их представителем. Понимаете?

Что бы вы ни захотели сделать во имя добра, во имя любви, во имя познания лучших сторон своей Личности, эти ангелы начинают в души других людей вкладывать такие стремления, которые будут с вашими стремлениями идти плечом к плечу. Понимаете?

Второй путь — это перемещение сознания во времени. Вы учитесь перемещать свое сознание вперед и назад, в прошлое и в будущее.

Третий путь какой? Третье какое упражнение? Учиться слушать чужую душу, чувства другой души, отличать их от своих чувств.

Четвертое что? Передавать мысли? Нет, дорогие мои! Желания? Волю? Нет! А что передается? Любовь передается! Любовь передается!!!

Мысли — это отрыжка прожитых лет. Мысли, которые у вас в голове возникают, — то же, что бурчание в животе. Хотите передать свою отрыжку другому?

А желания, привязанности, то, что делает из вас раба, а может быть, даже злодея.

У истинной любви нет других желаний, кроме желания любить. У любви нет желания получать, а есть стремление отдать. Любовь — это самопожертвование. Понимаете?

Значит, если вы хотите, чтобы кто-то встал с вами рядом, чтобы вместе вы открыли ворота тюрьмы и увидели горизонт, что вам нужно передать другому? Именно любовь!

Уффф! Теперь еще раз.

Отделить добро от зла. Это первое.

Перемещать в этом пространстве между добром и злом свое сознание, выбирая добро. Это второе.

Раскрыть любовь, познать любовь, передать любовь и в этой любви строить, созидать, творить во имя света и добра. Это третье и четвертое.

Управлять светом любви для его распространения на Земле, чтобы в мире стало побольше таких людей, как вы, то есть умеющих любить, чтобы те, которые пробуждаются, сразу примкнули к вам. Это четвертое.

Дальше вам еще рано. Сейчас всего четыре упражнения.

Три карты,
три карты,
три карты...

Что такое эти черно-белые тренировочные карты? Это просто ваши «да» и «нет». Потому что все свои вопросы в жизни мы как решаем? Мы или делаем, или не делаем; или идем, или не идем; или женимся, или не женимся; или рожаем, или не рожаем, а потом или разводимся, или не разводимся. Так?

То есть внутри себя при этом мы, сами того не сознавая, говорим либо «да», либо «нет»

Мы принимаем решение!

А как вы обычно принимаете решение, вы уже видели: 9 из 10 — ошибка. Почему говорю «вы»? У меня-то интуиция, слава Богу, с помощью дубинок Наставника чуточку проклюнулась!

Наша интуиция всегда знает правильное решение, но мы ее не слышим.

Значит, тренируясь с карточками, мы учимся чему? Слышать свою интуицию. **Принимать в жизни правильное решение!**

А для этого нам нужно сначала научиться различать правду и ложь.

Вот у вас в руках карты. Задаете мысленно вопрос: какого она цвета, а на карту не смо́трите. Ваша задача сейчас найти ответ внутри себя.

Какой цвет? Что говорит чувство? Внутри вас какое-то чувство — бамсс! — говорит: «белый»! А второе говорит: а может, черный, а-а? Ваша задача: один процент внимания направляете на карту, 99% внимания направляете куда? На интуицию? Да нет! Не на интуицию, дуралеи! На самоанализ!

На самоанализ!

Ваша задача в первую очередь найти и поставить на место вашего вруна и ваше истинное чувство. **Уловить и запомнить каждое из этих ощущений!**

Теперь откройте карту. Проверьте. Ну что?

Если нашли карту правильно — не радуйтесь!

Если неправильно — не печальтесь!

Учимся спокойно, не торопясь. Вначале, когда еще сложно распознать нужное чувство, работа может идти не очень быстро.

Хотя если вы попробуете работать с различной скоростью, то убедитесь: чем быстрее, тем легче. Обычно именно так и бывает. Но все-таки все индивидуально, так что лучше слушайте себя!

Это — тренировка. Мы не занимаемся угадыванием карт, гадалки вы несчастные! Мы занимаемся — внимание! — самоанализом!

Глаза не закрывать! В сомнамбулический транс не впадать и тем более не храпеть!

Представьте, что вы пришли на переговоры, нужно принимать решение. Вдруг вы закатываете очи, челюсть отвисает, безжизненное тело полчаса валяется в кресле, а вставная челюсть на полу. Потом вы открываете глаза и сообщаете: «Да, я согласен подписать договор».

И кто же после этого будет иметь с вами дело?

Дальше.

У начинающих вначале информация идет, как правило, в перевернутом виде.

Ребенок, когда рождается, первые две недели видит все вверх ногами. Вы это знаете? А когда он чуть-чуть подрастет, его восприятие становится нормальным. Точно так же и ваша интуиция. Эту сторону учтите.

Теперь посмотрим на закономерность поведения. Вот вы одну карту нашли правильно. Потом другую. Потом ошиблись. Снова ошиблись. И дальше вам уже не хочется.

У среднестатистического нетренированного человека интуитивное, правильное решение приходит только на миг. А затем вперед выходит интересная ситуация. У него появляется ступор.

Что-то внутри говорит: «Боюсь ошибиться». И чем ошибаться, вы лучше будете сидеть по уши в чем?.. В этом самом.

Стоп! Предупреждение!

Если вдруг вы услышите, не дай Бог, какой-нибудь внутренний голос или вообще какие-то голоса вам начнут что-то подсказывать, советы давать, руководить вами и тому подобное — **немедленно к психиатру! Ваши голоса к занятиям не имеют никакого отношения!**

Надо «слушать» чувства, понятно?!

Ваши ответы будут приходить не в виде слов, не в виде покалываний в пятках или щекотки под мышками, а в виде чувства, в виде душевного импульса!

О, Господи! Ну как это сказать неповоротливым словесным языком?!

Уверяю вас, вы тоже не сможете найти точных слов для своих ощущений, когда у вас откроется интуиция. Их только очень условно можно приравнять к нашим «да» и «нет», «хорошо» и «плохо», «белое» и черное».

А потом у вас появится такое ощущение, что одно и то же чувство то говорит правду, то врет. Это обманное чувство. Оно бывает только у начинающих. Со временем вы четко будете знать цвет карты. Главное: распознать и запомнить то чувство, которое не ошибается, которое говорит правду.

Когда это чувство вы уже более или менее научились слышать, в скором времени вы выйдете на уровень девяносто из ста или сто из ста. Тут большого ума не нужно. Того, что у нас с вами есть, хватит, то есть ума-то как раз тут совсем не нужно.

Нам именно необходимо научиться отличать логический ум от интуиции. И этот самый «ум» временно отключать, направив все внимание на чувства. Всего-навсего!

А когда вы научитесь ощущать и различать свои чувства, то начнете по-другому различать и мысли. Вы будете отличать свои мысли от мыслей других людей. Вы начнете читать мысли других людей. Вы будете просто знать — это мысли не ваши, а следовательно, другого человека.

Вот тогда вы будете готовы идти в первый класс.

Дальше хотите? Ну, дорогие мои, вы хотите всего и сразу! Вначале научитесь свои мысли отличать от урчания в животе, договорились?..

По методу Ходжи Насреддина

Кто из вас хочет, чтоб в течение получаса тренировки у вас с каждым разом получалось все лучше, лучше и лучше? Чтоб с каждым проходом вам было все легче, легче, легче... не угадывать — чувствовать! Кто хочет? Поднимите руки!

А теперь, если вы так действительно хотите, сейчас, пожалуйста, отложите книжку и начинайте отжиматься от пола. Сейчас вы увидите свое желание в действии.

А ну-ка, все на пол и отжимаемся!

Ра-аз — одну карту открыли. Два-а. Поехали! Три-и. Четыре. А в стопочке тридцать карт. Пя-ять. Ше-есть...

У вас есть желание, чтобы с каждым разом вам было легче, легче, легче отжиматься? У вас есть желание, а мышцы устают! Пошли! Се-емь. Во-осемь. Девять, десять. Достаточно? Встаем! Спасибо.

Что получили? Вы заметили, что с каждым отжиманием... легче становится? Или мышцы устают?

Тренировка мышц и тренировка интуиции — одно и то же.

Значит, с каждым повтором нервная система начинает уставать. Будет возникать желание остановить упражнения, отвлечься. Появится ощущение скуки.

Что такое тренировочная нагрузка?

Поднимаете, скажем, штангу. Раз подняли, два подняли. Наступает какой-то момент — дальше уже сил нет! И что делать? Вот здесь и нужно идти через «не хочу». Заставить себя еще раз пять поднять вес. Вот от этого есть польза!

10*

Кто спортом занимался, поймет, о чем я говорю! Кто не занимался, познакомьтесь, пожалуйста, с сутью физических упражнений и тренировочных нагрузок.

Вот этот механизм запоминайте! Именно теперь, когда картами занимаетесь.

А что такое скука? Это сопротивление вашего нетренированного эпифиза. Это внутреннее бессознательное сопротивление, которое вся ваша нетренированная жизнь оказывает самопознанию, любому изменению, всякой трудоемкой работе.

Представьте, темной ночью вас вдруг будят и говорят: «А ну, вставай! Пахать пора!». И так каждую ночь. Ну, сбежать же хочется, правда? Если, конечно, нельзя сразу этому идиоту морду набить.

А если вы сами себе это устраиваете? Свою-то морду жалко! Но сбежать от себя невозможно, хотя вы всю жизнь именно это и делаете.

Поэтому давайте, как Ходжа Насреддин.

 Ходжа Насреддин зовет своего сына, дает кувшин и говорит:

— Сынок, в колодце вода тухлая, для гостя принеси воды из родника.

Только сын уходит, Ходжа кричит:

— Подожди, подожди, вернись!

Дает ему подзатыльник:

— Не разбей!

Гость говорит:

— Ходжа, у вас дурной нрав. Я своим детям даю подзатыльник, когда они кувшин уже разбили.

— О, мой родной, какая польза от вашего подзатыльника, если кувшин уже разбит?

Когда я заставляю вас отжиматься заранее, то поступаю, как Ходжа Насреддин.

Некоторые ноют: «Ой-ой-ой! У меня вначале получи-илось, а сейчас не получа-ается...». Отжаться пять-шесть раз у вас тоже получилось. А вот хотелось бы посмотреть, что получится на сто шестой раз...

Значит, тренировочная нагрузка!

Итак, вы начнете тренироваться. Через какое-то время обязательно появляется желание немножко отвлечься, отдохнуть, перекусить, прогуляться.

Вы найдете тысячу неотложных дел и тысячу очень важных обстоятельств, почему именно сейчас вам не нужно — да просто невозможно — дальше работать с картами.

Вот здесь вы себя и заставьте, от этого будет польза! Если только ради любопытства: раз карта, два карта, три — от этого проку не будет. Придется хорошенько потрудиться. Договорились?

Сейчас мы с вами познакомились с техникой безопасности, чтобы вы на ровном месте не выдумали себе комплекс неполноценности.

Наши МЫСЛИ
нас думают

Для какой цели мы с вами тренируемся? Чтобы развить интуицию? Чтобы пробудить предвидение? Чтобы «отключить» разум? Милых дам прошу не волноваться — у вас «отключать» нечего потому, что у вас его вообще нет. Так что вам уже проще, вы на полпути к успеху!

А если серьезно, то в чем же наша конечная цель?

Определить внутри себя самого великого обманщика, который водит вас за нос и направляет в жизни по ложному пути. Этот загадочный обманщик — многие ваши мысли и фантазии.

Вы думаете, что вы думаете? Вы ошибаетесь, дорогие мои! На самом деле это ваши мысли думают вас!

Ваши мысли вас имеют и чаще всего обманывают. А чувства не обманывают никогда, только их необходимо научиться правильно слушать. Если чувствуете, что это соленое, значит, это соленое. Если чувствуете сладкое — сладкое.

Наши чувства **знают** все.

Мы все с вами **знаем**, как быть в этом случае, как в другом... Мы все **знаем**, как быть богатым, как быть здоровым, как быть счастливым, как воспитывать детей. **Мы знаем все!** Но когда дело касается практики, принятия решений — получается «как всегда».

Нам важно научиться отличать истинную информацию, которую наш мозг, весь наш организм получает **из прошлого, настоящего и будущего**, от этих галлюцинаций, от собственной выдумки. Вот это мы с вами сейчас лечим.

P.S. Вы думаете, Норбеков вам все сказал? Как же! Держите карман шире! Ничего он вам не сказал. И мы не скажем!

Ау! Кто там за поворотом?

Там,
там-дарам,
там-дарам...

А теперь следующее. Куда вам девать проснувшуюся интуицию?

Ее нужно применять, использовать в жизни!

Вы часто ездите в метро? Эскалатор наверх ползет, а вы к нему как раз подходите.

Знаете, там на каждой пятой ступеньке номер написан? Вот вам отличная тренировка: какой номер выползет перед вами? На какой ступеньке вам стоять? Почему бы не потренироваться и не определить? Буквально не понимайте. Просто я хотел сказать, что карты — не единственный «тренажер». Самый лучший тренажер — это жизнь.

Например, вы голосуете на дороге, ловите машину. В этот момент попытайтесь предугадать, на какой машине вы поедете. Какого она будет цвета, какой марки? И так далее.

Просто старайтесь все время немножко опережать события, «заглядывать» в ближайшее будущее: «Ау! Кто там?».

Что сейчас произойдет? Кто придет? Что скажет?

И каждый день заставляйте себя радоваться тому, что будете тренироваться завтра и в другие дни. Это ключ!

Если будете заставлять себя заниматься, как человек, медленно влезающий в ледяную воду, то через несколько недель обязательно бросите занятия. Сил не хватит, чтобы преодолеть лень — монстра, которого сами создали, принуждая себя!

И вы увидите, как изменится ваша жизнь. Вы почему-то начнете все чаще оказываться в нужное время в нужном месте. Транспорт будет приходить вовремя — и не только транспорт.

Люди, нужные вам, вдруг будут появляться безо всякой вашей просьбы. А те, кого вам не очень хочется видеть, как-то сами собой исчезнут из вашей жизни.

А иногда вы будете сами себя догонять. Как это?

А вот так: вдруг начнете замечать, что говорите или делаете что-то, чего и не предполагали. Вдруг обнаружите себя говорящим что-то не то или действующим как-то не так. Не пугайтесь! Просто ваша пробуждающаяся интуиция начинает опережать сознание.

Сознание только приложило глубокомысленный палец ко лбу, собираясь обдумать следующее слово, а интуиция — раз! — и уже высказалась. И попала в точку. Она вообще не умеет промахиваться.

Еще будет вот что. Вы стараетесь избегать опасностей? Это же естественно! Теперь ваша интуиция будет предупреждать вас.

Если появится реальная опасность, вы обязательно заметите в себе какой-то дискомфорт, странное тянущее чувство, тяжесть — нежелание идти туда, где опасно, или встречаться с тем, от кого опасность может исходить.

Скажу больше. Теперь опасности будут избегать вас, если, конечно, вы сами не станете напрашиваться на них.

Знаете, когда интуиция начинает работать, возникнет такое странное, но очень приятное ощущение, что жизнь реагирует на ваши желания. Она резонирует, откликается вам, возникает ощущение взаимности, словно у вас с жизнью роман и вы дарите друг другу всю нежность, всю ласку... Это — любовь!

Ой, что с вами бу-у-дет...
Вай-вай-вай!!!

Д орогие мои! Огромнейшая просьба к вам: когда будете тренироваться — не напортачьте. Сначала вам необходимо окрепнуть.

Примерно через два-три месяца тренировок у вас появятся первые проблески, жалкие проблески интуиции. Они постепенно, постепенно будут накапливаться, а придут все равно внезапно.

Тогда ваше сознание будет готовым к путешествиям то в прошлое, то в будущее. Это как колебания маятника.

Со временем маятник можно будет раскачать на несколько тысяч лет вперед или назад. Но я думаю, вы не собираетесь быть Нострадамусами, оставлять после себя пророческие книги.

Нам с вами достаточно заглядывать на несколько десятилетий вперед и назад. А для начала — на несколько секунд. Потом уже начнется: ваше сознание будет перемещаться на несколько часов, на несколько дней. Главная задача — просто обращать на это внимание, наматывать на ус.

Значит, ваша задача — наблюдать за собой. Устройте, пожалуйста, слежку за ходом своих мыслей. Это тяжелее всего, это сложнее всего. Согласны или нет? Плыть по течению, думать по шаблону, безусловно, легче.

Результат обязательно появится, если, конечно, будете тренироваться. Если не будете — извините...

Десять дней в спортзал походили — что-нибудь может получиться, скажите, пожалуйста? Да, ходить в спортзал намного тяжелее, чем не ходить. Но оттого, что вы там занимаетесь, у вас более сильное физическое тело, и не только физическое тело, характер тоже и мысли. Движения становятся стремительнее, утомляемость меньше. А когда вы не ходите...

Получая короткое удовольствие от ничегонеделанья, получаем огромное страдание. Немножко страдая, заставляя себя, мы получаем огромное удовольствие. Вам выбирать. Вам решать.

По мере того, как вы начинаете чувствовать будущее, вы заметите очень интересные вещи. Внезапно вы поймете, например, что ваш собеседник врет, потому что вы как бы автоматически переместили свой внутренний взор на несколько дней или месяцев вперед и там увидели результат.

Или можете ощутить событие, которое еще не произошло или происходит в данный момент далеко от вас.

Вот один из случаев, рассказанный человеком, достигшим в жизни очень многого. Я отношусь к нему с огромной любовью, как к своему отцу.

Он пришел домой, включил телевизор. Сидит, новости смотрит. Вдруг видит, что его комбинат горит. Как будто это по телевизору в новостях показывают.

Всматривается — нет, там о другом говорят. Но у него было четкое впечатление, что эта информация пришла через телевизор.

Обратите внимание! В будущем у вас тоже могут быть подобные выкрутасы!

Он всматривался, всматривался... Вроде прошло. Ну и, как нормальный человек, он себя постепенно успокоил: «Померещилось от усталости».

Утром встал и в полвосьмого на всякий случай позвонил своему исполнительному директору: как, мол, дела? А тот и говорит: «Плохо, у нас ночью был пожар».

Этот случай произошел в начале его обучения на курсе. Сейчас в его бизнесе произошли огромные перемены, и дела уже пошли в гору.

Значит, вот такие «мелочи» будут происходить.

Подходим к резюме.

Первое. Вы начинаете действовать, пользуясь информацией, находящейся в будущем. И оказываетесь в очень выгодном положении. Обычные люди называют это «удача». На самом деле удачи нет, а есть умозаключение на базе самоанализа, анализа ощущений.

Второе. Если вы направляете свою интуицию туда, где есть ваше вожделение, ваша страсть, гарантирую: вы там ошибетесь. Работать интуицией нужно бесстрастно. А быть бесстрастным — это тяжелее всего.

ВОСТОК — дело хитрое

На моей родине обучение врача продолжается сорок лет.

Наверняка у вас возникнет вопрос:

— Это когда ж он лечить-то будет, если столько лет учится? Отвечаю:

— Откуда я знаю?! Я-то пока только учусь и сейчас, проучившись в нашей школе тридцать лет, только-только третий курс закончил. А за это время стал трижды доктором разных наук, профессором, академиком, и около двух миллионов больных за это время восстановили здоровье.

Так что ученичество ученичеству — рознь.

Хотите слегка приоткрою завесу?

Так вот, один из предметов, который изучает восточный врач, — это помощь больному на расстоянии. С экстрасенсами не путать!

Заранее разрешите оговориться: через фотографию — не лечу, воду, мази, клизмы — не заряжаю, антенны, локаторы, гвозди и другие приборы для ловли блох... извините, всяких там энергий, на голове не устанавливаю.

А что же тогда делаю? Сейчас расскажу.

Конечно, специально буду утрировать, так что буквально не понимайте! Но суть все-таки сохраню!

В старину на Востоке, когда, скажем, женщина заболевала, к ней звали доктора. Теперь представьте, он приходит и что видит?

Сидит дама в парандже, вся закутанная, как в чехле. Он не то что прикоснуться к ней, смотреть на нее не имеет права. Не дай Бог, увидит лицо или руку, тут же голову снесут!

Восток — дело тонкое.

Ну и как же тогда ее лечить?

И постепенно врачи на Востоке научились не только диагностировать, но и лечить на расстоянии, не прикасаясь к пациенту.

Это искусство совершенствовалось много тысячелетий и теперь преподается в нашей школе. Только на обучение диагностированию уходит двенадцать лет.

Это я рассказываю, откуда произошли бесконтактная диагностика и лечение.

А как этот «ремонт» делается? Пожалуйста, расскажу. У меня от вас секретов нет.

Слегка напрягите позвоночник. А теперь по всему позвоночнику пропустите импульс, легкое напряжение, чтобы все мышцы подтянулись назад, как будто вы крылья расправили. Что произошло с вашим дыханием?

Если теперь сделаете выдох, воздух выйдет с некоторым шумом, хрипловато. Теперь еще раз напрягаем — отпускаем. Сразу волна уходит вперед, как будто бросили в воду камушек, и волны побежали по водной глади.

Эти импульсы накапливаются внутри, и возникает образ энергетического столба — такого слегка голубого цвета. У человека, с которым так работаешь, это вызывает ответную реакцию. Понятно?

Видите, все очень просто.

Вот так работаю и постепенно вхожу в такое состояние, как будто в этот момент я оказался рядом со своими близкими родственниками, которых не видел много месяцев. И будто все они собрались в родительском доме, и мы все сразу обнялись! Не по одному, а все вместе! И внутри возникает ощущение огромного родного объятия.

Но это я так чувствую, а как чувствуют другие, не могу сказать.

***P.S.** Уважаемые читатели! Мы решили, что вам будет интересно почитать стенограмму занятия, где слушатели делятся своими ощущениями. Вы не против?*

Слушательница:

— Тепло было, покалывание. Такие легкие непроизвольные сокращения мышц, пульсация. Состояние расслабления. Потом меня стало покачивать, и появилась такая истома во всем теле. И вообще, сейчас ощущение, что я как будто нахожусь в другом измерении.

Мирзакарим:

— Спасибо.

Другая слушательница:

— У меня было очень сильное ощущение расширения всего тела, и меня тянуло вверх. Ощущение необыкновенного блаженства и в то же время желание идти все выше и выше. Хотела что-то сбросить с себя, не могу сказать, что конкретно, но что-то, что мне мешает двигаться.

Мирзакарим:

— Спасибо.

Третья слушательница:

— У меня появилась за грудиной боль, но боль какая-то щемящая, в общем-то на боль, как таковую, не очень похожая. Первая мысль была: «Наверное, сердце». Потом у меня по позвоночнику начали проходить волны, возникла приятная вибрация. Вся реакция именно со стороны позвоночника. Вот тогда я поняла, что это не сердце, а что-то другое.

Мирзакарим:

— Хорошо, спасибо.

Теперь, для чего это делается, для чего этот импульс передается? Для чего вообще делается «массаж» позвоночника?

От позвоночника идут нервные окончания ко всем частям тела, ко всем внутренним органам. Это вы знаете.

Когда мы позвоночник «массируем», то повышаем активность всей нервной системы. И таким способом «массировать» можно вообще любую точку тела. Как вы думаете, к развитию интуиции это может иметь отношение? Вы очень, очень догадливы! Я рад!

Теперь все ясно?

Да ничего вам не ясно, потому что совсем не для этого аутомассаж нужен! Во всяком случае, не только для этого...

Карау-у-л, доктор!
Я заразился ЛЮБОВЬЮ!

Что такое это соприкосновение? Как нам с вами соприкоснуться на расстоянии и помочь друг другу? Вы думаете, я крылышки расправил и к вам полетел? Нет. И на помеле никуда не летаю, не умею. Из тела тоже не выхожу.

Любое сравнение, которое вы сейчас сделаете, будет ошибочным. Почему? Потому что у вас нет аналогов. Это совершенно другой мир.

Для души нет расстояний. Нет расстояний ни в пространстве, ни во времени. Для души не важен пол, возраст, профессия, для нее не существует вашей национальности, ваших религиозных и политических убеждений, их там просто не существует.

Дорогие мои, в душе нет никаких придуманных правил поведения, никакого ханжества. В душе есть только любовь!

Это не космическая энергия.

Просто когда чья-то душа соединяется с вашей, то, стоит вам об этом человеке подумать, как он тут же, а может, через час появляется или как-то дает о себе знать. Когда вы о ком-то подумали, у того человека в душе, образно говоря, раздается телефонный звонок.

Помните, мы говорили: поднимаете трубку — человек, о котором подумали, звонит? Произошло соприкосновение на уровне души и возникло соединение!

Когда вы думаете о маме, о родных и близких, то сразу ощущаете их присутствие, сразу чувствуете что-то...

304

Это не физическое прикосновение, не звук, не запах. Это даже не зрительный образ. Это что-то нематериальное, но вместе с тем вполне реальное, что в вашем ощущении связано именно с этим человеком.

Не хочу называть это флюидом, фантомом или другим популярным словом из арсенала современной эзотерики. Это некое чувство вашей личной, индивидуальной, неповторимой, исключительной связи именно с этим человеком.

Мать всегда чувствует своего ребенка, вы согласны? Почему, где бы ни находился ваш ребенок, вы чувствуете, что с ним происходит? Если ему плохо, вы начинаете ерзать, беспокоиться, вам тоже плохо!!! Если даже он просто занозу себе посадил... Это не у всех матерей, конечно, проявляется, но у большинства есть.

Когда мы тренируемся на основном курсе, у нас возникает именно такое соприкосновение. Мы становимся очень близкими людьми и начинаем чувствовать друг друга. Это состояние очень трудно описать словами. Оно похоже знаете на что?..

Вот когда я своего сына беру на руки, обнимаю. Он маленький совсем, еще ходить не умеет. Только-только стоит, когда его за ручки держат. А когда отпускают — бах! — падает на попочку.

Вот когда я беру его на руки, прижимаю к себе, от его волос такой запах! А-а-а-ах!!! Сразу можно улететь на седьмое небо от счастья!

Во время этой работы в аудитории у меня возникает именно такое состояние в отношении вас... Это похоже на объятия любимого человека. Но объятия... Нет, не то... Это похоже...

Лучше пример приведу.

Как раз сейчас вспомнил, как в школе, в восьмом, что ли, классе, первый раз танцевал с девочкой. Когда мы танцевали... Такое новое, ни с чем не сравнимое чувство возникло. Эта музыка, эти движения в ритм...

Когда отошел, смотрю, у нее на платье две мои лапы нарисованы, прямо как отпечатаны. Потому что влажные были. Видно, вспотел от волнения. От незнакомого и знакомого, от долгожданного и непривычного. Здесь все вместе.

Вот это резкое столкновение обычного и необычного, когда и то, и другое сразу, и еще ощущение, что ты сам что-то можешь, — дает состояние необыкновенного душевного экстаза и в этом состоянии возникает контакт на уровне души.

И когда у вас зарождается такой **контакт** с другими людьми — запомните! — будьте открыты, потому что вы соприкасаетесь душой. Это самое чистое, что только есть у каждого из нас.

Дорогие мои! Чем бы мы ни занимались, что бы мы ни делали, мы с вами люди.

Ненависть, обида у всех бывает, вы согласны? У кого-то больше, у кого-то меньше. У меня, например, тоже время от времени возникают негативные чувства.

Но после того как вы начнете это осознавать — увы! — уже не имеете на них права. Можете обижаться, сколько угодно, но только в голове. Ни в коем случае не опускайте свой гнев в область сердца, то есть ниже горла. Не пропускайте его в душу, потому что искалечите жизнь, убьете тех, кому адресованы ваши эмоции.

Другими словами, нельзя обижаться по-настоящему, от всей души. **Будьте осторожны!**

Теперь вы понимаете, почему упражнения открываются через состояние любви и добра к себе и другим?! Вот вам и ключик!

Специально коротко, как бы незаметно, объяснил на этих страницах, как распознать упражнение.

Для такой работы расстояния нет, дорогие мои! Никакого! Просто существуют участки нашего мозга, которые постоянно удерживают связь с близким нам человеком.

Знаете, как я чувствую своего брата?

Вот он уехал куда-то. Когда возвращается, опаздывает, я волнуюсь. И вдруг в какой-то момент уже знаю: все, вот он здесь. На расстоянии примерно пяти километров я начинаю я-я-явно его чувствовать, очень отчетливо! Чувствую, чем занимается, что жует.

У вас тоже наверняка начнет проявляться ощущение постоянной связи с близкими людьми.

Эта способность нужна не для того, чтобы обмениваться с кем-то информацией, нет! Если то зерно, которое в вас с момента рождения заложено, даст всходы, вы сможете кого-то реально поддержать.

Даже одно ваше желание помочь, ваше душевное тепло, душевная поддержка, ваше сочувствие воплотятся в жизнь, обретут форму реального действия.

Это — **материализация вашей любви.**

Добро пожаловать

к Учителям
из параллельного
мира

омните, я рассказывал о местах силы? Так вот, в одном из таких мест силы есть скрытый тоннель и на глубине около сорока локтей — катакомбы. Это место, где Мастера проходят специальные тренировки.

Почему именно там, под землей? Потому что место чистым должно быть, чтобы там не ступала нога человека.

Наши мысли, наши чувства — они ведь на самом деле материальны. И они имеют свойство оседать, как копоть, как пыль на всем, что окружает человека, — на стенах, на вещах. А вот там, под землей, в этом смысле все стерильно.

Сначала проходят трехдневную специальную подготовку. Потом пять дней идет более интенсивная тренировка, потом семь дней, потом сорок. Представьте себе: сорок дней без остановки тренироваться, глубоко под землей абсолютно без сна.

На сутки дается один небольшой шарик измельченных орехов с изюмом и полтора литра воды.

Так в нашей школе. В разных школах по-разному.

Если вы сутки не поспите, не поедите, как себя чувствуете? А если три дня? Крыша поедет, вы согласны? А там сорок суток, да еще непрерывное движение! Наставники обязательно рядом находятся, чтобы тот, кто тренируется, с ума не сошел.

С какой целью это все делается? Путем такой тренировки человек достигает очень глубокого измененного состояния. Происходит активизация тех зон мозга, которые у обычного человека находятся в спящем состоянии.

И тогда открывается другое ви́дение, открывается другое чувствование. Человек может видеть и слышать через стены так же, как вы видите и слышите то, что рядом.

Может видеть — не глазами — что делает суслик в своей норе, может видеть, что происходит на поверхности земли, и еще разные другие способности там проявляются.

Об этом, если Бог благословит, в другой раз и в другой книге поговорим, ладненько? Потому что это — сверхобширная тема!

Но такое испытание очень немногие могут выдержать.

Помните, я рассказывал о «сумасшедшем» чудотворце из Самарканда?

Он был лучшим из лучших учеников моего Наставника, но он без разрешения Наставника решил провести сорокадневную тренировку в одиночку. В самый последний момент он не выдержал и прервал ее. Он не знал некоторых важных вещей, но пошел один, без Наставника. Что из этого получилось, вы знаете.

Если какой-нибудь любитель, узнав что-то понаслышке, пытается это сделать — из любопытства или еще для чего — верная гибель! Бывали такие случаи.

Понимаете, мои хорошие, жители трехмерного пространства?

То, что сейчас скажу, вы спокойно можете воспринимать как очередной бред больного из «тихого» отделения психиатрической клиники. Как-никак вы уже к этому, наверное, привыкли!

Значит, так! Продолжаем бредить!

Достигая определенного состояния, Мастер получает не только доступ к особой «библиотеке», чтобы по мере надобности брать оттуда разные сведения, рекомендации, руководства и ответы на свои вопросы, но и возможность путешествовать в пространстве и времени. Именно в этом состоянии он «идет» в параллельный мир, «идет» для того, чтобы обменяться учениками-стажерами с другими Мастерами — «коллегами-собутыльниками».

Для этих Мастеров все миры являются такой же реальностью, как для вас ваше рабочее место.

...Сейчас вдруг понял, что на этом месте пора остановиться...

Редакторам:

Эту главу закончил и передаю ее вам. Но убедительно прошу еще раз прочесть: вероятно, некоторые блоки информации придется убрать как несовместимые с менталитетом читателей!

P.S. Мы решили ничего не убирать! Кто готов к восприятию, тот поймет, правильно?

 Сразу вынужден предупредить желающих самостоятельно потренироваться!

Искусственно поддерживаемая бессонница к состоянию тренировки не имеет абсолютно никакого отношения! Ни в коем случае этого нельзя делать!!! Суть абсолютно в другом!

Обращаюсь к тем, кто страдает бессонницей. Вам к невропатологу!

Но если у вас в голове самым естественным образом уже давно существуют советчики, проявляется связь с космосом в виде голосов или видений, обязательно посетите психиатра! Вам заниматься противопоказано!

Хоть ты дерись!

У вас не возник вопрос, при чем здесь какие-то тренировки с их странными состояниями? А при том, что именно в этот момент, именно в этом состоянии самые смелые ваши желания становятся реальностью. Мы с вами называли это Октавой.

А теперь представьте, что в течение часа вы триста, четыреста, пятьсот раз достигаете состояния Октавы и каждый раз это состояние у вас все выше, выше, выше!

Многоразовая, многоступенчатая Октава — это состояние, когда ваше желание, ваше стремление, ваша вера получают огромную силу. Такую силу, что ваша цель начинает осуществляться. Именно в этом состоянии Мастера проходят сорокадневную тренировку.

Помните, я рассказывал, как булыжники превращаются в пыль? Это они делают именно в таком состоянии. И, обратите внимание, не в одиночку, а все вместе. Почему? Потому что в этой работе один усиливает другого, и каждый усиливает всех.

А если вы когда-нибудь молились, обращались к Всевышнему, то как бы стояли перед дверью в Его кабинет, стучались и просились на прием.

А многоразовая Октава — это право с разрешением и приглашением, которое ту дверь открывает. Образно говоря.

Кажется, мы с вами в какой-то главе говорили о тайнописи. Разрешите, расскажу одну притчу. Думаю, что поймете.

Один влюбленный как-то пришел к дому своей возлюбленной и постучал.

— Кто ты? — спросил голос из-за двери.

— Это я — любящий тебя! — сказал он.

— Уходи, ты не любишь меня, — был ответ.

И он ушел. Он долго странствовал, а в конце пути снова оказался перед той же дверью. И снова постучал.

— Кто ты? — спросил тот же голос.

— Это ты, — ответил он. И дверь распахнулась.

Понятно? Отлично! Тогда действуйте!

Теперь вопрос: вы зачем в ту дверь стучите? Ну, кто зачем, я понимаю! Но чаще всего для того, чтобы попросить что-нибудь, согласны? Так вот, многоразовая Октава — это один из способов достучаться.

Это очень древняя практика, которую люди веками совершенствовали, веками тренировались, чтобы достичь мастерства. Это состояние души и тела, когда они одновременно полностью заняты одним стремлением. Они сливаются в общем движении к цели, и стремление обретает огромную мощь.

Знаете, почему солдаты на мосту никогда не ходят строевым шагом?

Однажды полк солдат шел по мосту в ногу, и, когда дошли до середины, мост вдруг рухнул. А почему?

Скажу по-умному. Частота колебаний внешнего воздействия совпала с частотой колебаний системы, и началось резкое возрастание амплитуды этих колебаний. Это называется эффектом резонанса.

А теперь скажу вам простым языком: потому что все дружно в такт долбали этот мост то одной ногой, то другой, то есть ритмично его раскачивали, и так сильно раскачали, что мост развалился.

А теперь вспоминайте, как вы себя чувствуете в концертном зале или во время салюта на площади.

Вот представьте, что вы — в толпе, которая хлопает в ладоши и одновременно что-то скандирует. Ваши ощущения?

Даже если вы там человек случайный, все равно у вас начинает как-то иначе, чем обычно, стучать сердце. Во всем теле возникает какое-то странное движение, будто бы вас приподымает. А уж если вы всей душой с ними вместе, если еще и... Помните, что тогда бывает? А ведь это тот же эффект резонанса.

Думаете, какое все это имеет отношение к Октаве? Не слишком прямое, но и не слишком кривое. Потому что во время многоразовой Октавы тоже возникает резонанс, только иной.

Наш мир, в котором мы живем, ритмичен: лето—зима, зима—лето; ночь—день, день—ночь. Все время что-то меняется, чередуется, но это большие, долгосрочные ритмы, большие по сравнению со своей не слишком большой жизнью. А есть короткие: вдох—выдох, сердце: тук—тук.

А есть ритмы Космоса, Вселенной, то есть свой ритм существует во всем.

А как живет душа? Когда у вас уж очень хорошее настроение, то потом обязательно происходит легкий спад. Заметили или нет?

Всегда в одном и том же состоянии оставаться невозможно, согласны? Здесь тоже есть своя амплитуда колебаний, свой маятник, свои ритмы. Ну, да вы же знаете!

Представьте, что все эти колебания — и материальные, и нематериальные — в какой-то момент начинают совпадать.

То есть вы идете по мосту, отбивая такт, одновременно скандируете и хлопаете, раскачиваете мост: раскачиваете свое душевное стремление, свой порыв, а заодно раскачиваете, как качели, Землю и всю Вселенную и одновременно все восемнадцать тысяч миров, которые, как говорят Мастера, отделяют нас от Господа Бога.

Вселенский резонанс возникает в душе, теле и окружающем мире!

Видели когда-нибудь паутину? В каком бы месте муха ни вздумала лапкой паутину потрогать — информация об этом идет сразу во всех направлениях, вся невидимая ткань сразу приходит в движение.

То же происходит во время Октавы.

Мастера в этой работе создают такое психофизическое состояние, которое посылает сигнал по всей паутине Творения. Они усиливают напряжение в сети Бытия, и возникает резонанс. Где-то там — неизвестно, где — зажигается красная лампочка, срабатывает реле, замыкается цепь, и их обращение, их желание принимается к исполнению.

Их желание осуществляется, то есть возвращается к ним по сети, но — внимание! — уже в **материализованном** виде.

Дорогие мои, я не шучу! Много-много раз проверял, это так!

Вот этому нам с вами надо научиться.

— Да разве это возможно?

— Да!

Я не могу вас этому научить и никто не может. Но вы можете научиться. Почувствуйте разницу!

Не говорю, что какой-то джинн построит специально для вас золотой дворец, а потом опустит его прямехонько к вашим ногам. Ничего подобного! Вы сами его построите, потому что будете знать, как строить.

Вы будете точно знать, что и как для этого нужно сделать, и увидите: все и вся начнет помогать вам в этом, все начнет складываться чудесным образом именно так, как вы хотите. Но, чтобы это «само собой» сработало, придется пахать, пахать и пахать!

У вас получится! Не вы первые, не вы последние!

Вот это ощущение резонанса, когда сама жизнь резонирует, отражает ваши желания — ни с чем не сравнимо! Это такая мощная созидательная сила!

Но пока нам с вами до этого далеко. Нам еще предстоит учиться, учиться и учиться, как завещал нам великий Ходжа Насреддин. Чему учиться?

Технике вхождения в состояние многоразовой Октавы, говорите?

А у этого состояния **нет техники**, потому что не может быть в любви, гениальности, счастье слепой или зрячей техники. Нет и не может быть никакого инструктажа! Ну нет его, хоть ты дерись!!!

ЧЕМ отличается онанист от женатого онаниста?

Первый Ключ

Чем отличается музыкант от композитора? Композитор импровизирует, музыкант исполняет. На тысячу музыкантов, может, найдется только один композитор.

Чем отличается ученик от Мастера?

Много раз повторяю своим ученикам одну старую притчу. Хотите, вам тоже расскажу? Слушайте.

Один Мастер как-то сказал своему ученику:

— Ты уже готов. В гончарном деле ты достиг совершенства и уже стал Мастером. Теперь открывай свою мастерскую и набирай учеников.

Ученик поехал в свой город, открыл там гончарную мастерскую и стал работать.

Через некоторое время он в отчаянии возвращается к Мастеру:

— Мастер, у меня ничего не получается!

Мастер его успокоил и сказал:

— Давай, прямо сейчас, при мне, начни делать кувшин. Пока будешь делать, я посмотрю, где твоя ошибка.

Ученик замесил глину, сделал форму, потом обжиг, роспись, глазурь, снова обжиг. Получился красивый кувшин... Но чего-то в нем не хватало.

314

— А знаешь, где ты допустил ошибку, на что ты не обратил внимание? Когда после первого обжига ты вытаскивал кувшин из печи, ты забыл три раза сдуть с него пыль и протереть его рукавицей.

Иногда секрет заключается не в том, как придать форму, а в том, как сдуть пыль, то есть в самом незначительном моменте или в том, что нам кажется незначительным.

Если от Октавы, от вашего нового образа вы хотите что-то получить, вот первый ключ: **надо свое эмоциональное состояние передать телу.**

Что это значит?

Вы заметили, как идет Октава? Два-три мгновения подъем — потом отдых на подъеме перед новым восхождением. Два-три мгновения подъем — снова спад. Во время высоченного подъема, на самом пике ощущений надо свое состояние прочувствовать телом и пропустить его по всему телу!

Как это сделать?

Вот, например, вспомните. Сидите вы в расслабленном состоянии, читаете книжку или просто мечтаете.

Вдруг — тррах! — что-нибудь с грохотом падает где-то рядом, или неожиданно раздаются залпы салюта, или неожиданный телефонный звонок вас выдергивает из состояния расслабленности и покоя. В этот момент что происходит? Вы вздрагиваете, подскакиваете на стуле или вообще падаете со стула!

Что произошло? Резкий сигнал прошел по всему телу, заставив мышцы сократиться. Вот вам, пожалуйста: эмоция отразилась в теле. Вот это и есть сдувание пыли с кувшина. Вот это и есть Октава в очень примитивной форме!

Но в нашем примере это было непроизвольно, случайно. Такое переживание — ненужное, бесполезное для нас с вами и даже отрицательное. Если такое будет часто повторяться, то вам придется обзавестись памперсами.

Значиг, эмоция и ее отражение в теле...

Наша задача, запомнив этот механизм, применять его по собственному желанию, произвольно, полностью осознанно. И во время Октавы не один раз, а от трехсот до пятисот раз в течение пятнадцати-двадцати минут! То есть ваше внутреннее стремление, желание стать таким, как вы хотите, нужно обязательно закрепить в теле.

Добейтесь такого состояния, чтобы ваше желание закрепилось через реакции тела. На это обратите внимание.

Это — первый ключ.

А существуют еще десять ключей, и еще десять, и еще!..

Теперь разрешите повторить то же самое, но только по-другому.

Если во время Октавы душа будет трудиться, дух — напрягаться, а тело останется расслабленным, от этого упражнения пользы не ждите!

Вы можете десять лет заниматься по десять часов в день — пользы не будет!

Вот вы сидите в расслабленном состоянии, и вам уже пора вставать. Попробуйте отследить, как ваше желание встать передается вашему телу.

Для начала просто встаньте и снова сядьте.

Теперь проделайте то же самое, но медленно, фиксируя тот момент, когда вы еще не приступили к физическому действию, но сигнал «встать!» уже пошел по телу, едва заметно напрягая мышцы.

Теперь повторите то же самое, но без какого-либо физического действия. Только желание и легкое внутреннее напряжение. Никакого физического проявления!

Вот это промежуточное состояние — навязывание мышцам своей воли — это есть ваша опора, точка отсчета. И теперь нам нужно это состояние взять под контроль воли и усилить.

Любое свое позитивное желание, любое душевное усилие нам надо связать с незаметным откликом в теле. Тогда мышцы запомнят ваши стремления, ваш порыв.

Вы в школе органическую химию изучали? Изучали. А что-нибудь сейчас оттуда помните? Ничего не помните, кроме жалких обрывков каких-то формул. Зато химичить вы еще как химичите! Правда, уже по-другому, если, конечно, не стали профессиональным химиком!

Почему от всего прочитанного и услышанного в школе мало что остается? Почему «в одно ухо вошло, в другое вышло»?

Помните про вторую сигнальную систему? Информация, полученная в словесной форме, имеет свойство мгновенно улетучиваться.

Но если вы один раз научились ездить на велосипеде, вы никогда не разучитесь. Если вы научились плавать, никогда не сможете забыть, как это делается, потому что мышечная память сохраняет информацию навсегда.

Да, она может притупиться. А может, наоборот, стать ярче. Но мышечная память не стирается никогда!

 В этой маленькой главе дан один из основных фундаментов, ключей, секретов по раскрытию вашей волшебной силы.

Будьте
БДИТЕЛЬНЫ!
Второй Ключ

Т ак и быть, расскажу более открыто.
Это очень важно!

Вот вы в своей записной книжке написали: завтра надо позаниматься, сделать Октаву. Завтра наступило, и вы себе говорите: «Ну давай, садись, занимайся! Ну, давай, давай, давай! Ну-у же...».

Вы себя заставляете, и вы себе делаете одолжение. Вы говорите: «Это — каторга, но от нее будет польза».

И с этого дня начнется отсчет времени вашего терпения, начало ступора, упирания лбом в бетонную стену.

На сколько вас хватит? Это зависит от вашего характера, от ваших мазохистских наклонностей. Первый раз пошли на эшафот, второй раз, третий...

Когда вы себя заставляете что-то делать через «не хочу», через «не могу», когда к занятиям вы относитесь, как к самоистязанию, это всегда плохо кончается. Через какое-то время силы воли уже не хватает. «Надо, Федя, надо», — здесь уже не работает.

Большинство людей, не зная себя, подкладывают себе свинью, а потом удивляются: почему что-то не получилось или не сложилось?

Да потому, что здесь — замкнутый круг: «хочу» цепляется за «не хочу», «не хочу» за «хочу», и так до бесконечности. Точнее, до полного маразма — ощущения бессилия и нежелания действовать.

А как обойти это препятствие? Как изменить это состояние? Как разомкнуть круг неудачи?

А вот как.

Вы сегодня тренировку заканчиваете, а послезавтра вам нужно заниматься снова.

Искусственно — ВНИМАНИЕ! — искусственно создайте такое настроение, будто вам послезавтра предстоит такая радость, такое наслаждение, такой кайф... но, к сожалению, только послезавтра.

Придется потерпеть, придется подождать. Вот ведь как обидно!

А как это искусственно создать?

Пожалуйста, представьте, что вам на все начхать, на все наплевать. Состояние расслабленное. Вы просто сидите и плюете в потолок. Представили? Получилось? Хорошо!

А теперь создайте отрешенность. Никаких эмоций. Нет радости, нет печали. Ничего нет. Пустота.

Вы когда-нибудь на рыбалку ходили? Когда удочку забрасываешь, через полчаса как раз наступает это интересное состояние. Вот что нужно создать, понятно?

А теперь, пожалуйста, вспомните ощущение омерзения. Ну, вам от чего-то вдруг стало гадко, противно! Фантазии добавьте.

Представьте: надели новый костюм, руку в карман сунули, а там что-то холодное, липкое, скользкое. Вынимаете, а это кусок гнилого мяса с червями...

Ну ка-а-к, получилось?

А теперь снова состояние отрешенности создайте, пожалуйста.

Вы обратили внимание, что все у вас получилось. Вы любое состояние можете создать искусственно, абсолютно любое! Вы можете создать всю гамму эмоциональных состояний.

Значит, когда вы будете заниматься, вам нужно будет **сознательно** добавлять ощущение кайфа, предчувствие прекрасного, предвкушение радости, блаженства, захватывающего счастья, и тогда вы увидите, что лень сама собой начнет исчезать!

Когда вы стремитесь к удовольствию, вас лень беспокоит? Нет!

Вот мы посмотрели на примере, как можно желание-страдание заменить на желание-радость. Чтобы разорвать цепь желание—страдание, нам нужно искусственно создать удовольствие. Чтобы закрепить это удовольствие, нам нужно перенести его куда? На мышцы. Записать его в мышечную память.

Теперь все это примените к своей цели. У вас есть цель. Вы чего-то в жизни хотите достичь. А почему не достигли? **Да все потому же: достижение цели для вас сопряжено со страданием.**

Что говорит ваш жизненный опыт? Куда-то дернулись — не вышло. Чего-то хотели — не получилось. Мечтали о чем-то — облом. В результате остался навык боли, страдания, поражения. И теперь уже не очень-то хочется. При любом желании возникает вялость, боязнь, и вы ограничиваетесь мечтами без действия.

Значит, ваша цель тоже прочно связана со страданием. И это уже стало привычкой, чертой вашего характера. А нам надо дать вашему характеру новый навык, новую привычку.

Значит, вывод: каждое занятие проводится в созданном усилием воли состоянии удовольствия, радости, счастливого ожидания.

Онанизмом в детстве занимались? Да ладно, чего стесняться-то? Все равно никто не слышит. Все этим занимались!

Вот тем же способом теперь и мечтайте. Мысли о том, что еще предстоит тренироваться, обязательно сопровождаются реально ощутимым физически и, конечно, духовно состоянием предстоящего удовольствия, наслаждения.

Позвольте еще раз прожужжать в вашу пустую черепную коробку, чтобы эхо стояло: Ауу!!! **Настроение создается искусственно, искусственно, искусственно-ственно-венно-но-о-о-о!!!**

Третий КЛЮЧ

умаете, захотели — и получилось? Не-ет! Придется потрудиться. Здесь пойдет осознанное перепрограммирование своего характера, своих возможностей, сознательная самотрансформация.

Самая большая анархия — в нас самих. Самый большой хаос — в нас самих. Обычный человек идет на поводу у своих мыслей и эмоций. Обычный человек живет по закону хаоса.

Да-да. У хаоса тоже есть свой закон, то есть порядок. И вот здесь нам обязательно нужно провести кое-какую небольшую работенку. Хотя этой небольшой работы там до хрена, потому что целую вечность своей жизни мы туда собирали хаос.

А вы заметили одну закономерность? Когда внутри у вас хаос, мы требуем, чтобы вокруг был порядок.

Вы начали тренироваться, вы достигли каких-то результатов. Но, выходя из дома, попадаете в каждодневный водоворот, и срабатывает годами, годами, годами наработанный стереотип реагирования.

Вот это есть зона ваших действий там, где все ваши достижения, все ваши новые приобретения пробуксовывают.

Вы хорошо потренировались. Вы уже можете удерживать состояние интуитивного мышления, скажем, сорок минут. А остальные 23 часа 20 минут живете по-старому — хаотично мыслите, идете на поводу эмоций и настроений.

К вам пришла информация — с кем-то надо встретиться, что-то нужно решить — от мелочей до глобальных проблем.

Стоит ли в это дело, в эту проблему вкладывать время, труд, деньги, силу? Стоит ли иметь дело с каким-то человеком или потраченное на него время уйдет коту под хвост?

Все вопросы, все варианты решения пропускайте через навык интуитивного мышления, который вы в себе наработали. В течение этих сорока минут вы сможете найти ответы на многие вопросы! А если вы будете продолжать тренироваться, то навык будет укрепляться и время пребывания в этом состоянии увеличиваться.

Дорогие мои! Период экспериментов для вас заканчивается. Жизнь — это не эксперимент! КПД вашей жизни должен возрасти во много тысяч раз! Любое ваше решение, любой ваш поступок должны экономить вашу жизнь. Договорились?

Значит, во время тренировок на что будете обращать внимание?

Давайте подойдем к вопросу экономически, статистически, то есть посчитаем, сколько труда, когда и во что вы будете вкладывать.

На первом этапе работы над собой, на начальной стадии тренировки: 99% усилий направляем на создание приятных ощущений.

Потом, когда это ощущение отработано, удерживаем контроль над ним, но свое волевое усилие постепенно направляем на формирование образа цели, на Октаву.

Теперь только 10% внимания удерживаем на приятных ощущениях, сохраняя и повышая уровень удовольствия, наслаждения, блаженства. Но 90% усилий вы уже направляете на констатацию своей цели, понятно?

Третий этап. Теперь на формирование ощущений, на создание Октавы вы тратите в сумме 10% усилий. Это вы уже освоили, у вас уже есть навык. А 90% усилий вы направляете на то, чтобы перенести эти ощущения в «записную книжку» вашего тела, ваших мышц.

Другими словами, 5% внимания расходуете на ощущения, 5% внимания — на образ цели, а 90% — на «запись».

Когда приятные ощущения начинают возрастать и усиливаться, в этот момент вы вспоминаете свои мечты, цели, черты характера или способности, которые хотите в себе развить, желание обустроить свою материальную и нематериальную жизнь и т. д.

На самом пике наслаждения, когда программу своего желания вы уже запустили, вы по всему телу пропускаете волну истомы, волну томления, волну приятных ощущений.

Создайте искусственно приятные ощущения и пропустите их по всему телу, волну за волной — все самое приятное! Физический, искусственно создаваемый и сознательно удерживаемый экстаз, внутренний порыв, желание действовать передаете телу.

На этом первый этап вашей работы заканчивается. Вы создали три опоры своего развития, своего движения вперед.

Одна из них — руль, вторая — газ, третья — тормоз. Все! Вы можете управлять собой. И теперь на эти три опоры вам потребуется лишь 10% внимания, 90% вы будете теперь тратить на другое...

Ну, там есть еще кое-какие добавки, разбросанные по разным главам книги. Конечно, вы обязательно их найдете.

Как почесать макушку через промежность

Сейчас вы закроете книгу, выйдете на улицу, и окружающий мир со всеми своими домами, машинами, со всеми туда-сюда снующими людьми будет давить на вас в тысячи раз сильнее, чем эти наши с вами беседы. Реальность мира слепых — это пока ваша реальность.

Люди вечно куда-то поступают, где-то учатся, ищут работу, ищут деньги, квартиру и т. д., и т. п.

За-аче-ем?! Для того, чтобы быть сильнее и познать свои возможности?

Они думают: может быть, счастье в этой профессии? Может быть, ответ на волнующий меня вопрос в этой должности, квартире, машине? Вечно ищут ответ где-то, в чем-то, у кого-то.

А зачем искать на стороне то, что находится внутри вас?

Кто-то думает: «Если накоплю миллион, будет счастье», — и всю жизнь посвящает этому миллиону, вместо того, чтобы просто быть счастливым.

Вы гоняетесь за тем, чего у вас нет, и страдаете, что этого нет. И вы забываете радоваться тому, что у вас есть. Быть счастливым, быть реализованным очень просто.

Вы думаете, я такой умный? Пишу, а вы все читаете. Не-а! Просто в одной крохотной области человеческого познания может быть чуточку лучше разбираюсь, чем вы, а в остальном я вам даже в подметки не гожусь.

Если вы сейчас примете нестандартное решение, если захотите что-то необычное сделать, против вас встанет мнение людей — весь опыт окружающих обычных людей. Противопоставив себя этому большинству, вы сразу почувствуете себя очень маленьким. Согласны?

Вы решите, что раз столько умных, знающих людей так считают, то... Чушь собачья! Это их порочный круг, это их круговорот ошибок!

Среди слепых нельзя слишком часто говорить о свете, потому что это причиняет им страдание.

Раз Господь сделал этого человека слепым, значит, этот человек изначально бракованный. Ему надо позволить жить нормальной, обычной жизнью, пребывая в духовной слепоте. Ему не нужно знать, что будет происходить завтра, через десять лет, через сто лет.

Приходит человек к лекарю.

— Погибаю, — говорит. — Ох, живот болит! Лекарь, спаси меня, умоляю!

Лекарь посмотрел на него:

— Что ты ел?

— Да я, — говорит, — работаю пекарем. Целая печь хлеба сгорела. Ну, осталось там немного не до конца сгоревших буханок, вот я их каждый день ем. Жалко ведь добро!

Тогда лекарь говорит своему ученику:

— Принеси-ка лекарство от слепоты. Пусть каждый день по три капли в глаза капает.

Пекарь спрашивает:

— Ты что, издеваешься надо мной? Я же зрячий! У меня живот болит!

— Да, нет! Если ты зрячий, тогда почему ел горелый хлеб?

Для чего пишу все это? Я не хочу, чтоб вы были слепыми. Я не хочу, чтобы вы были веточкой, которая оторвалась от дерева жизни и плывет по течению невесть куда. Хочу, чтобы вы были рекой. Понимаете?

На самом деле, читая эту книжку, вы, сами того не подозревая, уже начали восстанавливать свою изначальную способность ощущать, улавливать в себе это течение. Вы начали восстанавливать способность влиять на него. Вы начали восстановление силы, с помощью которой найдете ответы на все ваши вопросы.

В вас вложено все!

А понять себя, познать себя можно только через свое сердце. Только так можно стать сильнее. Познавать себя через опыт других людей — то же самое, что через промежность чесать макушку. Уже попробовали? Да? Нет?! Странно. А я думал, вы этим занимаетесь всю жизнь. И как вам это до сих пор удавалось, ума не приложу!

Вот вам еще одно упражненьице!

Итак, перескакиваем к другим страницам.

«Расскажи мне о Боге, а то я начала уже забывать...»

У вас три пути.

Первый путь — заниматься самостоятельно. Этот путь годится для очень целеустремленных людей.

Спортом хотят заниматься все, все знают, что это полезно, но ваше желание заниматься спортом обычно кончается чем? Тем и кончается!..

Вот однажды, наконец, вы точно решили позаниматься спортом ...

Впервые рано утром встали, необычно бодро достали спортивную одежду, подаренную лично Авраамом Линкольном, сдули пыль и сняли паутину. Натянули на свое тело, от которого столько неприятностей и страданий. Вышли на свежий воздух.

Э-э-эх! Наконец-то вы смогли себя заставить!

Вокруг все спят. Свободно, легко, порхая, как газель, бежите по аллее. Дышите полной грудью, вдыхая дурманящие запахи утренней росы и пробуждающихся цветов.

А соловьи, соловьи-то! Какой кайф!

Кровь в жилах пульсирует. Тело покрылось легкой испариной. Побегали, попрыгали, потом плюхнулись в озеро или речку, поплавали вдоволь, визжа от наслаждения.

Мокрый, бодрый, счастливый, как жеребенок, стучите копытами, бежите, то есть порхаете, как медвежонок, домой. Радостно прискакали, точно зная: с сегодняшнего дня это будет повторяться каждый день. Да здравствует новая жизнь!

Но дома что-то не то... Родственники озабоченно суетятся. И «скорая» приехала... Странно! Обращаетесь к близким и понимаете: они не узнают вас в новом облике, то есть в спортивном костюмчике.

Заходите в спальню, а там... Там! На вашей любимой кровати кто-то горой остывшей дрыхнет. Какой-то бомжеобразный студень! Не по-о-онял!? А ну-ка, встань, придурок!

Постойте, постойте, что-то знакомое в этой безобразной ленивой роже... Где вы могли ее видеть? Бывают же такие морды!?

Ба-а! Это же Я!

Ну как же так? Ну как же так?! Это несправедливо! Куда смотрят власти? И это как раз тогда, когда наконец-то решил заниматься! Наконец-то нашел время для самосовершенствования!

Оказывается, ночью вы уже умерли. Как всегда, на один день опоздали!

Ну, что? Узнаете себя, балбесик вы мой?! Когда начнем заниматься?!

Практически занимаются только единицы из тысяч и тысяч. И только единицы из тех, кто занимается, могут тренироваться в домашних условиях. Почему?

Дома против вас будет работать вся окружающая бытовуха. У всех у нас носки очень быстро становятся грязными. Мы все иногда, ну, хотя бы раз в год, чистим зубы. Мы все хотим есть, пить, писать и т. д. У всех у нас есть работа, семья, дети, проблемы... Это реальность, дорогие мои. Эта реальность называется «быт». Или «быд»? Интересно, откуда произошло слово «быдло»?

Дай Бог, чтобы эта реальность не стала для нас алтарем, чтоб нас не засосал этот быд, чтобы мы с вами не превратились в быдломанов. Это, конечно, тоже путь, но в какую сторону, вы прекрасно знаете!

Все стороны нашей жизни должны быть на высоте, но все они должны служить какой цели? Самопознанию, развитию наших высших способностей, осуществлению нашего высшего предназначения.

Мне запомнился эпизод одного фильма, как двухлетняя девочка, когда никого в комнате нет, подходит к своему новорожденному братику и говорит: **«Расскажи мне о Боге, а то я начала уже забывать».**

Мы с вами здесь общаемся, но когда вы закроете книгу, то начнете забывать. Ваши возможности бескрайние, но 85% людей почему-то с удивительным упорством, с удивительной решимостью выбирают самый разрушительный путь. Хотите остаться среди них?

Как быть здоровым? Как быть реализованным? Как стать миллионером? Как сделать своих детей счастливыми? Как быть в такой-то ситуации? Как быть при таких-то обстоятельствах? Как быть при... при... при... при... при... при...

На все у вас есть ответ!

У вас правильный ответ находится в вашем сознании, в душе! Вам виднее, но я думаю, у человека должен быть Наставник. Для себя я выбрал этот путь.

На Востоке есть пословица:

«Не радуйся, что ты достиг чего-то без Наставника.

Если у тебя нет Наставника, он все равно есть.

Если у тебя нет Наставника, значит, твой Наставник сам дьявол!».

Но есть знание от Бога, и есть знание от дьявола. Единственная задача Наставника заключается в том, чтобы сказать своим ученикам: «Я там был, там ничего, кроме грязи, нет. Вот столько ее нахлебался, потом десять лет отмывался».

Его задача — не пустить вас туда, где нет прохода, где есть яма. С чем? С опытом. Значит, задача Наставника состоит в том, чтобы вам не было слишком горько, а если будет очень горько, то находиться рядом в этот момент, потому что нет опыта, кроме горького!

И тогда, если вы знаете, какие впереди ямы и ухабы, то идете увереннее и быстрее. Согласны?

Если вы такой же ТУПОЙ, как я, — *нате вам Четвертый Ключ*

Человек, у которого нет ни копейки в кармане и который мечтает о тысяче рублей, — он самый счастливый, потому что у него есть цель. А вот тот, кто получил эту тысячу рублей, — самый несчастный, потому что он цели достиг, а дальше что? Вот тогда он может познать пустоту.

Иметь миллион долларов или рубль в кармане — одно и то же. От этого ваше счастье не убавится, не прибавится, ваши проблемы не убавятся и не добавятся, они будут всегда.

Счастье не на стороне, дорогие мои, не на стороне, а внутри вас!

Многие из вас, дорогие мои, свою жизнь тратят так, словно ее и не было. Говорят же: хорошо там, где нас нет. И вы стремитесь туда, где вас нет. Годы потратив, вы приходите, видите и сокрушаетесь: ради этого я потратил всю жизнь?! Боже мой!

Если у вас интуиция есть, и вы чувствуете, о чем идет речь... Но если вы такой же тупой, как я, то вы ничего не поняли.

***P.S.** Из стенограммы одного из последних занятий основного курса.*
Слушательница:
— Мирзакарим Санакулович, можно вопрос?
— Да. Да. Не вставайте.

— Если я ставлю себе одну цель, а Бог для меня уготовил другое?

— А Бог-то где? Господь-то внутри нас, дорогая моя! Вопрос изначально ошибочный.

Бог внутри нас. Его возможности тоже!

Почему Мастера называют друг друга «мой влюбленный»? Потому что именно состояние созидания, желание делать добро — и есть влюбленность в Бога.

Когда ваше желание делать добро материализуется, осуществляется, это означает, что вы находитесь на стороне Бога, на стороне Создателя.

Вот о чем речь. Понятно?

Ну, хорошо! Край занавеса приподниму...

Наши упражнения мы с вами делаем во время состояния величайшей нежности, наслаждения. Находясь в таком состоянии, вы не сможете никому причинить зло. Вы будете в этом смысле однобокими.

Вы знаете, у меня интуиция нормальная. А вот в какой момент она вообще не работает, не срабатывает? — Когда я выхожу из себя, когда злюсь, интуиция у меня улетучивается, отключается.

Если вы хотите, если планируете что-нибудь доброе — это будет осуществляться. А вот зло... Даже если вы чуточку хотите зла — то будете абсолютно обычным человеком. В этом-то и однобокость. Говорю вам исходя из собственного опыта.

Однажды я даже позвонил своим Наставникам и сказал:

— Вы из меня калеку сделали? Я не могу противостоять злу!

Тогда мой Наставник ответил: «Если ты будешь бороться со злом своим злом, тогда чем ты от него отличаешься? Ты сам уже зло». Понимаете?

Он сказал: «Будь прозрачен, и отпусти, и постарайся любить этих несчастных». Понимаете?

Вот я вам детские сказки рассказал. Да? В конце была свадьба. Все жили долго и счастливо. Вот и все. Сказки я закончил. Когда выйдете отсюда, забудьте, что я вам говорил. Это все — дурацкая лапша на ваши бедные ушки.

Милые мои, мои хорошие! Сегодня просто на лялеканье собрались.

Будем тренироваться?..

ПРИТЧА
о рубине _____

Ну, что, родной мой?

Напоследок самостоятельная работенка для вас!

Она же конвертик, в котором ... 000 000 $. Недостающие цифры впереди проставьте сами.

Эту притчу на русском языке очень сложно раскрыть, потому что при переводе была передана только внешняя оболочка, да и то приблизительно. Точнее сказать, она была художественно приукрашена, поэтому для раскрытия смысла этой притчи пришлось опираться на притчу-оригинал, написанную на старотюркском языке, и делать подстрочный перевод.

Итак.

Наследный принц дома Аббасидов, потомков дяди Пророка, жил, как живут обычные люди.

Как принято среди знатных арабов, этот человек, которого звали Дауд эль Аббаси, называл себя Дауд, сын Альтафа.

Предки потеряли все богатства и не оставили ему ничего, кроме титула принца. После трех поколений род его окреп, принц поднялся до ранга мелкого торговца. Его жизнь проходила на базаре, где он продавал семена и пряности.

Однажды он влюбился в дочь богатого купца. Купец показал сватам несравненной красоты рубин и сказал:

— Хотя моя дочь и рождена для этого принца, но в нашем доме есть обычай. Каждый, кто входит в нашу семью, должен принести с собой такой же рубин. И этот порядок нельзя изменить. Если принесет, я отдам ему в жены свою дочь.

И принц решил найти рубин.

Узнав об этом, к нему подходили торговцы и предлагали разные рубины, но не было среди них даже подобного тому. Принц спрашивал торговцев, пришедших с запада и востока, с севера и юга. Все говорили:

— Есть там.

Но стоило принцу увидеть их сокровища, как его постигало новое и новое разочарование.

Так прошли месяцы, прошли годы, но все его попытки были тщетны.

Когда однажды в тоске о возлюбленной сидел он в своем заросшем маленьком саду, вдруг почувствовал, что рядом кто-то стоит. Подняв глаза, он увидел дервиша, всего заросшего, в грязных лохмотьях. Встав навстречу дервишу, принц сказал, как было принято в их семье:

— Здравствуй, о мой король!

— Мы следим за тобой с тех пор, как ты полюбил дочь богатого купца, — сказал дервиш. — Тот рубин, который ты ищешь, находится у нас. Я — хранитель богатства твоего дома.

— Какого богатства? Все богатство давно уже растрачено! — сказал принц.

— Нет, ты ошибаешься, — ответил дервиш, — богатство твоей семьи огромно, но оно хранится далеко отсюда: через семь шагов и через семь тысяч лет.

— Если ты хранишь такие несметные сокровища, почему сам ходишь в тряпье, босиком, с голодным блеском в глазах?

— Во-первых, потому, что я являюсь только хранителем богатства и могущества твоей семьи, а во-вторых, потому, что не хочу дразнить злую свору людей, которая будет пытаться украсть то, что ей не принадлежит.

— Тогда дай мне это богатство.

— Нет! Нам надо добраться туда, где оно хранится. А чтобы туда добраться, ты должен стать слепым и глухим, завязать глаза, заткнуть уши и сесть на осла.

Мы можем отправиться в путь за сокровищами, — сказал он, — но при одном условии: несколько дней и ночей, пока мы будем идти в горы, ты не должен открывать глаза и уши, не должен слезать с осла. Если откроешь глаза, ты окажешься на полпути, в том месте, где у тебя не будет дороги ни вперед, ни назад. Ты потеряешься и навсегда останешься в стране вечного блуждания.

Потом через три дня и три ночи ты слезешь с осла и пойдешь пешком, держась за полу моего халата. Я открою твои уши. Ты сможешь слышать, но глаза твои будут все еще закрыты. Ты откроешь глаза только тогда, когда я скажу. Но если ты откроешь глаза раньше времени, мы оба исчезнем.

Принц согласился, и они двинулись в путь.

Он выдержал все эти испытания, и, когда дервиш позволил ему открыть глаза, принц увидел огромную пещеру, заполненную несметными сокровищами.

— Это все принадлежит моему роду?! — пришел в восторг принц.

— Да, — ответил дервиш, — и не только это. Таких пещер еще тысячи и тысячи.

— Значит, я сейчас же все это могу забрать с собой?! — воскликнул принц.

— Э, нет! — ответил дервиш. — Ты пришел за рубином, поэтому сейчас можешь взять только рубин. Но когда ты будешь готов, ты сам найдешь путь к сокровищам. Только тогда снова вернешься сюда, но это когда ты будешь готов и сам будешь решать: взять их в мир спящих или продолжать хранить!

И в мгновение ока принц оказался в своем саду.

Он отнес отцу девушки рубин, и была свадьба. Вино рекой лилось, мед — бочками. Я тоже там был, мед-пиво пил. По усам текло, а в рот не попало.

Сказка окончена.

Для того, чтобы вытащить из этой внешней «белиберды» свой миллион, вам придется чуть-чуть попотеть!

В этой притче есть сведения о месте ее создания, о ее назначении, есть техника физических и созерцательных упражнений — все «от» и «до». Попробуйте пораскинуть мозгами!

А если не получится, подождите, пока будет написана книга о тайнописи...

Ну, хорошо! Давайте прямо сейчас приоткрою для вас первую вуаль.

Итак.

«Наследный принц дома **Аббасидов**, потомков дяди **Пророка**, жил, как живут обычные люди...».

А — **Аббасидов**... Первая буква алфавита — алиф, означает начало.

П — **Пророка**.... указывает на то, сколько в этой притче вуалей. Для этого нужно посчитать, сколько букв от А до П.

«Принц» — это обычный человек, который является наследником всех сил, всех могуществ, всех богатств, но не владеет ими. И еще «принц» одновременно — это разум, разум человека.

«После трех поколений род его окреп...».

Три поколения — это означает три года. Три года, или тысяча одна ночь.

Здесь говорится о специальной подготовке, освобождении от рабства привязанностей — привязанностей к своим материальным слабостям. Здесь дается инструктаж для того, чтобы через три года подняться над этой зависимостью.

Обычный человек и нищий очень близкие, по сути, понятия.

В старину, чтобы достичь нужного состояния, люди практиковали путь странствующего отрешенного дервиша. Считалось, что после трехгодичного «нищенствования», то есть пребывания в состоянии ниже обычного человека, дух укрепляется.

Правда, сейчас для совершенствования используются другие пути.

Идем дальше.

«...принц поднялся до ранга мелкого торговца».

Мелкий торговец. Торговец — это человек, который продает то, что не изготавливал. Торговец не делает и не умеет делать то, что продает. Больше того, они очень часто продают предметы и вещи, в суть которых не могут вникнуть.

По аналогии с нашей жизнью — это такие же научные работники — теоретики: фи-и-зики, бота-а-ники, то есть ремесленники.

Здесь суть такова. Разум человека даже после трехгодичной подготовки поднимется только до уровня мелкого ученого, который в состоянии продавать чужие знания.

«...Как принято среди знатных арабов...».

В словах «знатный» и «араб» следует читать начальные буквы. Именно они дают здесь ключ к пониманию. Араб-халиф здесь означает первый уровень понимания, знатный, значимый... Что имеет значимость?

Значимость есть только среди обычных людей, но среди ценностей обычных людей нет чего-либо такого, что было бы интересно дервишу. Понимаете?

Все миллионы, все миллиарды, вся власть среди обычных людей для дервишей не представляют никакого интереса!

«...этот человек, которого звали Дауд...».

Какая буква в алфавите? «Д» — «Дауд эль Аббаси...».

Это означает что, после открытия той вуали, которая идет по счету в алфавите до буквы «Д», я должен еще вернуться к началу «А».

Здесь речь идет о рождении начальной истины.

«...Его жизнь проходила на базаре...».

Слово «базар» означает мир обычных людей, где продается все.

«...где он продавал семена и пряности...».

Семена означает что? Как вы думаете? Истины в зародыше, которые еще не сформировались. Обычные люди раздают друг другу истину в виде семян.

А что обычно мы делаем из семян, как чаще всего мы можем использовать огромное количество семян? Мы их размельчаем и делаем муку, используем для поддержания своего нахождения в этом базаре.

«Пряности»!

Пря-я-ность означает обма-а-н! Пря-я-ность означает этикет:

— Проходи-и-те! О-о-о, благочести-и-вый!

Полчаса я пряностями торгую, а потом говорю:

— Мой хозя-я-ин тебе сказал, что ты козе-е-л!

— О, шахан шах из шахан шахов! О, владыка из владык! О, держатель из держателей! Мой скромный хозяин тебя назвал козлом.

И все это прежнее хождение вокруг козла было для того, чтобы он меньше вонял. Вот для чего мы пряности используем.

То есть часто люди, применяющие в общении друг с другом этику и культуру, не иначе как обмениваются, продают друг другу пряности. А пряности никогда не кормят. Если их будет слишком много, человек может отравиться, вот о чем идет речь.

«...Предки потеряли все богатства и не оставили ему ничего, кроме титула принца...».

Это означает наши с вами предки.

«Предки потеряли...».

А на самом деле здесь ка-а-к бы потеряли! Это мнение тех людей, которые считают: «Раз я ничего не умею, значит, в прошлом тоже никто не уме-е-л. В будущем мо-о-жет быть кто-то это будет уметь».

От прошедшего ничего нам не осталось, кроме личного опыта, который и так ушел на эксперимент — эксперимент в воспитании детей, эксперимент со своей жизнью, чтобы в конце концов сказать: «Я был не прав или был прав».

Но истина не теряется, истина просто скрывается.

«...Однажды он влюбился в дочь богатого купца...».

«Купец» — это одно из тайных имен Господа Бога. Дочь купца — это есть душа. Разум, который влюбился, только через душу может войти в дом Бога.

«...Купец показал сватам несравненной красоты рубин...». Сваты. Что такое сваты? Кто такой сватающий? Кто такой посредник? Здесь — размышление, не слово «размышление», а понятие, находящееся между размышлением и озарением. Это состояние называется сват.

Все, что первоначально связывает понятие «Да будет свет!» и сам свет, есть идея.

Теперь «рубин» — ключевое слово. Очень значимое ключевое слово, которое часто встречается в тексте притч.

Рубин — это то же, что первый поцелуй, первая брачная ночь, первый шаг ребенка, первое кормление.

Мать, впервые в жизни покормив ребенка грудью, почувствует этот рубин, познает истину прикосновения ребенка.

Рубин — это то, что приводит в восторг постижения, познания. В виде рубина признается пе-е-рвое ви́дение, свет, исходящий от истины, свет, исходящий от Бога, от лика Бога. Вот это пе-е-рвое прикосновение к истинному восприятию жизни и самого мира и называется рубином.

«...сказал: "Хотя моя дочь и рождена для этого принца, но в нашем доме есть обычай...».

Здесь подразумевается обычай в доме Божием.

«...Каждый, кто входит в нашу семью, должен принести с собой такой же рубин...».

Каждый входящий в этот свет должен приходить со своим светом, своим трепетным чувством познания этой дороги, познания истины.

«...И этот порядок нельзя изменить. Если принесет, я отдам ему в жены свою дочь...».

То есть если этот человек постигнет Господа, или состояние высшего разума, или что-то, тогда произойдет слияние в гармонии разума с душой.

«...И принц решил найти рубин. Узнав об этом, к нему подходили торговцы...»

Торговцы — это есть те, как мы с вами уже знаем, кто торгует готовыми товарами, готовой информацией.

«...и предлагали разные рубины, но не было среди них даже подобного тому. Принц спрашивал торговцев, пришедших с запада и востока, с севера и юга...» То есть у него были разные учителя, ученые.

«...Все говорили:

— Есть там.

Но стоило принцу увидеть их сокровища, как его постигало новое и новое разочарование. Так прошли месяцы, прошли годы, но все его попытки были тщетны.

Когда однажды в тоске о возлюбленной...»

Речь идет о таком состоянии, когда одновременно есть радость и нет радости; есть грусть и нет грусти; есть действие и нет действия; есть и нет одновременно. Там есть любовь и нет любви; есть привязанность и нет привязанности.

Это состояние называется нахождением в саду.

Ну невозможно передать словами переживания человека, который проснулся раньше пчел и сидит рядом с кустами роз, по колено мокрый от росы!

Невозможно словами описать чувства человека, находящегося в саду рано утром, когда все еще спят, перед раскрывающимся бутончиком в хрустальных капельках. Для этого надо самому находиться около этих росинок.

Словами это невозможно описать. Как можно рассказать городскому жителю о розе, корнями уходящей в землю, если он вообще никогда не видел, как растут цветы?!

«...сидел... в саду...»

Находиться в саду — это означает пребывать в уединенном упражнении, это состояние тренировки. Чаще всего сад на языке тайнописи определяется как самостоятельная тренировка.

Если в притче рассказано о том, что кто-то находился в саду среди друзей, то здесь подразумевается групповая тренировка, тренировка в кругу.

А вот нахождение в кабаке описывает вхождение в глубоко опьяненное состояние познания истины, восхождение в кругу при поддержке друг друга. То есть принц находился именно в этом состоянии.

«...почувствовал, что рядом кто-то стоит. Подняв глаза, он увидел дервиша, всего заросшего, в грязных лохмотьях. Встав навстречу дервишу, принц сказал, как было принято в их семье...»

«Семья» означает круг Влюбленных, которые приняли его уже как равного. Значит, он уже по своему постижению, по восприятию первоначального уровня поднялся до определенной ступени.

«— Здравствуй, о, мой король!..» Эти слова имеют отношение к первому Наставнику, он есть повелитель. Так принято.

На Востоке есть пословица: «Наставник выше отца».

Наставник больше почитается, чем родной отец! Почему? Потому что отец вместе с матерью дает тело, следит и поддерживает физический рост, а Наставник — умственный и духовный. Духо-овность, душа-а, дух человека считается главнее тела.

Король может поднять любого до своего уровня, может полцарства дать, а может и наказать, лишить жизни. Вот почему так говорится об отношении ученика к своему Наставнику.

«— Мы следим за тобой с тех пор, как ты полюбил дочь богатого купца...» Уже намек понятен.

«...сказал дервиш. — Тот рубин, который ты ищешь, находится у нас. Я — хранитель богатства твоего дома.

— Какого богатства? Все богатство давно уже растрачено! — сказал принц.

— Нет, ты ошибаешься, — ответил дервиш, — богатство твоей семьи огромно, но оно хранится далеко отсюда: через семь шагов и через семь тысяч лет...»

Далеко-о и не далеко отсюда.

«— Если ты хранишь такие несметные сокровища, почему сам ходишь в тряпье, босиком, с голодным блеском в глазах?

— Во-первых, потому, что я являюсь только хранителем богатства и могущества твоей семьи, а во-вторых, потому что не хочу дразнить злую свору людей, которая будет пытаться украсть то, что ей не принадлежит.

— Тогда дай мне это богатство.

— Нет! Нам надо добраться туда, где оно хранится. А чтобы туда добраться, ты должен стать слепым и глухим, завязать глаза, заткнуть уши и сесть на осла...»

Вот здесь, одна эта строчка является указанием для начинающего ученика. Почему нужно стать «слепым»? Потому что глаза видят и могут обмануть.

«Закрой уши», то есть буквально — чувствуй! Человек, у которого уши не слышат, глаза не видят, он сердцем чувствует!

«Сесть на осла» — означает довериться дервишу.

Осел, на языке тайнописи, — это человек, дающий знания. Учитель порой так может загрузить ученика знаниями, что тот будет не в состоянии их постигнуть и освоить.

Полностью быть «слепым» и сесть на осла, значит довериться Учителю, Наставнику, который будет на первых порах вести.

«— Мы можем отправиться в путь за сокровищами, — сказал он, — но при одном условии: несколько дней и ночей...»

«Несколько дней и ночей» означает три.

«...мы будем идти в горы...», то есть идти в направлении высших Наставников! Задача Наставника — «осла» — постепенно довести ученика до того уровня, чтобы он был достоен высших Наставников, высших Учителей, которые в своем могуществе достигли «состояния горы».

«...ты не должен открывать глаза и уши, не должен слезать с осла...» Иначе говоря, ученик не может проявить самостоятельность!

Сейчас я пока иду только по первой вуали.

Здесь есть скрытый намек на то, что обычные люди делают скоропалительные выводы, глядя на внешность своих Наставников, на то, как они одеваются, насколько они ухоженны: обросшие, непричесанные и т. д. Для дервишей это не имеет значения.

Тело — это сосуд. Сосуд — это тара. Когда она становится пустой, мы ее очень часто выбрасываем.

А для обычных людей тара имеет значение, а не суть! Хрустальный бокал или хрустальная бутыль стоит, скажем, десять долларов или сто долларов, а столетний коньяк уже пять тысяч долларов. Суть важна!

Если в сосуде ничего нет, в чем же тогда его суть? Это уже никому не нужная пустышка.

«...Если откроешь глаза, ты окажешься на полпути, в том месте, где у тебя не будет дороги ни вперед, ни назад. Ты потеряешься...»

Другими словами, окажешься на полпути между адом и раем, в чистилище и останешься там один. Это еще большее наказание, когда человек ни там, ни там.

«...Ты потеряешься и навсегда останешься в стране вечного блуждания. Потом через три дня и три ночи, — сразу понятно — три года, — ты слезешь с осла и пойдешь пешком, держась за полу моего халата...» То есть уже первое применение силы, первое применение си-и-лы, но держась за осно-о-ву. Пола халата очень часто означает основу, которую дает Наставник, но это еще не истина! Держась за первооснову знания и рядом с Наставником.

«...Я открою твои уши...»

Сначала у человека повышается чувствительность.

Он начинает чувствовать скрытый смысл событий и вещей, постигать знания, исходящие от высшей сферы.

«...Ты сможешь слышать, но глаза твои будут все еще закрыты...»

То есть распознать истину он еще не готов.

«...Ты откроешь глаза только тогда, когда я скажу. Но если ты откроешь глаза раньше времени, мы оба исчезнем...» Ты опять же останешься слепым, а слепому оказаться в горах — это очень печально! Заблудиться среди гор означает гибель!»

Пещера, где хранятся сокровища, — это школа, то место, где хранится великая тайна, великие знания, великая истина, которую человек ищет всю жизнь!

И первая ступенька к этому, первый кирпичик, инструмент — это интуитивное мышление, из которого строится мышление путем озарения.

Когда вы в любом состоянии будете способны улавливать каскад озарений, то вы увидите, что сами сидите в сокровищнице с момента рождения и эта пещера — сам мир.

Эта сокровищница без стен, без дна, без всяких ограничений — есть вся Вселенная. Представляете, вся Вселенная могущества, любви, красоты, гармонии, совершенства?!

И вы сможете тогда найти, почувствовать, увидеть все, все, все ответы на глобальные, волнующие вас проблемы, на уровне кухни или еще более глобальные — вселенские — на уровне своей квартирки на тему: «Как укокошить соседа, чтобы он вам не мешал коптить небо?!».

Но я все-таки надеюсь, что вы уже немножечко выросли, и знаю, что вы научитесь читать между строк, раскрывать скрытый смысл и следовать путем Созидания во имя добра!

Искренне Ваш,
Мирзакарим Норбеков

С любовью, между прочим!

Уважаемые читатели!

Из этой книги вы, наверное, поняли, что ваш покорный слуга является практиком не только в области медицины, психологии, педагогики, но и в сфере бизнеса.

Воспринимайте эти строки не как личную гордыню, но как гордость тренера за своих учеников.

На сегодняшний день двести сорок человек из их числа составляют клуб миллионеров. Если быть совсем точным, то двухсот сорокового мы чествовали совсем недавно. И все они — наши выпускники.

Являясь их тренером и зная элитных бизнесменов России и СНГ, я из своего личного опыта общения с ними хотел бы обратить ваше внимание на двух человек.

Конечно же, мне было бы очень приятно здесь подробнее рассказать о достижениях своих учеников, сказать теплые слова в адрес организаций, которые они возглавляют, но это в другой раз. Во всяком случае — не здесь и не в данный момент.

Сейчас я хотел бы представить вам две сторонние организации. И делаю это главным образом из глубокого уважения к тем людям, которые их возглавляют. Они смогли создать крупнейший бизнес в России, но во время наших многочисленных встреч и бесед ни один из них никогда не говорит о деньгах. Поэтому, когда я упоминаю о духовности, из тысяч и тысяч бизнесменов в первую очередь вспоминаю их.

Они являются патриотами России и мыслят глобально. Положительный результат их работы выражается в улучшении благосостояния России.

Не скрою, на первых порах была настороженность, мысли о неискренности. А когда со временем понял, на каких убеждениях они строят свой бизнес, я стал своим ученикам приводить их в пример как образец честности, порядочности, духовности. Эти люди в первую очередь думают о своих партнерах, а потом о себе. И я не раз убеждался в этом сам!

Поэтому, дорогой читатель, если вы уже занимаетесь бизнесом или благодаря этой книге решите открыть свой бизнес и вам будут нужны честные, порядочные, надежные партнеры, то могу порекомендовать вам две организации.

Первая — это холдинг «Эксима», руководитель Демин Николай Яковлевич. Эта многопрофильная агропромышленная компания — один из крупнейших производителей и поставщиков продуктов питания.

Другая — холдинг «НАСТА», руководитель Николаев Михаил Иванович. Это страховая группа, включающая в себя семь страховых компаний Москвы, Санкт-Петербурга, Калининграда, Иваново и Йошкар-Олы.

Не перед организациями я преклоняю голову, а перед их создателями и руководителями, потому что именно они завели традиции, на которых сохраняется аристократизм их бизнеса. Они заложили фундамент, на котором держатся долгосрочные партнерские отношения — бизнес на столетия.

С самыми добрыми пожеланиями успеха, побед и процветания,
Мирзакарим Норбеков

Содержание _____

Норбеков Мирзакарим Санакулович

ГДЕ ЗИМУЕТ КУЗЬКИНА МАТЬ, ИЛИ КАК ДОСТАТЬ ХАЛЯВНЫЙ МИЛЛИОН РЕШЕНИЙ?

Литературные редакторы *М. В. Серебрякова, О. И. Полякова*
Зав. редакцией *Т. М. Минеджян*
Художественный редактор *Л. Л. Сильянова*
Технический редактор *Т. П. Тимошина*
Корректор *И. Н. Мокина*
Компьютерная верстка *К. С. Парсаданяна*

ООО «Издательство Астрель»
143900, Московская обл., г. Балашиха, пр-т Ленина, 81

ООО «Издательство АСТ»
667000, Республика Тыва,
г. Кызыл, ул. Кочетова, д. 28

Наши электронные адреса: www.ast.ru
E-mail: astpub@aha.ru

Отпечатано с готовых диапозитивов
во ФГУП ИПК «Ульяновский Дом печати»
432980, г. Ульяновск, ул. Гончарова, 14

ИНСТИТУТ САМОВОССТАНОВЛЕНИЯ ЧЕЛОВЕКА

Тысячи лекарей предлагают тысячу дорог,
но все они ведут к храму здоровья.

Институт Норбекова предлагает комплексную программу для самопознания и самосовершенствования человека.

Познание себя, осознание лучших сторон своей Личности — вот главный предмет изучения в Институте.

Основной принцип обучения — это активная позиция человека по отношению к своему душевному и физическому состоянию.

В основе предлагаемых систем самосовершенствования лежат древние восточные знания, которые уже на протяжении многих веков передаются из поколения в поколение от Наставников к ученикам. Самые простые и доступные из них легли в основу предлагаемых курсов.

На сегодняшний день миллионы людей в России, странах СНГ, Балтии, а также в США, Германии, Израиле и других странах мира прикоснулись к этим знаниям.

Более двадцати пяти лет совершенствовались программы первой и второй ступеней Учебно-оздоровительного и Основного учебно-тренировочного курса.

Сейчас идет набор слушателей на элитный курс «Мастерская Успеха».

Итак.

Учебно-оздоровительный курс. I ступень

Курс направлен на обучение саморегуляции организма для реализации духовного и материального потенциала, заложенного в человеке Природой, когда слушатели сами, без постороннего воздействия и вмешательства, учатся справляться со своими проблемами.

Основные темы: запуск механизмов, направленных на восстановление здоровья; укрепление сердечно-сосудистой, нервной, эндокринной, мочеполовой, иммунной, лимфатической систем; нормализация обмена веществ; коррекция зрения, слуха и других органов чувств; устранение последствий перенесенных травм, операций; нормализация функций органов дыхания, восстановление функций опорно-двигательного аппарата; гармонизация интимных отношений; коррекция лица и фигуры.

Продолжительность курса — 9 дней по 5 часов.

Детский учебно-оздоровительный курс

Та же программа **Учебно-оздоровительного курса I ступени**, только адаптированная для детского восприятия.

Учебно-оздоровительный курс. II ступень

Курс направлен на закрепление навыков, полученных на I ступени курса, устранение глубинных причин заболеваний, специальная работа с конкретными заболеваниями, завершение этапа оздоровления, целенаправленная работа с чертами характера.

Продолжительность курса — 9 дней по 5 часов.

Учебно-оздоровительный курс для VIP: I ступень; II ступень

Основной учебно-тренировочный курс I и II ступени — ноу-хау академика М.С. Норбекова.

Курс направлен на пробуждение интуитивной способности восприятия мира, формирование мышления путем озарения, усиление лучших черт характера и как приятный побочный эффект — биологическое омоложение, повышение чувственности, а также гармонизация межличностных отношений.

Продолжительность каждого курса — 9 дней по 5 часов.

Авторский курс Норбекова «МАСТЕРСКАЯ УСПЕХА»

Это уникальная возможность стать членом закрытого Клуба миллионеров.

Информация о способах самореализации человека была доступна лишь определенному слою людей, которые отличаются от большинства более сильным духом и чистыми стремлениями.

Членом элитного Клуба миллионеров может стать только выпускник курса, реально получивший результат по этой системе.

Учебно-тренировочный курс разработан автором при активном участии членов Клуба так, чтобы каждый участник смог стать Личностью мирового значения и в дальнейшем способствовать созданию сети Клубов по всему миру.

В программу входит глубинная работа над устранением слабых сторон личности по 495 параметрам жизни: восстановление здоровья, совершенствование души, тренировка духа, гармонизация отношений с окружающим миром, укрепление семьи, повышение эффективности бизнеса, самореализация и многое другое.

Только за девять лет работы **именно по предлагаемой системе** из более чем 500 кандидатов 242 выпускника стали не только обеспеченными, разносторонне развитыми, преуспевающими людьми, но и объединились в элитный Клуб.

Продолжительность курса 10 занятий.

При проявлении таланта и успешном освоении программы в виде вознаграждения Вы сможете продолжить тренировки под руководством персонального VIP-тренера.

Справки по телефону 8-910-404-27-24.

Дополнительный курс «Восстановление зрения»

Цель: выявить и устранить причины ухудшения зрения, освоить коррекцию зрения, основанную на древневосточных методах улучшения и восстановления зрения, провести дополнительную работу со всеми внутренними органами и системами организма.

Основные темы: атрофия зрительного и слухового нерва, близорукость и дальнозоркость, катаракта и глаукома, астигматизм и т.д., а также гипертония и гипотония; варикозное расширение вен; остеохондроз; депрессивные состояния и многие другие заболевания органов и систем.

Продолжительность курса — 5 дней по 4 часа.

Для обучения в нашем Институте не важен возраст. Двери Института открыты для всех, кто молод душой, кто верит в реальность мечты и готов воспользоваться мудростью, накопленной тысячелетиями.

Сайт Норбекова: NORBEKOV.COM
Сайт Института Норбекова в США (NORBEKOV INSTITUTE USA): NORBEKOVUSA.COM
Личный E-mail М.С. Норбекова: norbekov@norbekov.com
Книга—почтой: 109559, Москва, а/я 72

Представительства Института в России за рубежом

Город	Код	Телефоны организаторов
Актюбинск	3132	51-71-06; 21-06-44
Алматы	3272	68-12-37; 41-76-43
Алматы	3272	41-56-94; 92-92-05 факс
Арзамас	83147	3-82-35 дом.
Армавир–Новокубанск	86137	4-41-82
Архангельск	8182	26-13-44
Астана	3172	33-51-88; 8-300-326-42-17
Астрахань	8512	59-33-39
Баку	99412	97-38-27 дом.
Белгород	0722	53-57-59
Бишкек	996312	53-06-68 дом.
Брянск	0832	57-94-75; 76-03-35
Вильнюс	37068	74-96-31
Вильнюс	37052	12-22-12
Витебск	375212	22-48-84д.; 25-57-89
Владикавказ	8672	58-96-20; 42-42-22
Владимир	0922	31-58-86
Волгоград	8442	97-23-71; 46-88-97; 95-95-96
Волгодонск	86392	3-84-15 дом.
Днепропетровск	380562	47-45-45
Екатеринбург	3432	61-18-55
Ереван	3741	55-32-43; 46-75-95
Ессентуки	87961	5-21-13
Запорожье	380612	72-72-28
Зеленоград	095	536-26-78; 210-30-05
Ижевск	3412	25-40-31; 76-65-78 факс
Йошкар-Ола	8362	73-31-87; 11-63-06
Калининград	0112	27-60-03
Киев	38044	547-51-92; 552-72-46;248-32-93
Кисловодск	87937	5-87-82
Краснодар	8612	8-918-414-42-58
Красноярск	3912	34-33-65; 66-49-63
Курск	0712	53-20-67; (2)6-79-95;
Липецк	0742	43-03-94
Львов	1380322	69-68-95 дом.
Мончегорск	81536	7-29-07
Москва: Институт самовос- становления человека	095	275-94-61; 275-98-00; 275-95-65; 723-03-24
Детский центр		507-66-87
Минск	37517	214-55-87; 228-83-84;248-46-34
Мурманск		см. тел. г. Североморска
Нальчик	86622	1-37-62; 1-41-22
Нижний Новгород	8312	30-69-22
Новороссийск	8617	24-24-94; 24-35-38
Норильск	3919	46-67-93
Обнинск	08439	6-38-59
Одесса	38048	748-89-02
Омск	3812	36-31-07; 30-48-73
Орел	08622	3-01-85
Оренбург	3532	76-20-43
Петрозаводск	8142	51-49-90 дом.; 51-05-54
Печоры	82142	2-35-02; 3-90-87
Протвино	27	74-67-96
Псков	8112	53-29-43; 16-49-23
Пятигорск	87933	9-77-94

Рига	371	741-81-57; 929-32-98
Ростов-на-Дону	8632	41-61-27 раб.
Рыбное	09137	5-26-58
Рязань	0912	53-54-35 дом.
Санкт-Петербург	812	973-15-34; 352-32-82
Сарапул	34147	3-54-55 дом.
Энгельс (Саратовская обл.)	84511	2-81-33
Саров	83130	3-36-25
Севастополь	380692	46-67-23; 37-37-19
Североморск	81537	4-46-23; 4-44-39
Симферополь	380652	22-29-31 д.;24-22-95 р.;24-25-59
Смоленск	0812	63-61-02 дом.
Сочи	8622	97-87-67
Ставрополь	8652	36-54-86
Старый Оскол	0725	33-59-61; 32-47-21
Сургут	3462	32-39-99
Сызрань	84643	5-78-06
Тамбов	0752	д.51-50-01; 48-32-08; 53-96-28
Ташкент	1099871	181-42-29; 173-68-42;116-72-72; (2)46-78-43
Троицк	095	334-04-45
Тула	0872	36-85-69 раб.
Уральск	3112	24-76-51
Уфа	3472	74-89-46; 33-45-32
Хмельницкий	380382	77-24-79
Чебоксары	8352	56-66-51; 42-66-17
Челябинск	3512	42-04-77; 65-83-46
Череповец	8202	32-12-70
Черкесск		см. г. Ставрополь
Ярославль	0852	32-71-23

США: Нью-Йорк, Бруклин, Бостон, Лос-Анджелес, Денвер, Лас-Вегас, Детройт	+1 866 672 35 68
Германия: Берлин	10 49 30 700 799 32
Дортмунд, Кельн, Дюссельдорф	10 49 23 172 179 15
Штуттгарт	10 49 711 585 32 70
Кассель	10 49 400 07 04
Израиль: Иерусалим	910 97 22 571 27 97
	910 97 22 571 36 88
	064 322 337
Хайфа	314857 672 33 114
	314 857 048 661 495

Обращаясь в любой учебно-оздоровительный Центр, работающий по системе академика М.С. Норбекова, убедитесь в том, что преподаватели и организаторы имеют личное письменное подтверждение академика М.С. Норбекова о праве работы по его авторской системе.

Все необходимые для занятий книги и методические пособия вы можете приобрести в Институте самовосстановления человека.

Свои отзывы и предложения о книгах Мирзакарима Санакуловича Норбекова вы можете отправить по адресу:

109044, г. Москва, ул. Мельникова, д. 7.
Дом культуры 1-го ГПЗ, Институт самосовершенствования человека
E-mail: norbekov@list.ru

Книги издательской группы АСТ вы сможете заказать и получить по почте в любом уголке России. Пишите:

107140, Москва, а/я 140

ВЫСЫЛАЕТСЯ БЕСПЛАТНЫЙ КАТАЛОГ

Вы также сможете приобрести книги группы АСТ по низким издательским ценам в наших **фирменных магазинах:**

Москва

- м. «Алексеевская», Звездный б-р, д. 21, стр. 1, тел. 232-19-05
- м. «Алтуфьево», Алтуфьевское шоссе, д. 86, к. 1
- м. «Варшавская», Чонгарский б-р, д. 18а, тел. 119-90-89
- м. «Крылатское», Осенний б-р, д. 18, к.1
- м. «Кузьминки», Волгоградский пр., д. 132, тел. 172-18-97
- м. «Павелецкая», ул. Татарская, д. 14, тел. 959-20-95
- м. «Перово», ул. 2-я Владимирская, д. 52, тел. 306-18-91, 306-18-97
- м. «Пушкинская», «Маяковская», ул. Каретный ряд, д. 5/10, тел. 209-66-01, 299-65-84
- м. «Сокол», Ленинградский пр., д. 76, к. 1, Торговый комплекс «Метромаркет», 3-й этаж, тел. 781-40-76
- м. «Сокольники», ул. Стромынка, д. 14/1, тел. 268-14-55
- м. «Таганская», «Марксистская», Б. Факельный пер., д. 3, стр. 2, тел. 911-21-07
- м. «Царицыно», ул. Луганская, д. 7, к. 1, тел. 322-28-22
- Торговый комплекс «XL», Дмитровское шоссе, д. 89, тел. 783-97-08
- Торговый комплекс «Крокус-Сити», 65—66-й км МКАД, тел. 942-94-25

Регионы

- г. Архангельск, 103-й квартал, ул. Садовая, д. 18, тел. (8182) 65-44-26
- г. Белгород, пр. Б. Хмельницкого, д. 132а, тел. (0722) 31-48-39
- г. Калининград, пл. Калинина, д. 17-21, тел. (0112) 44-10-95
- г. Краснодар, ул. Красная, д. 29, тел. (8612) 62-55-48
- г. Курск, ул. Ленина, д. 11, тел. (0712) 22-39-70
- г. Н. Новгород, пл. Горького, д. 1/16, тел. (8312) 33-79-80
- г. Новороссийск, сквер имени Чайковского, тел. (8612) 68-81-27
- г. Оренбург, ул. Туркестанская, д. 23, тел. (3532) 41-18-05
- г. Ростов-на-Дону, пр. Космонавтов, д. 15, тел. (88632) 35-99-00
- г. Рыбинск, ул. Ломоносова, д. 1 / Волжская наб., д. 107, тел. (0855) 52-47-26
- г. Рязань, ул. Почтовая, д. 62, тел. (0912) 20-55-81
- г. Самара, пр. Кирова, д. 301, тел. (8462) 56-49-92
- г. Смоленск, ул. Гагарина, д. 4, тел. (0812) 65-53-58
- г. Тула, пр. Ленина, д. 18, тел. (0872) 36-29-22
- г. Череповец, Советский пр., д. 88а, тел. (8202) 53-61-22

Издательская группа АСТ

129085, Москва, Звездный бульвар, д. 21, 7-й этаж
Справки по телефону:
(095) 215-01-01, факс 215-51-10
E-mail: astpub@aha.ru   http://www.ast.ru